D1239389

L'ABOLITION

DU MÊME AUTEUR

L'Exécution, Grasset, 1973 ; Fayard, 1998.
Condorcet (en collaboration avec Élisabeth Badinter), Fayard, 1988.
Libres et égaux... L'Émancipation des Juifs, 1789-1791, Fayard, 1989.
Une autre justice (collectif), Fayard, 1989.
La Prison républicaine, Fayard, 1992.
C. 3.3, précédé de *Oscar Wilde ou l'Injustice*, Actes Sud Théâtre, 1995.
Un antisémitisme ordinaire, Fayard, 1997.

Robert Badinter

L'ABOLITION

Fayard

À François Mitterrand

« *Si je prouve que cette peine n'est ni utile ni nécessaire,*
j'aurai fait triompher la cause de l'humanité. »

Cesare BECCARIA, *Des délits et des peines.*

PREMIÈRE PARTIE

D'un Président à l'autre

Un lendemain d'exécution

Le matin qui suivit l'exécution de Buffet et Bontems à la maison d'arrêt de la Santé, le 24 novembre 1972[1], je pris le train pour Amiens. J'enseignais, à l'époque, à l'université de Picardie. Je pensais que l'accomplissement de la tâche ordinaire, les rythmes et les rites de la vie quotidienne pourraient apaiser l'angoisse de mort qui m'étreignait. Mais l'espoir d'échapper, même un moment, à ce qui était arrivé la nuit précédente était vain. Je perçus aussitôt, dans le regard d'un collègue rencontré dans le wagon, une lueur de curiosité ambiguë

---

1. Le 22 septembre 1971, à la centrale de Clairvaux, deux détenus, Claude Buffet, condamné à perpétuité pour assassinat, et Roger Bontems, condamné à vingt ans de réclusion pour vol qualifié, prirent en otages une infirmière et un gardien. Ils exigeaient d'être libérés. Lors de l'assaut donné par les forces de l'ordre, les deux otages furent égorgés par Buffet. En juin 1972, Buffet et Bontems comparurent devant la cour d'assises de Troyes. Tous deux furent condamnés à mort, bien que la cour d'assises eût écarté l'accusation d'assassinat contre Bontems. Le Président Pompidou ayant refusé sa grâce, les deux hommes furent exécutés à la maison d'arrêt de la Santé, le 24 novembre 1972. *Cf.* Robert Badinter, *L'Exécution*, Grasset, 1973 ; réédition Fayard, 1998.

11

pour le témoin d'un événement exceptionnel et igno-
minieux. Il y avait là comme un appel à la confidence
dont je me détournai. Les étudiants m'accueillirent dans
un silence absolu. Tout au long de ces heures où j'exposai d'une voix blanche les règles des procédures de
faillite, je sentis qu'ils s'attachaient à déchiffrer, derrière
ce masque livide, ce que pouvait éprouver cet aîné, leur
professeur, cet avocat vaincu qui avait vu ce que nul
d'entre eux, pensaient-ils, ne verrait jamais.

Le cours achevé, tandis que je rangeais mes papiers,
quelques-uns s'approchèrent de la modeste estrade. Visiblement, ils voulaient me parler. Plus gêné encore
qu'eux, je pris les devants et proférai quelques propos
sans intérêt sur les sujets à préparer. Ils m'écoutaient
débiter ces banalités sans qu'aucun ne m'interrompît
pour me dire ce qu'ils voulaient m'exprimer et que, tout
crispé que j'étais, je refusais d'entendre. Mais ils
savaient que je leur en étais reconnaissant, car c'était
bien ce message silencieux, si précieux en cet instant,
que j'étais venu chercher auprès d'eux.

Je les quittai précipitamment. J'avais hâte d'être à
nouveau seul. Les rues luisaient d'une froide pluie d'automne. La gare était glaciale. Je jetai un coup d'œil sur
le kiosque à journaux. Tous portaient, en gros caractères,
l'annonce de l'exécution. Des photos de Buffet, de
Bontems s'étalaient en première page. J'achetai ceux
dont j'étais coutumier. Je laissai les autres. Que m'au-
raient-ils dit que je ne savais déjà ?

Assis dans le compartiment presque vide, tandis que
je regardais glisser le paysage familier, je réfléchissais
à la décision du président de la République de faire
exécuter Buffet et Bontems. Si la conviction abolitionniste que j'avais prêtée, comme beaucoup d'autres, à

Georges Pompidou avait été fermement arrêtée, la grâce de Buffet aurait signifié la fin de la peine de mort en France. Buffet avait déjà été condamné à perpétuité pour avoir assassiné une femme. Il avait récidivé au sein même de la centrale de Clairvaux. Il avait, avec Bontems, conçu la prise d'otages d'une infirmière et d'un gardien. Lors de l'assaut, il les avait égorgés de sa main. Buffet lui-même demandait à être exécuté. Il avait fait savoir au Président que, s'il lui accordait sa grâce, il tuerait de nouveau au sein de sa prison[1]. Tout commandait donc son exécution. Hormis l'essentiel : le refus de la peine de mort.

Buffet, dans son orgueil, avait souhaité qu'après lui l'on abolît la peine de mort[2]. Il se voulait à tous égards exceptionnel. Avec lui devait s'achever la longue chaîne des criminels morts sur la guillotine. Mais Buffet, dans son délire morbide, méconnaissait l'évidence. En l'envoyant à l'échafaud, le Président s'interdisait de demander au Parlement la suppression de la peine capitale. L'exécution de Buffet commandait son maintien,

---

1. « *Je suis un homme très dangereux*, écrivait Buffet. *Je me connais mieux que quiconque... Ma conscience est enracinée dans ma situation et, je vous l'avoue très sincèrement, je ne me vois pas finir ma vie dans un milieu tel que celui-ci. Or, je ne suis pas une personne à me suicider moi-même... "Tuer pour être suicidé", voilà ma morale. Désirez-vous donc, Monsieur le Président, que d'autres innocents doivent en subir les circonstances* (sic) *de l'échec de ce que je vous demande par humanité des autres ?* », Le Monde, 15 décembre 1972.

2. « *Je vous demande seulement, Monsieur le Président, que, lorsque le couperet de la guillotine sera abattu sur ma tête, que cela permette définitivement d'abolir, en France, la peine de mort. Vous devez bien cela à la France. N'a-t-elle pas condamné à mort deux personnes, le 29 juin 1972, jour même où l'abolition de la peine de mort a été décrétée en Amérique ? Pouvez-vous me refuser cette grâce, non pas pour moi, mais pour les autres après moi ?...* », Le Monde, 12-13 janvier 1975.

comme sa grâce en eût impliqué l'abolition... Le choix présidentiel était fait. C'était celui de la peine de mort[1]. Plus lourde encore de portée me paraissait l'exécution de Bontems. Lui n'avait pas tué. La cour d'assises l'avait reconnu dans son verdict. Il n'avait été que le complice de Buffet. Bontems, antérieurement, n'avait jamais commis de crimes de sang. La peine de mort commuée en perpétuité, il aurait rejoint dans la nuit carcérale la troupe anonyme de ses semblables. Sans doute la condition pénitentiaire de Bontems aurait-elle été cruelle. On aurait toujours vu en lui le complice de Buffet dans le meurtre de l'infirmière et du gardien. Mais Bontems avait vingt-sept ans. Il voulait vivre, et sa vie pouvait encore, quelles que soient les rigueurs qui l'attendaient, prendre sens.

Dans un mouvement de pitié, Buffet avait demandé au président de la République de gracier Bontems en même temps qu'il l'enverrait, lui, Buffet, à la guillotine[2]. Mais le Président avait traité de la même façon celui qui avait tué et celui qui n'avait pas de sang sur les mains. L'exécution de Bontems ouvrait ainsi la voie à celle d'autres criminels qui commettraient des crimes plus terribles encore. Je percevais clairement que la lutte contre la peine de mort se déroulerait dorénavant sur

---

1. Le lendemain même de l'exécution de Buffet et Bontems, au cours d'une réception donnée par le président de l'Assemblée nationale, le Président Pompidou déclarait à un journaliste : « *Je suis opposé à la suppression de la peine de mort, comme on a malheureusement pu le constater hier* », *Le Monde*, 1ᵉʳ décembre 1972.

2. Dans une lettre d'octobre 1972, il écrivait : « *Je vous demande aussi, Monsieur le Président, de gracier mon collègue Roger Bontems, c'est un garçon très influençable, et j'avoue sans tricher que c'est moi qui l'ai entraîné dans cette triste affaire...* », *Le Monde*, 12-13 janvier 1975.

deux fronts : l'un, politique, car jamais l'abolition n'interviendrait sans une volonté présidentielle ferme, appuyée sur une majorité parlementaire résolue ; l'autre, judiciaire, car il y aurait encore bien des procès où se jouerait la vie de l'accusé.

Je savais à présent que la justice pouvait tuer. Je l'avais vue à l'œuvre. J'avais été incapable de l'empêcher. Cette pensée-là, j'en étais comme possédé. L'angoisse de mort de la nuit précédente, refoulée par les habitudes et les contraintes du jour, m'envahissait de nouveau dans ce train qui roulait dans la nuit. Je fermai les yeux et perçus, avec plus d'intensité encore qu'à l'aube, que, dorénavant, aussi longtemps que la peine de mort ne serait pas abolie en France, je la combattrais de toutes mes forces. J'avais conscience que cette lutte-là serait pour moi un engagement premier, total, sans que je parvienne à distinguer ce qui, dans son intensité, relevait de la culpabilité que je ressentais à l'égard de Bontems ou du fait que je savais, à présent, ce qu'était la réalité de la peine de mort. Jusque-là, j'avais été un partisan de l'abolition. Dorénavant, j'étais un adversaire irréductible de la peine de mort. J'étais passé de la conviction intellectuelle à la passion militante.

De retour chez moi, j'écrivis aux parents de Bontems. Aussi simplement et fidèlement que je le pouvais, je leur dis qu'il était mort avec courage. Je pensais que c'était important pour son père, un ancien combattant. À sa mère que je savais croyante, je rapportai qu'il s'était confessé et avait communié avant de monter sur l'échafaud. L'abbé Clavier avait dit qu'il était mort en chrétien et que Dieu lui ferait miséricorde. Je leur rappelai que leur fils Roger n'avait tué ni l'infirmière ni le gardien. Je leur dis aussi combien il les aimait, qu'il me l'avait répété jusqu'au dernier moment, et qu'il leur disait tout son amour. La lettre achevée, cachetée, j'allai la poster pour qu'elle partît le plus vite possible, comme si c'était l'ultime geste que je pouvais encore accomplir pour Bontems. Je revins lentement chez moi dans la nuit de novembre. J'étais glacé jusqu'au cœur.

Le Président et la peine de mort

La double exécution de Buffet et Bontems marquait une rupture sanglante avec le cours des choses. Jusqu'alors, on pouvait raisonnablement penser que le mouvement qui conduisait l'Europe occidentale vers l'abolition allait s'achever en France sous la présidence de Georges Pompidou. Des décennies de croissance économique et de plein emploi, la fin des épreuves et des violences de la décolonisation, l'évolution des esprits et des sensibilités dont témoignait l'explosion de Mai 1968, tout contribuait à donner à la peine de mort le caractère d'une survivance dont la guillotine était le symbole archaïque. Lorsque s'acheva le long règne du général de Gaulle, en mars 1969, il parut emporter avec lui une certaine vision de la France dans laquelle l'antique peine de mort avait traditionnellement sa place. Hors du champ politique où l'exécution de Jean Bastien-Thiry, régicide manqué, ne devait pas contribuer à sa gloire[1], le général de Gaulle

---

1. Jean Bastien-Thiry, ancien polytechnicien, officier de marine, partisan de l'Algérie française, fut l'organisateur de l'attentat manqué du Petit-Clamart contre le Général et Mme de Gaulle, le 22 août 1962. Condamné à mort par la Cour de justice, il fut exécuté le 11 mars 1963.

avait eu de la grâce présidentielle une pratique mesurée[1]. Formé dans le corps des officiers avant la guerre de 1914, le problème philosophique et moral de la peine de mort ne paraissait pas l'avoir particulièrement préoccupé. Le 20 mars 1969, en pleine campagne électorale, quelques semaines avant l'échec du référendum et sa démission, le général de Gaulle avait envoyé à l'échafaud un garçon de vingt-trois ans, Jean-Laurent Olivier, cultivateur dans l'Oise, qui avait violé et étranglé une fillette et tué son jeune frère. Les médecins psychiatres avaient conclu à l'entière responsabilité d'Olivier, « sous réserve de quelques anomalies[2] ».

La personnalité de Georges Pompidou laissait augurer des dispositions différentes. Fils d'instituteur, il avait grandi dans un milieu où Victor Hugo, Jaurès, Clemenceau, tous abolitionnistes, incarnaient l'idéal républicain. Issu de l'École normale supérieure, ancien membre des Jeunesses socialistes, épris de littérature et d'art moderne, on l'imaginait mal acceptant le recours à la guillotine. Interrogé à ce sujet, Georges Pompidou avait déclaré : « *Par tempérament, je ne suis pas un homme sanguinaire*[3]. » De surcroît, l'opinion publique, en ces années de changement des esprits et des mœurs, paraissait de moins en moins attachée à la peine de mort[4]. Le

---

1. De 1960 à 1969, neuf condamnés à mort avaient été guillotinés.

2. L'autopsie pratiquée *post mortem* avait révélé l'existence de lésions cérébrales qui n'étaient pas décelables lors des examens pratiqués antérieurement et qui pouvaient expliquer des explosions incontrôlées de violence.

3. *Paris-Presse*, 25 septembre 1969.

4. En mai 1960, 38 % de Français étaient partisans de la peine de mort ; en juillet 1962, 34 % ; en octobre 1969, 33 %. *Le Point*, 4 décembre 1972.

nombre des exécutions diminuait au fil des décennies[1]. La peine capitale paraissait vouée à tomber en désuétude.

À son arrivée à l'Élysée, le Président Pompidou avait trouvé les recours en grâce de deux condamnés qui avaient tué un brigadier de gendarmerie. Albert Naud, célèbre avocat d'assises et grand adversaire de la peine de mort, vint à l'Élysée soutenir auprès du Président la demande de grâce des deux condamnés. « *J'en profitai*, raconta-t-il, *pour aborder le problème de la peine de mort. Le Président s'est montré très ouvert, m'a posé beaucoup de questions. L'entretien a duré cinquante-cinq minutes. C'est la première fois que j'ai eu, avec un président de la République, un véritable dialogue à ce sujet. Et c'était évidemment, pour moi, un heureux signe*[2]... » La grâce fut accordée par le Président. Deux autres condamnés à mort, dont la sentence avait été prononcée avant l'élection présidentielle, furent également graciés.

À l'automne 1969, il n'y avait plus de condamnés à mort dans les prisons françaises. En novembre, pour la première fois, un sondage révélait qu'une majorité de Français (58 %) se prononçaient pour l'abolition, les jeunes de moins de trente-cinq ans se montrant les plus favorables (64 %)[3]. La longue campagne de l'Associa-

---

1. De 1952 à 1967, la moyenne des condamnations à mort prononcées était inférieure à quatre par an, celle des exécutions, de l'ordre de une par an. Aucune n'avait eu lieu en 1962, 1965, 1967.

2. *Le Figaro littéraire*, « Les derniers jours de la peine de mort », 19-25 janvier 1970.

3. *Cf.*, sur l'évolution des sondages sur la peine de mort, *Le Point*, 4 décembre 1972.

tion française contre la peine de mort, conduite par sa présidente, Georgie Vienney, paraissait près d'aboutir. Restait le problème politique.

L'Assemblée nationale élue en juin 1968, fruit de la grande peur suscitée par les événements de Mai 68, comptait une forte majorité de droite conservatrice. Certes, quelques députés centristes, conduits par Eugène Claudius-Petit, et certains gaullistes, menés par Pierre Bas, réclamaient avec constance la suppression de la peine de mort. Et la gauche était acquise à l'abolition. Mais cette conjonction de forces ne faisait pas une « majorité d'idées » au Parlement. En définitive, tout dépendait du choix du président de la République. Lui seul détenait le droit de grâce. Il pouvait donc proscrire toute exécution capitale pendant son septennat. De surcroît, selon les principes de la République gaullienne, sa volonté s'imposait à sa majorité parlementaire et devenait la loi de la République. En mars 1970, à la télévision, le Général avait évoqué l'épreuve que représentait, pour lui, le droit de grâce : « *Lorsque je me trouve en présence d'un condamné à mort et que je dois prendre sur moi, et sur moi seul, la décision, chaque fois c'est pour moi un drame de conscience.* »

Au printemps 1971, la cour d'assises du Mans condamnait à mort l'auteur d'un double meurtre, Jean-Michel Guimut. Comme il s'agissait d'un psychopathe reconnu, par deux fois interné, le ministère public n'avait pas requis la peine capitale. Et l'on s'accordait à penser que le Président Pompidou gracierait Guimut.

Mais le 22 septembre 1971 éclatait le drame de la centrale de Clairvaux[1]. L'émotion et la colère suscitées

---

1. *Cf.* p. 11, note 1.

par ce crime furent immenses. La peine de mort reprit aussitôt sa place sur la scène judiciaire. Le 4 octobre 1971, Mohamed Lahdiri, meurtrier d'un chauffeur de taxi niçois, fut condamné à mort par la cour d'assises des Alpes-Maritimes sous les applaudissements du public. Le 26 octobre, Jean-Pierre Boursereau, meurtrier d'un brigadier de police, connut le même sort. Un sondage, réalisé quelques jours après le drame de Clairvaux, traduisait un renversement de l'opinion. De nouveau, une majorité de Français (53 %) se déclarait favorable à la peine de mort. En novembre 1971, cependant, le Président Pompidou usait de son droit de grâce en faveur de Jean-Michel Guimut. Intervenant quelques mois après le double meurtre de Clairvaux, cette cinquième grâce présidentielle paraissait témoigner d'une irréductible hostilité du Président à la peine de mort. L'exécution de Buffet et de Bontems montra qu'il n'en était rien.

Après l'exécution

La personnalité de Buffet, l'horreur des crimes de Clairvaux, le fait que le président de la République, pour la première fois, eût préféré la mort à la grâce, tout contribuait à faire du supplice un événement. La tempête médiatique se leva. Certains journaux s'efforcèrent, à coups de témoignages parcellaires, de reconstituer le rituel de l'exécution. D'autres s'interrogèrent sur les motifs de la décision présidentielle. On rappelait que,

selon un sondage publié à la veille de la double exécution, 63 % de Français se déclaraient favorables au
maintien de la peine de mort[1].

La violence de certains commentaires de presse irrita
le Président Pompidou. Dans les jours qui avaient suivi
l'exécution de Buffet et Bontems, trois grands hebdo-
madaires avaient relaté le rituel du supplice et les
derniers moments de la vie des deux hommes. Les faits
étaient exactement rapportés. Les journalistes n'avaient
fait que leur métier. À la surprise générale, le parquet
de Paris décida de poursuivre les trois journaux devant
le tribunal correctionnel en se fondant sur l'article 15 du
Code pénal qui interdisait de publier « aucune indication, aucun document relatif à l'exécution, autre que le
procès-verbal ». Depuis longtemps, cette disposition
n'était plus respectée et le texte lui-même paraissait
tombé en désuétude. Sur ordre de l'Élysée, on l'exhuma,
comme si la description d'une exécution capitale,
souvent faite dans des livres et des films, constituait un
délit de lèse-majesté. Les journalistes poursuivis choi-
sirent comme défenseurs les avocats qui avaient assisté
Buffet et Bontems. Ainsi, à l'audience du tribunal
correctionnel, nous nous retrouvâmes, comme à Troyes,
au banc de la défense, Philippe Lemaire, Thierry Lévy,
Rémy Crauste et moi-même.

L'audience fut chaude. Pour prouver que les auteurs
des articles n'avaient rien ajouté dans leur récit au rituel
des exécutions, nous avions cité comme témoin Albert
Naud. L'avocat décrivit les exécutions auxquelles il

---

1. *Le Monde*, 6 décembre 1972.

avait assisté. Toutes avaient fait l'objet de comptes rendus dans la presse, sans qu'aucune poursuite fût jamais intervenue. Le ministère public n'en prononça pas moins des réquisitions sévères sur le ton de la plus vertueuse indignation. Le président du tribunal partageait ses sentiments, à en juger par ses commentaires. La condamnation, rendue après un mois de délibéré, se voulut symbolique. Mais de quoi ?

En réunion

Je prenais activement part, désormais, aux conférences organisées en faveur de l'abolition, notamment par l'inlassable Georgie Vienney, au nom de l'Association contre la peine de mort. Le décor était modeste, salle de classe ou de réunion aux chaises de fer alignées devant la table du conférencier, l'assistance le plus souvent clairsemée. La séance connaissait un déroulement invariable. Les mêmes arguments suscitaient les mêmes questions qui appelaient les mêmes réponses. Souvent, c'était sur le ton de l'indignation, parfois à la limite de l'insulte, que certains partisans de la peine de mort m'interpellaient. À leurs yeux, les abolitionnistes prenaient parti pour les assassins contre leurs victimes. La fièvre qui les animait leur faisait souhaiter une justice expéditive et sommaire, une sorte de grande terreur permanente où la guillotine fonctionnerait sans recours et sans délai. À les entendre, je pensais que c'était là, dans cette passion de la mise à mort, que résidait le foyer irrationnel qui rendait si difficile l'abolition.

Vainement, je m'appliquais à établir, à grand renfort d'enquêtes internationales, que, partout où l'on avait aboli la peine de mort, la criminalité sanglante n'avait pas augmenté, qu'elle allait son chemin, indifférente à la présence comme à l'absence de la peine capitale dans la législation pénale. Aux yeux de ces partisans farouches, peu importait que la criminalité la plus cruelle ne s'accroisse pas du fait de l'abolition. Ce qu'ils voulaient, c'était que l'assassin paie son crime de sa vie. Pour rallier les convictions, ils prêtaient à la peine de mort une vertu dissuasive qu'elle n'avait pas. À tous les arguments sur le changement des êtres humains, sur l'erreur judiciaire toujours possible, sur la loterie des cours d'assises qui faisait dépendre la vie d'un accusé de mille facteurs impondérables, à toutes les considérations morales, historiques, scientifiques, politiques, ils opposaient une constante réponse : les criminels devaient être mis à mort, car il faut mourir après avoir commis de tels crimes. En définitive, derrière la diversité des propos demeurait, inébranlable, l'antique et sanglante loi du talion. Dans le rituel de l'exécution s'inscrivait toujours le sacrifice expiatoire : la mort pour la mort, afin que s'apaise la colère des dieux, qui n'est autre que la projection de notre insurmontable angoisse.

En rentrant de ces réunions, du fond d'une banlieue proche ou d'un quartier lointain, dans ma voiture, je repensais souvent au procès de Troyes, à la condamnation de Bontems. Je mesurais, trop tard, que je n'avais rien compris à ce qui se jouait dans l'âme des juges et des jurés. J'avais posé comme fondement de la défense un principe rationnel, un théorème moral : celui qui n'a pas tué, la justice ne peut le tuer. C'était simple et, apparemment, inattaquable, puisque même la loi du talion ne pouvait jouer contre celui qui n'avait pas donné la mort.

Mais, en posant cette équation abstraite, j'avais ignoré l'essentiel : la pulsion de mort suscitée par l'égorgement des deux otages était si forte qu'elle balayait les défenses de la raison. Buffet avait tué les otages : il fallait qu'il meure. Bontems ne les avait pas tués, mais il avait participé à l'entreprise criminelle. Eh bien, puisque les otages étaient morts, il fallait que Bontems meure aussi ! Il ne servait à rien de prouver qu'il n'avait pas tué. L'angoisse de mort suscitée par le double meurtre ne faisait pas la distinction. Elle ne pouvait s'apaiser, s'épuiser, que par la mort des deux hommes, confondus dans la même fureur, la même passion. Pour sauver Bontems, pensais-je, c'était à ce niveau d'irrationnel qu'il aurait fallu agir pour convaincre. Cette évidence s'imposait à moi, trop tard pour Bontems. Mais, pour les autres accusés que je pouvais être amené à défendre, où était la clef que je n'avais pas su trouver pour Bontems ? Je sentais que là était la question fondamentale. Mais la réponse, je ne l'avais pas.

Mort du Président

Ce n'était point, tant s'en fallait, que la question de l'abolition fût au cœur de la campagne pour les législatives de 1973. Certes, le programme commun de gouvernement, charte de l'union de la gauche, énonçait, dans le chapitre consacré à la justice : « La peine de mort sera abolie. » Mais c'est à peine si, de temps à autre, un candidat de gauche y faisait une allusion devant un auditoire de militants. Au deuxième tour des élections, la gauche recueillit près d'un million de voix de plus que la droite. Cependant, le scrutin majoritaire à deux tours conserva à celle-ci, en dépit de ses pertes, une très faible majorité en sièges. Chacun sentait que ce n'était que partie remise. Cette courte victoire n'en écartait pas moins toute perspective d'abolition jusqu'au terme du mandat de Georges Pompidou.

Deux mois après les législatives, le 12 mai 1973, à la prison des Baumettes, à Marseille, Ali Benyanes, ouvrier agricole d'origine tunisienne, fut exécuté. Lors d'un cambriolage dans une ferme, avec un complice, il avait frappé à coups de couteau une jeune femme et sa fillette. L'enfant était morte, la mère avait survécu. Le verdict avait été salué par des applaudissements. Le jour même où le Président envoyait Benyanes à l'échafaud, il graciait un autre condamné à mort, Guy Chauffour, qui avait tué un surveillant-chef de prison. Quelques semaines plus tôt, il avait gracié Mohamed Lahdiri, meurtrier d'un chauffeur de taxi.

Au cours de son entretien avec les défenseurs d'Ali Benyanes, le président de la République avait déclaré : « *Dans des cas d'exception comme ceux de prise d'otages ou de mort d'enfant, la peine suprême peut se justifier.* » Ainsi s'expliquaient les exécutions pratiquées et les grâces accordées depuis 1969. Il existait bien une sorte de doctrine de Georges Pompidou en matière de peine de mort.

Elle ne faisait cependant pas l'unanimité dans son propre camp. Moins d'un mois après l'exécution de Benyanes, le 12 juin 1973, une nouvelle proposition de loi « tendant à abolir la peine de mort en France » était déposée par Eugène Claudius-Petit, Jacques Barrot, Pierre Bas et onze députés de droite. Mais, même appuyées par la gauche tout entière, ils ne pouvaient espérer l'emporter. Maintenant que l'on connaissait la position présidentielle, il était acquis que la France de M. Pompidou, en conservant la guillotine, serait le seul État en Europe occidentale à pratiquer encore la peine de mort.

Dans les derniers mois de 1973, la rumeur se répandit dans le monde politique que le président de la République était très malade. Le 7 février 1974, un communiqué annonçait que Georges Pompidou était atteint d'une « affection grippale ». Le 1er avril, pour tenter d'apaiser les inquiétudes et les intrigues au sein de la majorité, Michel Debré déclarait devant les instances de l'UDR, le parti gaulliste de l'époque : « *La seule hypothèse de travail dans laquelle nous devons nous placer est celle du président de la République allant jusqu'au bout de son mandat*[1]. » Le lendemain 2 avril, la France apprenait le décès de Georges Pompidou.

Du côté de l'Élysée

Le lendemain de la mort du Président Pompidou, tôt dans la matinée, je me rendis chez François Mitterrand. Quelques-uns de ses proches étaient déjà présents. Nous échangeâmes quelques propos sur la portée de l'événement qui frappait les esprits par sa soudaineté. Car si chacun savait le Président malade, nul ne croyait sa fin si proche. L'on évoqua le calendrier de l'élection prési-

---

1. Gérard Vincent, *Les Français, 1945-1975. Chronologie et structures d'une société*, Masson, 1977, p. 243.

dentielle, le retour à l'Élysée du président du Sénat, M. Poher, pour assurer l'intérim. Les considérations pratiques se mêlaient aux analyses politiques. Rien n'avait été prévu pour la campagne présidentielle qui s'ouvrait. Il fallait trouver des locaux, réunir des équipes, lever des fonds. François Mitterrand s'était retiré dans son bureau pour y préparer une déclaration. Puis il nous rejoignit et décida de gagner sans attendre le Palais-Bourbon où se réunissait le groupe parlementaire socialiste. Il était impassible mais visiblement tendu. Je lui demandai son sentiment sur la situation créée par la disparition du Président. Il me répondit : « C'est trop tôt, beaucoup trop tôt. » Ajoutant aussitôt : « Surtout pour lui... » La voiture arriva, il partit avec Georges Dayan. Je m'en fus, de mon côté, vers mon cabinet en me disant que les semaines à venir seraient rudes.

Je n'avais pas participé à la campagne de 1965 aux côtés de François Mitterrand, non par choix politique, mais parce que j'avais décidé de me présenter à l'agrégation de droit privé et de réaliser enfin ma première ambition : enseigner le droit. Les épreuves du concours s'étaient déroulées tout au long de l'automne 1965. Ma participation à la campagne s'était résumée au dépôt de mon bulletin de vote. En 1969, après le départ du général de Gaulle, j'étais de ceux qui avaient déconseillé à François Mitterrand de se présenter à l'élection présidentielle dans une conjoncture très défavorable pour la gauche. Il y avait finalement renoncé. Il n'en avait pas moins ressenti une évidente frustration. C'est dire avec quelle ardeur il se jeta dans la campagne présidentielle de 1974. Pour la première fois, j'en découvris les péripéties, les fatigues et les divertissements.

À aucun moment de cette brève campagne la question de la peine de mort ne fut soulevée dans les débats. Il s'agissait pourtant d'élire le président de la République, seul maître du droit de grâce. Mais, au regard des enjeux considérables de l'élection, la question de l'abolition paraissait secondaire. Ce qui importait aux journalistes, c'était de savoir, au cas où François Mitterrand serait élu, s'il dissoudrait l'Assemblée, si des ministres communistes entreraient au gouvernement, quelle politique étrangère il conduirait, quelles seraient les entreprises nationalisées, etc. Bref, la politique étrangère, la politique économique et sociale, et surtout la politique elle-même retenaient l'attention. Pas la peine de mort. À y regarder de plus près, d'ailleurs, la question ne pouvait servir aucun des deux principaux candidats. Pour François Mitterrand, l'abolition figurait au programme de la gauche, mais il savait qu'elle n'était pas populaire. Quant à Valéry Giscard d'Estaing, s'il laissait volontiers entendre, en privé, qu'il était hostile à la peine de mort, se prononcer publiquement en faveur de l'abolition risquait de heurter de front une grande partie de son électorat.

Mitterrand ne s'était pas trompé au lendemain de la mort de Pompidou : l'heure de l'alternance n'avait pas encore sonné. Le 19 mai 1974, Valéry Giscard d'Estaing fut élu président de la République avec 50,8 % des suffrages exprimés ; 425 559 voix seulement le séparaient de son adversaire.

Le lendemain à 11 heures, François Mitterrand réunit toute son équipe à la Tour Montparnasse où il avait établi ses bureaux de campagne. Chacun faisait bonne figure, mais la fatigue et la déception marquaient les visages. Le candidat battu nous remercia en quelques phrases chaleureuses. Nous repartîmes ensemble dans ma voiture. Il demeurait silencieux tandis que je conduisais. J'évoquai l'avenir, la certitude de la revanche et de la victoire. Il m'interrogea : « Vous allez de quel côté ? » Je lui répondis sans y prêter attention : « Faubourg Saint-Honoré, à côté de l'Élysée. » Un sourire glissa sur ses lèvres. À sa demande, je m'arrêtai place Saint-Germain-des-Prés. Il descendit et s'en alla d'un pas rapide, seul au milieu des passants qui se retournaient sur lui. Et je m'en fus, rêvant à tout ce qui n'était pas advenu.

Le temps des réformes

Je ne connaissais pas le nouveau président de la République. Tel qu'il était, en 1974, cet homme jeune suscitait l'admiration pour ses talents, sinon la sympathie pour sa personne. Il avait, mieux qu'aucun de ses contemporains, compris et maîtrisé l'art premier de la politique nouvelle : la communication et, d'abord, la télévision. Il savait être pédagogue sans être pédant, précis sans être précieux, affable sans être démagogique. Comme les grands acteurs, son narcissisme profond lui insufflait, au moment où il se savait observé, un bonheur d'être admiré qui le rendait parfois admirable. Si le général de Gaulle avait eu, à la télévision, des moments de génie, il arrivait à Valéry Giscard d'Estaing d'avoir des instants de grâce. À l'observer au milieu de ses rivaux en politique, je le considérais comme supérieur à tout autre, et j'avais dit un jour à François Mitterrand qu'il serait le plus redoutable de ses adversaires. Il parut dubitatif. Sans doute pensait-il que le double handicap d'une naissance trop avantageuse et d'une personnalité si éloignée du peuple interdirait au jeune leader de droite, dans une élection présidentielle au suffrage universel, de l'emporter.

S'agissant de l'abolition de la peine de mort, la personnalité du nouveau Président me paraissait de bon augure. Trois jours avant la mort de Georges Pompidou, alors que Paris bruissait d'intrigues politiques, hôte à déjeuner de la *Revue des Deux Mondes*, il avait déclaré : « *Ma véritable ambition, ce serait une ambition littéraire. Si j'avais le pouvoir d'écrire, en quelques mois ou en quelques années, l'équivalent de l'œuvre de Maupassant ou de Flaubert, il est hors de doute que c'est vers cette sorte d'activité qu'avec joie je me tournerais*[1]. » Tout homme sensible à la littérature, à Voltaire, Hugo ou Camus, pensais-je, ne pouvait éprouver que répulsion envers la guillotine. Libéral et européen, tel qu'il se présentait, le Président voudrait figurer dans l'Histoire comme celui qui aurait aboli la peine de mort dans la dernière démocratie à la pratiquer encore en Europe. Il avait déclaré en privé sa profonde aversion pour la peine capitale. Le propos avait été rapporté dans la presse. Dès lors, pourquoi conserver ce que l'on réprouve ?

---

1. *In* Gérard Vincent, *Les Français, 1945-1975...*, *op. cit.*, p. 243.

Des mesures libérales, qui n'étaient pas toutes inscrites au programme du candidat, furent prises par le nouveau président de la République dans les premiers mois de son septennat. Si changer le rythme de *La Marseillaise*, remonter à pied les Champs-Élysées le jour de son investiture paraissait relever du « gadget » politique, des réformes importantes furent adoptées à son initiative. L'ORTF fut scindée en trois chaînes déclarées indépendantes. La saisine du Conseil constitutionnel fut ouverte à soixante députés ou sénateurs de l'opposition. L'avenir devait montrer la portée considérable de cette révision constitutionnelle qui allait transformer une institution jusque-là plus symbolique qu'effective en une véritable Cour constitutionnelle. Surtout, deux lois témoignèrent d'une réelle volonté de libéralisation et de modernisation : l'abaissement de l'âge de la majorité à dix-huit ans et la loi sur l'avortement.

Présentée par Simone Veil au Parlement, cette dernière loi fut adoptée, au terme d'un débat affligeant, par 284 voix contre 189, grâce au vote massif de la gauche. Fréquemment, au cours des débats sur l'abolition, certains déclaraient qu'on ne pouvait se déclarer abolitionniste, c'est-à-dire partisan du respect absolu de la vie, et se prononcer en faveur de la libéralisation de l'avortement. Mais la peine de mort était un supplice imposé par la société au condamné, alors que le choix de l'avortement était laissé à la décision des femmes. La liberté était de leur côté. Rien de tel pour la peine capitale.

Parallèlement à ces réformes essentielles, le nouveau Président témoignait d'un intérêt pour la condition pénitentiaire qui me paraissait aussi un présage favorable.

L'état misérable de nos prisons était le résultat d'une tradition séculaire d'indifférence au sort des détenus. En 1971 et 1972, on compta cent vingt révoltes collectives de prisonniers en France. Des rapports furent demandés à de hauts magistrats : M. Schmelk en 1971 après une mutinerie à Toul, M. Arpaillange en juillet 1972 et février 1973. Ils suggérèrent d'importantes réformes et proposèrent des mesures de libéralisation du régime carcéral. Des associations furent créées pour assister les prisonniers et alerter l'opinion. Michel Foucault, à travers ses ouvrages et ses cours au Collège de France, renouvelait le débat sur la prison. La sanction pénale, le pouvoir de punir étaient autant de thèmes de discussions passionnées dans l'effervescence intellectuelle qui régnait depuis 1968. La suppression de la peine de mort posant la question du régime de la réclusion de très longue durée, le débat sur l'abolition débouchait inévitablement sur la question pénitentiaire. Certains posaient comme un préalable à l'abolition la création de ce qu'ils appelaient une « peine de substitution » à la peine de mort. C'est-à-dire, dans leur pensée, une détention quasi perpétuelle du condamné, sans espoir de libération autre qu'une mesure de grâce éventuelle. À se demander, pensais-je, comment les États européens, nos proches voisins, avaient pu supprimer la peine de mort sans instaurer une peine de réclusion à vie. À cette seule perspective, les personnels pénitentiaires s'inquiétaient. Ils se refusaient à garder des condamnés auxquels serait retirée jusqu'à l'espérance de la liberté, fût-elle très lointaine, et voués à devenir de véritables fauves.

Le 20 juillet 1974 éclata à Clairvaux une mutinerie. Pour ceux qui connaissaient le régime de la centrale et la tension permanente qui y régnait, l'événement n'avait rien d'imprévisible. La révolte fut durement réprimée. Deux détenus trouvèrent la mort et quinze furent blessés au cours des affrontements. La fièvre s'empara aussitôt de nombreux établissements pénitentiaires. Le 1er août, un détenu fut tué. Le garde des Sceaux, Jean Lecanuet, annonça aussitôt une série de mesures destinées à améliorer l'état des bâtiments pénitentiaires, la rémunération des personnels, la condition des détenus. Reprenant certaines propositions des rapports Schmelk et Arpaillange, le ministre déposa un projet de loi destiné à remédier au recours abusif à la détention provisoire et aux courtes peines d'emprisonnement.

Le 10 août 1974, le président de la République se rendit à Lyon dans les prisons Saint-Paul et Saint-Joseph. Il visita les établissements, s'entretint avec des détenus et serra même la main de l'un d'entre eux, un inculpé présumé innocent, devait préciser plus tard un communiqué de l'Élysée. Pareille démarche présidentielle étonna le public. Certains y virent une volonté de montrer que le chef de l'État se souciait du sort de tous les Français, même les moins recommandables. D'autres y décelèrent l'expression d'un snobisme intellectuel, un clin d'œil à ceux qui militaient au sein du Groupe d'information sur les prisons (GIP). Pour ma part, je considérai qu'il s'agissait là d'une démarche courageuse au regard de l'opinion publique.

Sur la question de l'abolition, le nouveau Président, peu avare pourtant d'apparitions à la télévision et de déclarations à la presse, demeurait silencieux. On surnommait parfois Giscard d'Estaing « le Pharaon ». S'agissant de la peine de mort, il apparaissait plutôt comme le Sphinx. Cependant, je m'inquiétais de certaines déclarations de membres importants du gouvernement en place. Le 4 février 1975, M. Poniatowski, ministre de l'Intérieur, ami très proche du Président, déclarait : « *Il faut maintenir la peine de mort pour un certain nombre de cas déterminés. Je pense aux enlèvements d'otages si mort s'ensuit pour les otages, aux enlèvements d'enfants si mort s'ensuit pour les enfants, je pense aussi aux assassinats des policiers. Dans ces trois cas, la peine de mort doit être maintenue*[1]. » Dans la même émission, il ajoutait qu'il se sentait « *fondé, comme les policiers, à [se] plaindre de la clémence des juges* ». La Ligue des droits de l'homme protesta contre de tels propos émanant du ministre de l'Intérieur. Quelques semaines plus tard, le 4 mars 1975, le Premier ministre, Jacques Chirac, déclarait à la télévision : « *Je suis favorable à la peine de mort en cas de prises d'otages*[2]. » Le propos m'inquiéta d'autant plus que Jacques Chirac passait pour un partisan de l'abolition. N'était-ce pas l'écho du choix présidentiel concernant la peine de mort qui perçait dans les propos du Premier ministre ? En revanche, aucune déclaration favorable à l'abolition ne venait du côté des membres du gouvernement ou des leaders de la majorité. Sur ce sujet comme sur bien d'autres, Giscard d'Estaing demeurait « énigmatique », comme l'écrivit le *Times* de Londres[3].

---

1. *Le Figaro*, 5 février 1975.
2. *Le Monde*, 6 mars 1975.
3. Cité par Jean Bothorel in *Le Pharaon – Histoire du septennat giscardien*, t. I : *1974-1978*, Grasset, 1983, p. 153.

Le retour de la peine de mort

À la fin de l'été 1975, la peine de mort fit de nouveau irruption sur la scène politique. Mais ce ne fut point en France. Le général Franco, dont les jours paraissaient comptés, fit fusiller cinq condamnés politiques auxquels on imputait des attentats contre les forces de l'ordre. Tous avaient, jusqu'au bout, proclamé leur innocence. Une vague d'indignation souleva l'opinion publique internationale, particulièrement en Europe occidentale. De multiples appels à la clémence s'élevèrent en faveur des condamnés. Le vieux dictateur, très malade, demeura inflexible, achevant son trop long règne comme il l'avait commencé : dans le sang. En France, où vivaient de nombreux réfugiés politiques espagnols et où tout ce qui advenait en Espagne était vivement ressenti, protestations et manifestations se multiplièrent pour condamner ce qu'il fallait bien appeler un crime politique[1]. Les accusés avaient été jugés, au mépris des droits de la défense, par des conseils de guerre. Leurs avocats ayant protesté contre les irrégularités de la procédure, ils avaient été expulsés de la salle d'audience et remplacés par des « officiers défenseurs ». Les témoins cités par la défense n'avaient pas été entendus. La loi « antiterroriste », en vertu de laquelle les condamnations à mort avaient été prononcées, avait été appliquée rétroactivement à des faits commis antérieu-

---

1. *Le Monde*, 28-29 septembre 1975.

rement à sa promulgation. Ainsi, à Madrid, en 1975, les conseils de guerre ressuscitaient les sections spéciales créées par le gouvernement de Vichy en 1941.

Le gouvernement français se montrait pourtant d'une grande discrétion. Certes, il faisait état d'initiatives de sa part au sein de la Communauté européenne pour que celle-ci intervînt auprès de Franco afin d'obtenir la grâce des condamnés. On invoquait aussi une démarche diplomatique « verbale » auprès du dictateur. Mais, après l'exécution, hormis une parole de désapprobation du Premier ministre, Jacques Chirac, la France officielle se tut. La France n'était d'ailleurs pas la seule puissance à pratiquer cette *realpolitik* à courte vue. À l'exception des Pays-Bas et de la Norvège, les gouvernements occidentaux, notamment celui des États-Unis, conservaient le silence. Celui-ci contrastait avec l'indignation qui soulevait l'opinion publique face à la mort de ces cinq hommes, condamnés au mépris de toute justice et exécutés au mépris de toute humanité par ordre du dernier allié survivant d'Hitler et de Mussolini.

L'émotion n'était pas apaisée lorsque la peine de mort réapparut sur la scène française. Le 3 octobre 1975, la cour d'assises de l'Oise condamnait à mort un jeune garçon, Bruno T., reconnu coupable d'avoir, à l'âge de dix-sept ans, tué à coups de couteau une vieille femme, après avoir forcé sa porte avec trois complices pour la voler. Ce crime odieux avait soulevé dans la région une vive indignation. La condamnation à mort d'un mineur pénal n'en causa pas moins une sorte de stupéfaction. Commentant la décision du jury, le garde des Sceaux, Jean Lecanuet, déclara : « *Il s'agit d'un fait important qui prouve que l'opinion publique est de plus en plus sévère à l'égard des actes de violence, quel que soit l'âge de leurs auteurs*[1]. » Les personnels de l'Éducation surveillée réaffirmèrent cependant leur opposition catégorique à la peine de mort. L'évêque de Beauvais et le pasteur de l'Église réformée de France publièrent un communiqué commun dénonçant « *la violence d'où qu'elle vienne* » et déclarèrent qu'« *à tous, la perspective de l'exécution d'une telle sentence apparaît horrible*[2] ». Du côté des partisans de la peine de mort, l'on expliqua : « *Nous entrons dans le temps des bourreaux parce que nous sommes entrés dans le temps des assassins*[3] », ou : « *Que l'on approuve ou non les jurés de l'Oise, il serait déraisonnable de ne pas écouter leur voix... Elle est celle de la colère populaire*[4]. » À gauche, on relevait, statistiques de la Chancellerie à l'appui, que, depuis 1965, « *la criminalité des jeunes n'augmente pas, elle plafonne et aurait tendance à baisser*[5] ». Aucun mineur coupable d'assassinat ou de meurtre n'avait récidivé. S'agissant d'accusés mineurs, le procès s'était déroulé à huis clos. Mais, par les confidences de certains protagonistes, le déroulement de l'audience était connu. Les psychiatres avaient retracé l'enfance de Bruno T., abandonné par son père, remis par sa mère, à l'âge de trois ans, à l'Assistance publique, placé à la campagne, puis confié à l'Éducation surveillée. Ils avaient souligné les troubles profonds de la personnalité de l'accusé. L'avocat général, malgré l'horreur du crime, n'avait pas requis la

---

1. *Le Monde*, 7 octobre 1975.
2. *Ibid.*
3. *Le Figaro, id.*
4. *L'Aurore, id.*
5. *Le Nouvel Observateur*, 13 octobre 1975.

37

peine capitale. Les magistrats de la Cour, avait-on appris par une indiscrétion, avaient tous trois argumenté contre la condamnation à mort d'un mineur. Sur les neuf jurés, tous des hommes, huit au moins avaient voté la mort[1]. Pour ces jurés, issus de communes rurales ou péri-urbaines, Bruno T. n'était qu'un criminel qu'il fallait traiter comme un adulte en refusant de voir en lui un adolescent, un être encore en devenir. À un crime du XXe siècle avait répondu un verdict du XIXe siècle, une justice du passé. J'étais convaincu que, s'agissant d'un mineur, il serait gracié par le président de la République. La France avait signé, sinon déjà ratifié, le pacte de l'ONU sur les droits civils et politiques de 1966 inter-disant de prononcer la peine de mort contre des accusés qui, lors du crime, étaient âgés de moins de dix-huit ans. Mais cette condamnation à mort d'un adolescent, prononcée par un jury populaire, montrait qu'elle n'était pas considérée comme la survivance barbare d'une justice d'un autre temps. Un sondage promptement réalisé après la condamnation de Bruno T. révélait que 58 % des Français estimaient qu'un mineur commettant un crime particulièrement odieux méritait la peine de mort[2].

Peu de temps après la condamnation de Bruno T., le garde des Sceaux, inaugurant un palais de justice, confiait à des journalistes : « *Les Français, et je partage*

---

1. La condamnation à mort requérant un vote à la majorité de huit voix au moins des douze membres de la Cour, et les trois magistrats s'étant prononcés contre la peine de mort, il avait donc été nécessaire que la mort fût votée par huit jurés au moins.

2. *Le Monde*, 24 octobre 1975.

tout à fait leur conviction, ne supportent plus les excès de la criminalité [quand les avaient-ils acceptés ? Le propos laissait rêveur...]. *Je ne connais pas l'orientation définitive du président de la République à cet égard, mais je peux vous donner mon sentiment : la peine de mort doit demeurer dans des cas très rares, pour les crimes odieux. Elle doit être rarement appliquée, mais je crois que, pour des calculateurs tels que les auteurs de prises d'otages ou de rapts d'enfants, la peine de mort a un rôle d'exemplarité*[1]. » Quelques jours plus tard, Jean Lecanuet réitérait son propos à la radio : « *Je crois en la liberté de l'homme. Je crois en la responsabilité de l'homme sauf, bien sûr, s'il s'agit d'un dément. Par conséquent, le criminel doit aussi assumer ses responsabilités et, dans des cas très rares, il convient de maintenir une force de dissuasion : la peine de mort*[2]. »

De tels propos émanant du garde des Sceaux, membre éminent de la majorité présidentielle, sur un sujet aussi sensible ne pouvaient être tenus sans l'assentiment du président de la République. À analyser le verdict de Beauvais, à entendre les déclarations ministérielles, à lire certains commentaires dans la presse, je mesurais que plus nombreuses seraient les condamnations à mort, plus le risque serait grand de voir la peine capitale se banaliser, et plus il serait difficile de l'abolir. Au cours des prochaines années, c'était donc dans le champ clos de la Justice qu'il faudrait combattre directement la peine de mort. J'étais convaincu que le moment vien-

---

1. *Le Monde*, 16 octobre 1975.
2. *Le Monde*, 22 octobre 1975.

drait où j'aurais à l'affronter de nouveau en cour d'assises. En cette fin d'année 1975, je n'imaginais cependant pas que le destin judiciaire allait sans tarder me convoquer encore une fois à Troyes.

DEUXIÈME PARTIE

Retour à Troyes

CHAPITRE PREMIER

L'affaire Patrick Henry

L'enlèvement

Janvier 1976 s'achevait. Après les fêtes, le froid s'était abattu sur la France. La vie avait repris son cours ordinaire. Le président de la République annonçait un nouveau train de réformes. Elles concernaient l'entreprise, les plus-values, l'aide au logement. Rien d'exaltant. Le gouvernement Chirac était remanié pour la sixième fois. La campagne pour les élections cantonales commençait. Dans cette grisaille quotidienne éclata l'affaire Patrick Henry.

C'était un samedi matin. J'étais chez moi quand la radio annonça qu'un garçon de huit ans avait été enlevé la veille, à la sortie de son école, et que les ravisseurs avaient réclamé une rançon aux parents. Ce qui me frappa d'emblée, ce fut l'âge du petit garçon, si proche de celui de mon fils Simon. Et, aussi que l'enlèvement ait eu lieu à Troyes.

Quant à ce qui advint les jours suivants, l'angoisse et la passion qui soulevèrent la France entière, jamais je ne vis rien de tel au sujet d'un crime, aussi horrible fût-il. Au fil des jours, l'inquiétude à propos du sort de l'enfant ne faisait que croître. Ce sentiment s'ajoutait à l'émotion et à la pitié ressenties à l'égard des victimes. Dans le cas du petit Philippe Bertrand, on assistait à une identification collective des Français aux parents. Leur visage, leurs propos, leur maison, les Français les reconnaissaient : c'étaient les leurs. Leur souffrance et leur peur de ne plus jamais revoir le petit Philippe vivant devenaient les nôtres. Une semaine s'était écoulée depuis le rapt lorsque Mme Bertrand parut à nouveau à la télévision aux côtés de son mari. Ils demandaient aux ravisseurs de reprendre contact avec eux par un intermédiaire de leur choix, avocat, prêtre ou médecin. Ils juraient le secret, ils offraient la rançon, ils suppliaient qu'on épargnât l'enfant.

Sur leur visage se lisait toute la détresse humaine. À un moment, M. Bertrand ne put poursuivre, il cacha ses larmes en enfouissant son visage dans ses mains. C'était insoutenable. J'eus honte de regarder, comme un voyeur, cet homme jeune broyé par la douleur.

Quelques jours s'écoulèrent encore. Nous apprîmes que les ravisseurs s'étaient à nouveau manifestés. Dans la soirée du 10 février, dix jours après l'enlèvement, le curé d'une paroisse proche du domicile des parents avait reçu un appel téléphonique l'avisant de ce qu'une lettre avait été déposée à sa porte, à l'intention de la famille Bertrand. Pour l'authentifier, on avait joint un gant du petit Philippe. Le prêtre s'était précipité chez les parents. La lettre indiquait à M. Bertrand un panneau en rase campagne, où il trouverait une botte de son fils contenant d'autres indications. De message en message, de vêtement en vêtement, semés par le ravisseur comme autant de balises du malheur, un chemin avait été tracé. Il conduisait à une sorte de parking, derrière un café. Là, sur un piquet, serait accroché le manteau du petit Philippe. Au père de le prendre et de déposer à sa place le sac contenant la rançon.

Lorsque, le lendemain, le récit de ce périple de douleur fut connu, chacun s'imaginait à la place du père de l'enfant, dans la nuit glaciale, ramassant ici une bottine, là une autre, déchiffrant les messages, exécutant les instructions, repartant enfin avec le petit manteau à capuche après avoir déposé la rançon. Puis son retour à la maison, l'attente aux côtés de sa femme, et le désespoir enfin, quand, à l'aube, la police avait ramené la rançon intacte. Personne n'était venu prendre la sacoche sur le parking.

Mais un jeune homme était entré à deux reprises dans le café, cette nuit-là, pour y consommer. Les policiers, qui surveillaient les lieux, avaient relevé le numéro d'immatriculation de sa voiture. À l'aube, le jeune homme, identifié, était interpellé. Il s'appelait Patrick Henry. Il fut placé en garde à vue.

Les policiers de la Brigade criminelle, venus de Paris prêter main-forte à leurs collègues de Troyes, étaient des hommes d'expérience. Les indices s'accumulaient. Pour que le petit Philippe eût suivi son ravisseur, venu le chercher à la porte de l'école, il fallait qu'il le connût. Or, les parents de Patrick Henry fréquentaient la famille Bertrand. De surcroît, sa situation matérielle était précaire. Il exploitait à Troyes, avec son frère, un petit magasin qui connaissait des difficultés. Il avait contracté des dettes et eu quelques démêlés mineurs avec la justice. Sans doute ne s'agissait-il là que de petits délits. Mais ils contribuaient à lui donner les traits d'un homme sans scrupules, pressé par des besoins d'argent et prêt à y remédier par des moyens illégaux.

La garde à vue de Patrick Henry se poursuivit jusqu'à sa limite extrême : quarante-huit heures à compter de son interpellation. À son terme, le juge d'instruction, Mlle Gérard, un jeune magistrat de vingt-sept ans, décida de ne pas l'inculper. Les charges réunies contre lui relevaient plus du soupçon qu'elles ne constituaient des preuves. Surtout, l'essentiel, à ce stade, était de retrouver le petit Philippe. À le supposer coupable, Patrick Henry était, à cet égard, plus utile libre que détenu. Par lui les policiers espéraient être conduits à ses complices éventuels et jusqu'à l'enfant, s'il était encore vivant, comme s'obstinaient à le croire ses parents.

Patrick Henry sortit donc libre de l'hôtel de police où il avait été gardé deux jours durant. Libre et apparemment vainqueur de cette longue confrontation avec des policiers éprouvés. L'on assista alors à un spectacle stupéfiant. Là où tout suspect, à sa place, eût prudemment fui les médias, on vit Patrick Henry sur tous les écrans de télévision, on l'entendit dans toutes les radios. La France découvrit un jeune homme aux traits quelconques, portant des lunettes, s'exprimant avec facilité. Il multipliait les interviews, dînait avec des journalistes, les accompagnait dans des établissements de nuit. À la télévision, à la radio, il déclarait d'un ton calme : « *C'est vraiment moche de s'attaquer à des enfants. Je souhaite qu'on puisse retrouver l'enfant vivant et, bien sûr, qu'on arrête ses ravisseurs*[1]. » Le 4 février, au lendemain du jour où Mme Bertrand avait lancé à la télévision son

---

1. Propos tenus sur Europe n° 1, rappelés dans *L'Aurore*, 18 février 1976.

46

bouleversant appel aux ravisseurs, le garde des Sceaux, Jean Lecanuet, avait, dans une émission vedette à la télévision, réclamé une « *sévérité exemplaire* » à l'encontre des auteurs de rapts et de prises d'otages. « *Pour ces criminels qui sont des calculateurs odieux, qui n'ont aucun respect de la vie,* avait déclaré le ministre, *j'irai jusqu'à recommander la peine de mort*[1]. » Interrogé à ce sujet par un journaliste, le 14 février, Patrick Henry approuvait : « *Moi, je suis pour la peine de mort dans ces cas-là. On n'a pas le droit de s'attaquer à la vie d'un enfant*[2]. »

La police, cependant, poursuivait méthodiquement ses recherches. Les inspecteurs quadrillaient la ville. De cafés en hôtels, ils présentaient la photo de Patrick Henry aux exploitants et aux employés. Enfin, le 17 février, le patron d'un petit bar, Les Charmilles, identifiait Patrick Henry comme l'homme auquel il avait loué, quelques semaines plus tôt, un modeste studio meublé auquel on pouvait accéder directement par une entrée séparée. Pourquoi cette location alors qu'il avait déjà un domicile à Troyes ? Les policiers tendirent une souricière. En fin d'après-midi, Patrick Henry était interpellé dans le studio. Il n'offrit aucune résistance. Il désigna le lit sous lequel était dissimulé le corps de l'enfant, enveloppé dans une couverture. Le cou portait des traces de strangulation par un lien. La mort, selon les premières constatations médicales, remontait à une huitaine de jours. Le soir même, au journal télévisé, la

---

1. Christian Delporte, « De l'affaire Bertrand à l'affaire Patrick Henry », in *Vingtième siècle (revue d'Histoire)*, Presses de la Cité, 1998, p. 133.
2. Déclaration faite à Europe n° 1 et rapportée dans *L'Aurore*, 18 février 1976.

France apprenait la découverte du cadavre de l'enfant. La photo de Patrick Henry empoigné par les policiers, les yeux mi-clos sous les flashes des photographes, faisait la une des journaux. Présenté au juge d'instruction, il fut incarcéré à la maison d'arrêt de Chaumont par crainte d'une explosion de fureur populaire s'il était détenu à Troyes. L'affaire Patrick Henry commençait.

Un lynchage médiatique

Après la découverte du corps du petit Philippe, un déferlement de haine contre le meurtrier balaya la France. Je ne me souvenais pas d'avoir entendu pareille clameur de mort s'élevant à l'encontre d'un criminel. La plupart des journaux résonnaient d'appels à une justice exemplaire, c'est-à-dire à la guillotine dans les plus brefs délais. Les hommes politiques n'étaient pas en reste. Trois membres du gouvernement parmi les plus éminents réclamèrent plus ou moins ouvertement, selon leur tempérament, la peine de mort pour le criminel. Le ministre de l'Équipement, Robert Galley, qui était maire de Troyes, déclara – aussitôt après l'arrestation : « *Tous les Troyens porteront le deuil de cet enfant, et la population sera unanime avec moi pour réclamer une justice exemplaire*[1]. » Le ministre d'État, ministre de l'Intérieur, Michel Poniatowski, ami intime du président de la République, lança à la télévision, le regard tourné vers les spectateurs : « *Si j'étais juré, je me prononcerais pour*

---

1. *In* Roger Gicquel, *La Violence et la Peur*, Éditions France-Empire, 1977, p. 57.

48

la peine de mort. » Le ministre d'État, ministre de la Justice, Jean Lecanuet, recevant un journaliste de la télévision dans son grand bureau à la Chancellerie, évoqua une procédure accélérée et rappela que le crime de Patrick Henry était passible de la peine capitale.

Le comportement de Patrick Henry avivait encore la fureur du public. À la lumière des faits, ses déclarations sur la lâcheté de s'en prendre à un enfant, ses vœux renouvelés pour qu'on retrouvât le petit Philippe vivant apparaissaient d'autant plus odieux qu'il était, lui, le coupable. Quant à son propos sur la peine de mort, pour de tels crimes, il prenait, au-delà du cynisme, une dimension prémonitoire. Quelle clémence pouvait espérer de ses juges celui qui s'était ainsi lui-même condamné ? Le ministre de l'Intérieur ne s'y trompa pas, qui souligna avec une sorte de satisfaction gourmande que « *l'assassin lui-même s'était prononcé pour cette peine* ».

Le pire, dans cette clameur de mort, vint des journaux télévisés. À 13 heures, sur TF1, Yves Mourousi ouvrit le journal sur une photographie de Patrick Henry avec, en voix *off*, les déclarations faites par celui-ci à la radio, quelques jours plus tôt, approuvant la peine de mort pour les enlèvements d'enfants. Yves Mourousi apparut alors à l'image, déclarant : « *Salaud : le mot a été employé. Et vous venez d'en voir un sur votre écran.* » Puis, la photo de Patrick Henry s'animait. On le voyait répondre à un journaliste : « *Je n'ai pas vu Philippe Bertrand depuis quatre ans.* » Il ajoutait : « *Cela me fait mal au cœur pour les parents, et surtout pour le petit garçon[1].* » L'effet produit sur le téléspectateur était terrible.

_____

1. Christian Delporte, « De l'affaire Bertrand à l'affaire Patrick Henry », art. cité, p. 134.

Le soir, Roger Gicquel, le plus célèbre des présenta-
teurs, ouvrit le journal de 20 heures sur TF1 par une phrase
qui allait connaître la célébrité : « *La France a peur*[1]. » La
mère de Patrick Henry, puis son père apparurent sur
l'écran. La mère, bouleversée, répétait : « *Je ne réalise
pas.* » Le père, filmé sur le pas de sa porte, montrait un
visage ravagé. Il sanglotait. « *C'est impardonnable* », répétait-il. À une question du journaliste, il répondait : « *Moi,
j'estime que la condamnation à mort est la juste punition de
ce qu'il a fait*[2]. » On repassait ensuite l'interview de
Patrick Henry où il réclamait la peine de mort pour un tel
crime. Tout était dit. Le criminel et ses parents avaient
déjà prononcé la sentence. Les déclarations des ministres
de l'Intérieur et de la Justice que l'on entendait ensuite ne
faisaient qu'officialiser le vœu de mort qui montait de tous
côtés contre le meurtrier.

L'après-midi même, j'avais été appelé par des journalistes de TF1 ; on me demandait si j'accepterais de
faire entendre, dans ce tumulte, la voix de l'abolition. Il
était hors de question de me dérober. J'enregistrai donc,
à mon bureau, quelques brefs propos contre la peine de
mort. Le soir même, en regardant l'émission, je mesurai
combien mes paroles, réduites à une minute d'antenne,
en fin de journal, paraissaient décalées, abstraites, sans
prise sur la sensibilité d'un public bouleversé par le
crime et révolté par l'hypocrisie et les mensonges du

---

1. Le texte de l'intervention et la teneur du journal télévisé, presque entièrement consacré à l'affaire Patrick Henry, étaient d'autant plus surprenants
que Roger Gicquel était abolitionniste.

2. *Cf.* Christian Delporte, « De l'affaire Bertrand à l'affaire Patrick Henry », art.
cité, p. 135.

criminel. Mes propos furent dénoncés comme un scandale et une provocation par des auditeurs indignés.

Deux jours plus tard, dans Troyes silencieuse, glacée, la famille Bertrand enterrait le petit Philippe. Une foule considérable assistait à la cérémonie religieuse dans la cathédrale. Au cimetière, un tapis de fleurs blanches déposées par des mains anonymes recouvrait les abords de la tombe. Le chagrin et la pitié s'inscrivaient sur les visages des passants tout au long du cortège funéraire filmé par la télévision. Au prêtre qui avait officié, un proche ami de la famille Bertrand, le journaliste demanda : « *Peut-on pardonner ?* » Le prêtre ne répondit pas. La presse dite populaire en appelait à la guillotine dans les plus brefs délais. Un hebdomadaire réclamait en caractères énormes, sur toute sa première page : « *La guillotine pour l'assassin du petit Philippe* », au-dessus des photos du petit garçon et de Patrick Henry riant, avec, en sous-titre : « *Même sa mère réclame le châtiment suprême*[1]. » Au lendemain de l'enterrement, un important quotidien de la presse nationale publiait l'article d'un écrivain réputé racontant, en termes saisissants, une agonie du petit Philippe entièrement imaginée. Un autre journal, reprenant un procédé utilisé soixante-dix ans plus tôt par *Le Petit Parisien*, lançait un grand débat sur la peine de mort et demandait aux lecteurs de se prononcer en remplissant et en renvoyant un bulletin-réponse. Pendant un mois, hommes politiques, écrivains, prêtres, vedettes ou sportifs furent interrogés. Le 30 mars, les résultats furent publiés en première page : « *99 % des*

---

1. *Ici-Paris*, 25 février 1976.

Français : oui à la peine de mort ». Selon la rédaction, le journal avait reçu 77 757 réponses...

L'émotion et la colère populaires étaient trop intenses pour que les partisans les plus ardents de la peine de mort ne cherchent pas à les exploiter. Le père d'un enfant assassiné, fondateur d'une ligue contre le crime et pour l'application de la peine de mort, fit circuler à Troyes une pétition qui recueillit des milliers de signatures. Dans ce fracas, des voix s'élevaient cependant du côté des abolitionnistes : Henri Noguères, président de la Ligue des droits de l'homme, Rémy Crauste, qui avait défendu Buffet, l'abbé Toulat dénoncèrent les appels au lynchage judiciaire. Le cardinal Marty, archevêque de Paris, rendit publique une déclaration solennelle refusant « *la tentation de réclamer une justice expéditive, voire de réclamer une exécution sommaire, comme le firent certains* », et invitant à « *résister à la tentation de la colère justicière*[1] ». *Le Monde*[2], *La Croix*, *Libération*, *Le Nouvel Observateur*, *Témoignage chrétien*, avec des approches différentes, persistaient à rejeter la peine capitale. Mais leurs éditoriaux n'exprimaient pas le sentiment commun des lecteurs. Et la tonalité dominante des médias, en ces jours qui suivirent la découverte du corps de l'enfant, demeurait un vœu de mort.

Du côté du gouvernement

Les déclarations à la télévision, le jour même de l'arrestation d'un criminel, de deux ministres d'État pour réclamer

---

1. *Le Monde*, 26 février 1976.
2. *Cf.* notamment Pierre Viansson-Ponté, « La mort et la grâce », *Le Monde*, 29 février 1976.

la peine de mort contre lui constituaient une évidente immixtion de l'exécutif dans une affaire judiciaire. Pareil mépris de la séparation des pouvoirs était une faute politique. Le Premier ministre, Jacques Chirac, s'empressa de se désolidariser de tels propos. Interrogé à la télévision, il rappela qu'« *il convient de n'exercer aucune pression sur la justice* ». Le président de la République saisit parallèlement l'occasion d'affirmer son autorité. Le 25 février, en Conseil des ministres, il invita, « *en tant que président du Conseil supérieur de la magistrature, les membres du gouvernement à s'abstenir de toute déclaration et de tout commentaire sur les affaires judiciaires en cours*[1] ». La leçon était sévère. L'incident permit aux leaders de la gauche de critiquer le comportement des ministres, tout en s'abstenant de prendre position sur la peine de mort. L'abolition était certes inscrite au programme commun de gouvernement de la gauche. Mais les élections cantonales étaient proches, la campagne en cours, et il y avait plus de risques que de profit à se proclamer abolitionniste en pleine affaire Patrick Henry. Seul, à droite, Bernard Stasi affirma : « *Le refus de la peine de mort est évidemment inconditionnel, et l'horreur du crime qu'il s'agit de sanctionner ne saurait ébranler la conviction*[2]. »

Du côté des avocats

Lors de son arrestation, Patrick Henry avait dit aux policiers qui l'entraînaient : « Je ne parlerai qu'en

---

1. *Le Monde*, 26 février 1976.
2. *Le Monde*, 24 février 1976.

présence de mon avocat », formule empruntée à certains films américains. Il avait aussitôt fait le choix d'un avocat du barreau de Troyes, ancien bâtonnier. Celui-ci se rendit à la prison et fit savoir, au terme de l'entretien, qu'il n'acceptait pas de le défendre. Pour sa part, le bâtonnier de Troyes ne désigna d'office aucun avocat de son barreau pour assister Patrick Henry, au motif qu'il n'avait reçu aucune demande de celui-ci.

Dans cette situation, un avocat mesura immédiatement où était son devoir. Patrick Henry avait été, sur ordre du juge, incarcéré à Chaumont pour prévenir toute manifestation à Troyes, devant ou dans la prison. Le bâtonnier de Chaumont, Robert Bocquillon, ne balança pas : il se commit lui-même d'office à la défense de Patrick Henry pour que l'inculpé pût disposer sans délai de l'assistance d'un avocat. Ce n'était point, de sa part, une démarche dictée par l'orgueil ou l'ambition professionnelle. À soixante ans, le bâtonnier Bocquillon jouissait, dans la région, de l'estime de tous, magistrats, avocats, clients. Son cabinet était important, sans être considérable. De la défense de Patrick Henry, qu'avait-il à attendre, sinon des épreuves ? Il n'était pas abolitionniste de conviction. Le crime était atroce. Sa femme, ses amis ne comprenaient pas pourquoi il choisissait d'assumer une mission que d'autres refusaient. Mais il était profondément chrétien. Et son devoir professionnel lui était apparu sans hésitation. Patrick Henry était seul, haï et dépourvu d'avocat. Eh bien, il le défendrait, quoi qu'il lui en coûtât.

Il suffit au bâtonnier Bocquillon de se rendre à la prison de Chaumont pour mesurer ce qui l'attendait. Devant la porte, une foule de journalistes et de curieux s'était amassée. Des insultes fusèrent à son arrivée, un homme se jeta sur lui en hurlant : « *Vous êtes un grand-père, ne le défendez pas, c'est indigne[1] !* » Ce n'était là qu'un prélude. Le paisible bâtonnier Bocquillon découvrit bientôt dans son courrier ce que la haine peut inspirer à des fanatiques anonymes.

Nombreux étaient les avocats qui ressentaient comme une désertion de la défense ce qui était advenu à Troyes[2]. L'Union des jeunes avocats avait publié un communiqué rappelant que « *tout avocat a le devoir de défendre, selon sa conscience, tout prévenu qui le sollicite* ». Émile Pollak avait fait savoir publiquement qu'il était prêt à défendre Patrick Henry. La nécessité que ce dernier fût assisté sans délai par un défenseur était d'autant plus grande que, dans la nuit qui avait suivi l'enterrement du petit Philippe, il s'était confié à un gardien de la prison de Chaumont. Celui-ci lui avait remis un crayon et des feuilles de papier pour qu'il consignât par écrit l'aveu de sa culpabilité. La confession avait été adressée aussitôt à Mlle Gérard, le juge d'instruction. Le lendemain, celle-ci s'était rendue à la maison d'arrêt de Chaumont. En présence du procureur de la République et du bâtonnier Bocquillon, le juge avait entendu Patrick Henry pendant quatre heures. Le bâtonnier s'était refusé pour sa part à toute déclaration à la presse[3]. Mais la confession écrite fut bien vite connue des journalistes. Dès le lendemain de son audition par le juge, les « aveux » de Patrick Henry étaient rendus publics. Le

---

1. *Le Monde*, 26 février 1976.
2. *Cf.* Jean-Denis Bredin, « Être avocat, messieurs... », *Le Nouvel Observateur*, 11 mars 1976.
3. *Le Monde*, 24 février 1976.

garde des Sceaux lui-même annonçait que « *dans trois ou quatre mois, l'ensemble des informations devraient être réunies pour permettre au tribunal de se prononcer[1]* ». Ce n'était plus que l'affaire d'un peu de patience.

L'entretien

Une semaine s'était écoulée depuis l'arrestation de Patrick Henry. Mon collaborateur François Binet, jeune avocat très engagé dans la lutte pour l'abolition, m'avait interrogé : « Et s'il vous demande de le défendre ? » J'avais simplement dit : « Il choisira Pollak. » En vérité, je fuyais la question parce que je connaissais la réponse, et qu'elle m'angoissait.

Ce matin-là, en arrivant à mon cabinet, je trouvai une fiche : « Me Bocquillon a téléphoné. Il vous rappellera à midi. » Je ne connaissais pas Robert Bocquillon. L'espace d'un instant, je me dis que, peut-être, il m'appelait pour me demander d'intervenir, à la radio ou à la télévision, contre la peine de mort. Mais c'était me leurrer. La vérité était là, inscrite en filigrane sur cette fiche posée devant moi : Bocquillon allait me demander de défendre, avec lui, Patrick Henry. C'était une évidence, et il ne servait à rien de biaiser.

J'allai à la fenêtre, vers la lumière. Il faisait, ce jour-là, très froid. Le ciel était d'un bleu très pur, un beau jour d'hiver à Paris. Inutile de réfléchir, de m'interroger plus avant. Je retournai à ma table, ouvris le courrier,

---

1. *Ibid.*

appelai ma secrétaire. Le travail quotidien est toujours une protection. Contre quelle menace ? Défendre était mon métier, et je l'aimais. Mais il ne s'agissait pas, en cet instant, d'un dossier ni d'un homme. Tandis que je dictais des lettres resurgissait, comme à l'arrière-plan d'une photo voilée, l'image enfouie en moi de la cellule des condamnés à mort de la Santé où j'allais voir Bontems tous les matins.

Midi était passé lorsque ma secrétaire annonça un appel téléphonique de Mᵉ Bocquillon. Il parlait d'une voix rapide, chaleureuse, ses phrases se bousculaient un peu. Il souhaitait que je défende, avec lui, Patrick Henry. Je lui répondis qu'avant toute chose j'aimerais le voir et lire le dossier. Je lui proposai de nous retrouver à mi-chemin entre Chaumont et Paris, dans un restaurant tranquille, le soir même. Il serait accompagné de son neveu, jeune avocat, qui suivait l'affaire avec lui. Nous convînmes du lieu et de l'heure. Je raccrochai. La voix était sympathique. Je retournai à la fenêtre, regardai de nouveau le ciel. Puis j'appelai Binet. Il accourut. Je lui dis : « Bocquillon a téléphoné. J'ai rendez-vous ce soir avec lui. » Il me regarda : « J'en étais sûr. » Il n'y avait rien à ajouter.

Le restaurant avait des allures d'auberge de campagne avec fenêtres à croisillons, poutres au plafond, nappes à carreaux rouges et blancs. J'arrivai en retard – le brouillard de février recouvrait la campagne. Robert Bocquillon était assis, avec son neveu, dans l'arrière-salle. Il m'accueillit chaleureusement, d'une voix forte qui rendait toute prétention au secret inutile. C'était d'ailleurs sans importance. Le restaurant était désert, la patronne ne quittait pas des yeux la télévision, allumée dans un coin à côté du comptoir. Il faisait froid dans la salle. La nourriture était médiocre. Mais le vin, choisi par Bocquillon, riche, réconfortant.

Ce soir-là, Bocquillon parla presque sans discontinuer. Il était en proie à une tension extrême. Il me raconta, sans souci d'ordre, les éléments essentiels de l'affaire. Au récit des faits se mêlaient des considérations sur la personnalité de Patrick Henry. À l'évidence, il ne ressentait à l'égard de celui-ci aucune prévention ni antipathie. Il n'en parlait pas non plus avec détachement, comme d'un sujet de réflexion sur la nature humaine. Ce qui le préoccupait, c'était l'effet que la personnalité de Patrick Henry ferait sur les jurés. Déjà, Bocquillon se sentait responsable de cette vie que le destin – ou Dieu – avait remise entre ses mains. À écouter son monologue, à regarder ce visage aux traits mobiles, que l'âge avait marqué sans l'altérer, je pensais moi aussi aux jurés. Et je me disais que Bocquillon était si proche d'eux par le ton, les propos, l'apparence, qu'il lui serait bien plus aisé qu'à moi de les atteindre et, peut-être, de les émouvoir. De temps à autre, je l'interrompais pour demander des précisions. Son neveu répondait pour lui permettre d'avaler précipitamment quelques bouchées. Puis Robert Bocquillon repartait de plus belle, ajoutant des détails au tableau esquissé à grandes touches.

L'angoisse qui m'avait saisi le matin avait disparu. C'était un autre sentiment, professionnel celui-là, qui se levait à écouter Bocquillon : celui d'un désastre judiciaire programmé. Les faits étaient cruels, les détails accablants. Je devais offrir piètre mine lorsque Bocquillon m'interrogea après deux heures de propos hachés : « Alors, qu'en pensez-vous ? » Avec autant de conviction qu'il m'était possible, je lui répondis que l'affaire me paraissait très difficile. À ces banalités, Bocquillon ne répliqua pas. Il ajouta simplement : « Alors, je dis à Patrick Henry de vous écrire pour vous désigner ? » J'avais préparé ma réponse : « Vous permettez que je vous appelle lundi matin ? Je dois en parler à ma femme. » En vérité, je connaissais d'avance sa réponse, et la mienne. Il me dit : « Bien sûr, c'est normal. » Sa femme, je l'avais appris ce soir-là, était favorable à la peine de mort s'agissant d'assassins d'enfants. Mais elle comprenait qu'il assumât, lui, le bâtonnier de Chaumont, une défense désertée. J'avais, sur ce point, un avantage sur lui : Élisabeth, elle, partageait totalement ma conviction abolitionniste.

Bocquillon régla l'addition malgré mes protestations. Le parking devant l'auberge était vide, hormis nos voitures. Je le remerciai. « De quoi ? » me dit-il avec un sourire. Je goûtai ce trait d'ironie en ce moment où se formait notre équipe. Le brouillard était devenu plus dense. Je conduisais lentement. Je pensais moins à l'affaire qu'à ce qui s'annonçait. De ce retour à Troyes, le sens ne m'apparaissait que trop clair. La lassitude m'envahissait. J'atteignis enfin ma demeure. La lumière était restée allumée dans la chambre. Ma femme m'interrogea : « Alors ? – C'est pire encore que je ne l'imaginais. – Nous en parlerons demain », me dit-elle. Elle avait raison. La journée avait été longue.

Sur le front judiciaire

Le 15 janvier 1976, la Cour de cassation avait rejeté le pourvoi de Bruno T., le jeune assassin condamné par la cour d'assises de l'Oise. Il me paraissait impossible que le président de la République envoyât à la guillotine un garçon de dix-neuf ans pour un crime commis à l'âge de dix-sept ans. La France demeurait, en Europe occidentale, le seul pays qui conservât la peine de mort. Elle n'allait pas, de surcroît, l'appliquer à des mineurs ! Au même moment, la presse se faisait l'écho des exécutions pratiquées par le régime du shah en Iran et par la dictature en place à Khartoum. Il est des compagnonnages insupportables. Je ne fus donc pas surpris par la grâce accordée à Bruno T. Mais, rendue publique le 10 février, alors que la France entière partageait l'angoisse des parents Bertrand et que l'on ignorait encore le sort du petit Philippe, la décision présidentielle me parut courageuse. Elle laissait bien augurer, chez le Président Giscard d'Estaing, de la « *profonde aversion envers la peine de mort* » dont il avait fait état. Les circonstances allaient bientôt mettre à l'épreuve ce sentiment.

L'émotion et la fureur suscitées par l'enlèvement et la mort du petit Philippe Bertrand ne s'étaient pas apaisées. Comme toujours dans de telles périodes, les jurés se montraient d'une extrême sévérité. Le 25 février, soit une semaine après l'arrestation de Patrick Henry, la cour d'assises de la Côte-d'Or condamna à mort Moussa Benzarha, un ancien harki ayant, comme Bruno T., tué une vieille femme pour lui voler ses économies.

Le 10 mars, à Aix-en-Provence, Christian Ranucci était à son tour condamné à mort. Il était accusé d'avoir enlevé une très jeune adolescente et de l'avoir tuée. La victime n'avait subi aucun sévice sexuel. Ranucci, âgé de vingt ans au moment des faits, était inconnu des services de police. Il vivait avec sa mère, exerçait la profession de représentant de commerce. Rien dans son passé ne laissait présager un tel acte. Les nombreux experts qui l'avaient examiné n'avaient relevé aucune anomalie psychiatrique. Après avoir avoué le crime à la police, puis confirmé ses aveux devant le juge d'instruction, Christian Ranucci était revenu sur ses premières déclarations et proclamait son innocence. À l'audience, accusation et défense avaient évoqué le drame de Troyes. L'avocat général avait rappelé que l'enlèvement d'un mineur de quinze ans, suivi d'homicide volontaire, constituait un crime puni de la peine capitale. Il s'était écrié avec force : « *Je requiers la mort, parce que c'est la loi !* » Paul Lombard, avocat de talent et abolitionniste convaincu, avait dénoncé « *des événements récents qui nous ont fait perdre la raison* », « *une hystérie collective*[1] ». La délibération avait duré deux heures et demie. Le verdict était tombé : la mort. Le public avait écouté en silence. Ni cris ni applaudissements. L'affaire Patrick Henry avait été présente dans les esprits tout au long du procès Ranucci.

Du côté du président de la République

En un mois s'étaient succédé la grâce de Bruno T., l'enlèvement et la mort de Philippe Bertrand, l'arrestation de Patrick Henry, les condamnations à mort de Benzarha et de Ranucci. Il était inévitable que le président de la République, titulaire du droit de grâce, s'exprimât publiquement sur un sujet qui passionnait l'opinion. Le 22 avril 1976, dans une conférence de presse donnée à l'Élysée, il fit connaître sa pensée sur

---

1. *Le Monde*, 12 mars 1976.

la peine de mort et le droit de grâce. Il déclara souhaiter que « *le législateur se saisisse, le moment venu, du problème* ». Il ajouta aussitôt : « *Il ne convient pas de le faire à un moment où la situation de violence et, en particulier, de certaines violences inadmissibles, rend la société française extraordinairement sensible.* » Et il conclut : « *Lorsque cette vague de criminalité et de violences sera retombée, il deviendra possible, et même nécessaire, que la collectivité nationale se pose la question de la peine de mort sur laquelle, en ce qui me concerne, le moment venu, je donnerai ma réponse*[1]. » En fait, il l'avait donnée à travers l'ambiguïté du propos. L'abolition était renvoyée *sine die*.

S'agissant du droit de grâce, deux indications transparaissaient dans les déclarations présidentielles. Évoquant les « *violences inadmissibles* », Valéry Giscard d'Estaing citait deux cas : « *celui de rapts prémédités d'enfants comportant pour eux la quasi-certitude de la mort, et ceci pour un calcul d'intérêt* », et le cas de « *ceux qui, avec un acharnement inhumain, s'attaquent à des personnes âgées, isolées, ayant préparé leur agression, pour leur soustraire leurs malheureuses ressources* ». Le premier profil parfait du criminel voué à la guillotine était évidemment celui de Patrick Henry. Dans le cas de Ranucci, le mobile intéressé faisait défaut[2]. Quant aux meurtriers de vieillards, Bruno T. et

---

1. *Le Monde*, 24 avril 1976.
2. Selon les sondages, les Français vouaient en priorité à la guillotine les auteurs d'enlèvements d'enfants suivis de leur mort. 83 % des personnes interrogées avaient approuvé, en octobre 1975, les déclarations faites en ce sens par le ministre de l'Intérieur, Michel Poniatowski. *Le Figaro*, 7 octobre 1975.

Moussa Benzarha, ils répondaient l'un et l'autre à la description présidentielle. Bruno T. avait été gracié parce qu'il était mineur au moment des faits. Benzarha serait-il, lui, exécuté ? Seul le sort de Patrick Henry paraissait déjà scellé.

À la Santé

L'instruction suivait son cours. Le juge, Mlle Gérard, ne se rendait pas au vœu ministériel de voir l'information menée au pas de charge. Jeune magistrat, elle appartenait à cette génération nouvelle, issue de l'École nationale de la magistrature, pour laquelle l'indépendance du juge était une exigence éthique. Si Mlle Gérard avait des convictions abolitionnistes, elle n'en laissait rien paraître. Insensible à tout ce qui n'était pas le dossier, se dérobant aux médias, le juge Gérard conduisait l'instruction avec toute l'objectivité et la rigueur requises pour éclairer, autant que faire se pouvait, les faits.

J'avais reçu de Robert Bocquillon copie du dossier d'enquête. Sa lecture n'ajoutait guère à notre entretien. Je souhaitais m'entretenir avec Patrick Henry de certains points encore obscurs. J'allais me rendre à Chaumont lorsque je fus avisé qu'il était transféré à Paris, à la maison d'arrêt de la Santé, pour y être soumis à des examens psychiatriques. Ma première visite à Patrick Henry se déroulerait donc là même où Bontems avait été exécuté.

En entrant dans la cour, je jetai un regard vers l'emplacement où la guillotine avait naguère été dressée sous le dais noir. Ce jour-là, le pavé luisait sous le soleil, une camionnette ronronnait, la prison vivait à son rythme ordinaire. Je gagnai la rotonde centrale, tendis au surveillant le permis de communiquer où figurait le nom de mon client. Il leva les yeux, je crus déceler une lueur d'ironie dans son regard. Peut-être était-ce simplement une expression de bonne humeur à cette heure de l'après-midi proche de la fin du service quotidien. Il me dit : « On l'a mis en quartier de sécurité pour qu'il n'y ait pas d'histoires. » La presse s'était fait l'écho de menaces de mort proférées par des détenus à l'encontre de Patrick Henry. Je suivis le surveillant jusqu'aux quartiers éloignés où Patrick Henry était en haute sécurité.

Un surprenant silence y régnait. La Santé, comme toutes les vieilles prisons, résonne de tous les bruits de la vie carcérale : portes qui se ferment, verrous qui claquent, voix des gardiens appelant les détenus au parloir, cuisines roulantes dans les couloirs... Mais dans la cellule où j'attendais Patrick Henry, vide de tout meuble hormis une table de bois et deux chaises, aucun bruit ne parvenait. Je m'assis, posai le dossier sur la table. Des gouttes d'eau tombaient à intervalles réguliers du robinet au-dessus des toilettes. Elles rendaient le silence plus dense encore.

J'entendis des pas approcher, je me levai. Patrick Henry entra. Je lui tendis la main. La porte de la cellule claqua. Je l'invitai à s'asseoir. Il me parut très jeune, plus proche de l'adolescence que de l'âge adulte. Sur ses lèvres flottait une sorte de sourire contraint, comme s'il était content de ma visite mais gêné de me rencontrer là. Je savais par expérience que les crimes, même les plus atroces, ne se déchiffraient pas sur les traits d'un homme. Sur ce visage lisse que la vie n'avait pas encore marqué, rien n'évoquait le personnage monstrueux que la presse avait tant dénoncé. Entre son crime et lui, tel qu'il était, assis calmement de l'autre côté de la petite table, aucune correspondance n'apparaissait. Et pourtant, ce jeune homme était bien ce criminel. Il fallait en savoir plus et tenter de comprendre. Je le regardai et posai ma première question.

Même après tant d'années, l'impression demeure forte en moi de ce que Patrick Henry me dit ce jour-là dans la cellule vide qui tenait lieu de parloir. Il s'exprimait sans effort, d'une voix calme. Il avait enlevé le petit Philippe pour obtenir une rançon. Il ne voulait pas lui faire de mal. Il ne craignait pas d'être identifié par l'enfant, qui le connaissait très peu et ne l'avait pas vu depuis deux ans. Il pensait que la famille ne préviendrait pas la police, que la rançon serait payée sans difficulté par le grand-père qui était riche. La panique l'avait saisi le soir de l'enlèvement, alors qu'il téléphonait aux parents d'une cabine publique dans la banlieue de Troyes. Il avait vu arriver, gyrophare allumé, une voiture de gendarmerie. Il s'était enfui aussitôt à travers champs et avait regagné, tard dans la soirée, le studio où se trouvait le petit Bertrand. Il n'avait pas dormi à côté de lui, dans le lit. Il s'était étendu par terre, sur un matelas. Il ne lui avait pas administré de somnifère, ni fait boire de vin. Le petit était très calme, très gentil, il regardait la télévision, il croyait que ses parents allaient venir le chercher. Le lendemain, Patrick Henry avait vu au journal de 13 heures qu'on évoquait l'enlèvement. Il avait vite coupé la télévision, mais il s'était senti perdu, une peur insurmontable l'avait envahi. Tout se déroulait autrement qu'il l'avait prévu. Il ne savait plus comment sortir de ce piège où il s'était lui-même enfermé. Il évoquait cet après-midi du samedi, sa marche à travers les rues, l'angoisse qui le gagnait, son retour dans le studio où l'enfant commençait à s'énerver.

Il s'arrêta. J'attendis. Derrière moi, les gouttes d'eau tombaient une à une, comme pour scander le silence. Je sentais qu'il était arrivé à la limite de ce qu'il pouvait dire, que, comme d'autres meurtriers, il ne pouvait raconter l'acte de mort. Je lui demandai : « Et alors ? – Alors, j'ai perdu la tête », répondit-il. Le propos, dans un tel lieu, en un tel moment, me stupéfia.

J'attendis encore, dans le silence revenu. Il reprit son récit, d'une voix toujours aussi calme, de ce qui était advenu après la mort de l'enfant.

La nuit était à présent tombée. La lueur de l'ampoule nue, au-dessus de nos têtes, était blafarde. L'entretien s'acheva. Je sonnai pour appeler le surveillant. Patrick Henry se leva, la porte s'ouvrit à nouveau dans un fracas de serrures. Je lui dis au revoir et le regardai s'éloigner le long du couloir. Il paraissait frêle, la nuque maigre. Je rangeai mes notes. Le surveillant réapparut. Nous reprîmes le même chemin. À mesure que nous avancions, la Santé paraissait recouvrer la vie, résonnant de tous les bruits familiers. Je regagnai la cour à présent obscure. Je retrouvai la rue, les passants, les voitures, les lumières. Je décidai de rentrer chez moi sans repasser par le bureau. J'avais hâte de retrouver les miens.

Du côté de l'instruction

Aussi détaillés qu'eussent été les aveux de Patrick Henry devant le juge d'instruction, certaines zones d'ombre subsistaient. Une première expertise avait décelé des traces de barbiturique dans le sang de l'enfant. Le tenancier du bar Les Charmilles, au-dessus duquel se trouvait le studio loué par Patrick Henry, affirmait n'avoir rien entendu : ni pas ni voix d'enfant. Que le petit Philippe eût vécu ses dernières heures endormi plutôt qu'éveillé n'aurait pas constitué pour Patrick Henry une charge supplémentaire. Cependant, il persévérait dans ses dires : il n'avait jamais drogué l'enfant. « Philippe était confiant et calme », répétait-il. C'était seulement au cours de la deuxième soirée, le samedi, que l'enfant avait donné des signes d'énervement et s'était mis à pleurer. Perdant tout contrôle de lui-même, Patrick Henry avait, dans une sorte d'explosion meurtrière que lui-même ne s'expliquait pas, étranglé l'enfant assis devant la télévision, avec un foulard, très vite, en le serrant par-derrière. Le juge d'instruction et la défense étaient également perplexes devant cette contradiction entre les résultats de l'analyse sanguine et la version de Patrick Henry, qu'il maintenait avec fermeté. Une contre-expertise fut ordonnée par le juge. Le cours de l'instruction s'en trouva ralenti. Nul doute, pensais-je, qu'on en éprouvât quelque irritation en haut lieu.

Une autre interrogation subsistait à propos des premières heures de l'enlèvement. Patrick Henry avait pris contact par téléphone avec la famille Bertrand aussitôt après le rapt. Il avait indiqué le montant de la rançon, fait savoir qu'il rappellerait le soir même pour déterminer les modalités de la remise de fonds en échange de l'enfant. Il avait aussi demandé que la police ne soit pas avisée de l'enlèvement ni des tractations. Il s'était montré menaçant pour le cas où son avertissement ne serait pas suivi d'effet. La famille Bertrand, qui ne disposait évidemment pas de la somme demandée en espèces, avait prévenu la police. Le soir, à 18 h 30, quand Patrick Henry avait rappelé le grand-père, M. Bertrand avait entrepris une sorte de négociation avec le ravisseur pour donner à la police le temps de localiser le lieu de l'appel. Il venait d'une cabine publique située à Bréviandes, dans les faubourgs de Troyes. Trois voitures de police s'étaient aussitôt rendues sur les lieux et s'étaient garées dans les rues avoisinantes. Ainsi le ravisseur, à l'issue de la conversation, pourrait être pris en filature et conduirait la police jusqu'à l'enfant. Malheureusement, alors que Patrick Henry poursuivait la conversation, une voiture de gendarmerie, gyrophare allumé, était survenue en trombe. Patrick Henry avait aussitôt quitté la cabine et, à la faveur de la confusion générale, avait pu fuir à travers champs. Une interrogation hantait depuis lors les esprits : pourquoi cette irruption inopinée des gendarmes ? Pourquoi pareil défaut de coordination dans l'action des forces de police ? Si la voiture de la gendarmerie n'était pas ainsi intervenue, la vie de l'enfant n'aurait-elle pas été sauvée ? À ce sujet aussi, toute la lumière devait être faite au cours de l'instruction.

Demeurait l'énigme de la personnalité de Patrick Henry. Avec lui, le crime le plus atroce revêtait des traits ordinaires. Le criminel pouvait donc être notre voisin, notre compagnon de travail ou de sport, un homme comme nous. La haine n'en était que plus grande dans l'opinion publique. À lire certains articles, je songeais à la fureur d'anathèmes et de mort qui animait jadis les chasseurs de sorcières. Elles aussi étaient présentes dans la vie quotidienne des villages. On ne pouvait cependant écarter l'hypothèse d'une personnalité gravement altérée, d'un psychopathe profond ou d'un névropathe dangereux dissimulé sous les dehors paisibles d'un homme ordinaire. Comme dans toute procédure criminelle, des psychiatres avaient été désignés pour examiner Patrick Henry. L'un d'entre eux, le professeur Roumajon, jouissait d'une autorité particulière. Nul doute que le rapport des psychiatres revêtirait une importance considérable dans le procès à venir.

Un été brûlant

Dans les grandes affaires criminelles, après l'arrestation du coupable, indignation et colère populaire retombent. S'agissant de Patrick Henry, elles ne désarmaient pas. Mon courrier charriait toujours la même écume de menaces de mort, de supplices promis à ma femme et à mes enfants pour venger les parents Bertrand. Je jetais toutes ces lettres dans un grand sac dénommé « Madame Poubelle » par mes enfants. Au nom de la justice qu'à leurs yeux je bafouais en défendant Patrick Henry, des correspondants anonymes m'annonçaient l'imminence de ma propre exécution. J'étais décidé à n'en tenir aucun compte, sachant que les vrais assassins ne préviennent pas leur victime. Mais je m'inquiétais pour mes enfants, sans m'en ouvrir à ma femme qui, sans me l'avouer, nourrissait le même sentiment.

Un soir du printemps de 1976, nous revenions de dîner chez des amis lorsque nous découvrîmes, en tournant le coin de la rue, un attroupement devant l'immeuble où nous habitions. Sur le trottoir, policiers, pompiers, voisins et passants étaient rassemblés. Une petite bombe artisanale avait explosé sur notre palier. Le paillasson sur lequel on avait déposé l'engin avait flambé. Des voisins courageux avaient aussitôt maîtrisé ce début d'incendie avec l'aide de la femme de ménage qui, ce soir-là, gardait les enfants. Ma femme et moi nous précipitâmes chez nous. Nos enfants avaient eu très peur. Ils étaient encore dans un grand état d'excitation. Ils voulaient absolument utiliser l'échelle des pompiers, comme dans les films. Nous redescendîmes avec eux, remerciâmes chaleureusement pompiers, policiers et voisins. L'incident était en définitive sans gravité, mais significatif. J'étais content que l'année scolaire touchât à sa fin. Bientôt les enfants seraient loin de Paris.

Cet été-là s'annonçait torride. Dès le mois de juin, la chaleur écrasait la France. Cependant, la vie judiciaire ne ralentissait pas. Le 11 juin, la Cour de cassation rejetait le pourvoi de Ranucci. Le 23, la cour d'assises de la Haute-Garonne condamnait à mort deux hommes, Marcellin Hornack et Joseph Keller. Ils avaient pris à bord de leur voiture un couple d'auto-stoppeurs britanniques. Ils avaient violé la jeune femme, frappé l'homme qui voulait s'interposer, puis les avaient tués tous deux. Aucune circonstance atténuante, avait dit l'avocat général. La Cour avait suivi ses réquisitions. Deux semaines plus tard, à l'autre extrémité de la France, la cour d'assises du Pas-de-Calais prononçait à son tour une condamnation à mort. Jérôme Carrein, l'accusé, avait entraîné avec lui, dans la campagne, une fillette de son voisinage, l'avait violée puis noyée dans un étang. Carrein était un solitaire, alcoolique et débile. Il ne niait rien, n'expliquait rien. La délibération avait été très brève. C'était la cinquième condamnation à mort depuis le début de l'année. Le ministre de l'Intérieur, Michel Poniatowski, avait tort de dénoncer le laxisme de la justice.

Restait l'exercice du droit de grâce, décision souveraine du président de la République. S'agissant de condamnations à mort, elle était précédée de nombreuses consultations. Le président de la cour d'assises qui avait prononcé la condamnation, l'avocat général qui avait requis la peine rédigeaient un rapport sur le procès. Tous les directeurs des services du ministère de la Justice donnaient par écrit leur opinion. Le Conseil supérieur de la magistrature et le garde des Sceaux étaient consultés. Enfin, les avocats du condamné à mort étaient reçus par le chef de l'État. C'était leur dernière chance de convaincre, leur ultime plaidoirie. Lorsque je lus dans la presse que Paul Lombard, avocat de Christian Ranucci, avait été reçu par le Président, le souvenir de l'entretien que Philippe Lemaire et moi avions eu, au sujet de Bontems, avec le Président Pompidou, m'assaillit à nouveau. Ranucci avait enlevé un enfant et l'avait tué, tout comme Patrick Henry. La décision du Président de laisser vivre ou de faire mourir Ranucci ne concernait pas que celui-ci.

Ce matin-là de juillet, dans un petit port de plaisance breton, je rangeais les écoutes de notre dériveur. La mer paraissait immobile, écrasée par le soleil. Le gardien du port vint me dire qu'un journaliste me cherchait. Déjà, celui-ci arrivait. Il m'annonça que Ranucci avait été exécuté à l'aube. Il voulait connaître mon sentiment. Je déclinai l'invitation, lui dis que seuls les avocats de Ranucci avaient qualité pour parler de celui qui avait été guillotiné. Quant au droit de grâce, ou plutôt au refus d'en user, je rappelai qu'il était souverain et que le Président n'en répondait que devant sa conscience. « Et pour Patrick Henry, reprit le journaliste, Ranucci, c'est un précédent ? » J'esquivai la question. La réponse était trop évidente, et ce n'était pas à moi de la formuler.

En vérité, l'exécution de Ranucci annonçait celle de Patrick Henry, s'il était, comme chacun le pensait, condamné à mort. Le Président venait d'envoyer à la guillotine un jeune homme coupable selon le verdict d'avoir enlevé et tué une fillette. Dans son cas, contrairement à Patrick Henry, il n'y avait eu ni demande de rançon, ni calcul prémédité. Le mobile même de l'enlèvement n'apparaissait pas clairement : la victime n'avait subi aucune violence sexuelle, et ni l'enquête ni les expertises psychiatriques n'avaient révélé de penchant pédophile chez ce garçon de vingt ans. Pourquoi Ranucci avait-il enlevé la fillette ? Pourquoi l'avait-il tuée alors que, selon des témoins, il s'était enfui avec elle dans les broussailles en abandonnant sa voiture endommagée à la suite d'un accident de la circulation ? Trop d'interrogations pesaient sur cette affaire qui avait suscité, dans la région de Marseille, une émotion considérable, et qui avait été instruite dans la hâte. Ranucci avait d'abord avoué aux policiers être l'auteur de l'enlèvement et avoir, en proie à une sorte de panique, tué la fillette. Il avait confirmé ses aveux devant le juge d'instruction. Puis il avait dit ne plus se souvenir de rien lors de la reconstitution sur les lieux. Aux assises, il avait tout nié en bloc. Son attitude lui interdisait d'exprimer tout regret, tout remords à l'égard des parents de la fillette présents à l'audience. Juges et jurés ne pouvaient que ressentir pareil comportement dès lors qu'ils étaient convaincus de sa culpabilité. Bien des zones d'ombre subsistaient pourtant dans cette affaire. Notamment la découverte sur les lieux du crime d'un pull-over rouge que Ranucci n'avait jamais porté et dont la présence n'avait pas été élucidée. Il n'empêche : pour les juges et les jurés d'Aix-en-Provence, en février 1976,

les dénégations de Ranucci, ses protestations d'innocence n'étaient que mensonges. Le procès s'était déroulé
quelques jours seulement après l'arrestation de Patrick
Henry. « *La France a peur* », avait dit Roger Gicquel. Et
la peur n'est pas propice à la justice.

Le président de la République, lui, avait statué dans
le calme de son bureau, loin de la passion des audiences.
Dans le cas de Ranucci, il ne s'agissait pas d'un enlèvement visant à extorquer une rançon aux parents. Il n'y
avait eu ni viol ni violences sexuelles, aucune des atro-
cités qui précèdent souvent le meurtre d'un enfant.
Jamais Ranucci n'avait eu affaire à la justice. Fallait-il
donc que pérît un garçon de vingt-deux ans pour un
meurtre commis en quelques secondes et que rien n'expliquait ? Gracier Ranucci lui aurait donné la chance de
se racheter s'il était coupable, de faire éclater son innocence s'il ne l'était pas. Je pensais à ces arguments,
parmi d'autres, qu'assurément l'avocat de Ranucci avait
dû exposer au président de la République. Bien des
années plus tard, je lus le récit des circonstances dans
lesquelles le Président avait été amené à prendre sa décision : « *Un jour, pendant que j'examinais à nouveau le
dossier d'un condamné, entre la réunion du Conseil
supérieur de la magistrature et le rendez-vous donné à
son avocat, j'ai reçu par la poste une lettre de la mère de
la victime. Comment avait-elle été détectée dans le flot de
plusieurs centaines de lettres qui parvenaient chaque
matin à l'Élysée, et comment l'avait-on acheminée jusque
sur mon bureau ?...*

« *Je la lis. L'auteur commence par se présenter : c'est
bien la mère de la victime. Puis elle s'adresse à moi pour
me demander de ne pas m'opposer à l'exécution de l'as-*

sassin de sa fille. Sinon, m'écrit-elle, "je ne croirai plus jamais à la justice".

« *Ce sont des mots simples, mais tellement forts ! Ce n'est pas un cri de vengeance. Je repose le feuillet sur mon bureau. Je regarde les rayures du papier d'écolier et la grosse écriture appliquée. Je cherche à comprendre exactement ce que cette femme a voulu me dire, ce que représente pour elle cette protestation, cette forme de supplication et de menace : "Je ne croirai plus jamais à la justice !"*

« *J'ai laissé la justice suivre son cours[1]. »*

Dans notre République, la grâce présidentielle demeure la prérogative du pouvoir souverain, survivance du droit de vie ou de mort qui appartenait au monarque de jadis. Ce pouvoir absolu est discrétionnaire. Il n'a pas à donner les motifs de son exercice. Chacun est libre de l'interpréter à sa guise. L'exécution de Ranucci en juillet 1976 signifiait celle de Patrick Henry si celui-ci

---

1. Valéry Giscard d'Estaing, *Le Pouvoir et la Mort*, t. I, Plon, 1988, pp. 295-296. *Cf.* le récit de l'aube de l'exécution de Ranucci : « *Je suis resté à l'Élysée. J'ai regardé sur un calendrier l'heure calculée pour le lever du jour. J'ai remonté mon réveil et mis la sonnerie à l'heure.*

« *À 4 heures du matin, la nuit était encore noire, malgré la saison. Pas de bruit dans la rue. J'ai ouvert les rideaux. Dans le lointain, le glissement huilé des balayeuses municipales. Je cherchais à reproduire, dans mon cerveau brumeux et ensommeillé, la séquence des événements : l'ouverture de la porte de la cellule, la traversée des couloirs, l'arrivée dans la cour.*

« *Soudain, je m'aperçois que le ciel est devenu gris clair, avec une frange de lumière en bordure des arbres. Je regarde le cadran du réveil : 6 heures ! Peut-être me suis-je rendormi. L'exécution a dû avoir lieu. Je fais un signe de croix. Pourquoi le faire ? Mais j'écris ce que j'ai vécu.*

« *J'allume la radio. J'écoute le bulletin de 6 heures. Le journaliste lit un communiqué qui a été affiché sur la porte de la prison : le condamné à mort a été exécuté ce matin un peu après 4 heures.*

« *Je reste étendu. Je suis fatigué. En moi rien ne bouge. »*

était condamné à mort. Comme l'écrivait Philippe Boucher dans *Le Monde* : « *Un tel précédent leur donne* [aux partisans de la peine de mort], a priori, *toute garantie pour ce qui concerne Patrick Henry, lui aussi coupable avéré d'un enlèvement d'enfant suivi de mort. Avant tout jugement, la décision de la cour d'assises de Troyes semble acquise dès à présent. Le président de la République saura, là encore, de son droit de grâce faire un usage modéré*[1]. »

La presse réagit diversement à l'annonce de l'exécution de Ranucci : à la satisfaction du *Parisien libéré* répondit *Libération* qui titrait en première page : « *Ranucci décapité : le crime de l'État*[2] ». *L'Aurore* et *Le Figaro* s'interrogèrent sur le bien-fondé de la décision du président de la République d'envoyer à la guillotine un jeune homme de vingt-deux ans. Parmi les organisations politiques, les radicaux de gauche et la Fédération anarchiste protestèrent avec vigueur. Le Syndicat des avocats de France, l'Association française contre la peine de mort, la Ligue des droits de l'homme publièrent des communiqués dénonçant l'exécution. Seul le garde des Sceaux rappela à nouveau son attachement à la peine capitale pour les « crimes odieux ».

Le tumulte suscité par l'exécution de Ranucci n'était pas apaisé lorsque, une semaine plus tard, tomba la nouvelle de la grâce de Moussa Benzarha. La vie avait été cruelle envers cet ancien harki qui avait servi dans l'armée française et avait gagné la France après l'accession à l'indépendance de son pays. Mais en quoi l'as-

---

1. *Le Monde*, 29 juillet 1976.
2. *Libération*, 30 juillet 1976 ; *Le Nouvel Observateur*, 2 août 1976.

sassinat d'une octogénaire pour lui voler ses économies était-il moins odieux que le meurtre d'une fillette par un garçon de vingt ans ? Les décisions successives de notre monarque républicain déroutaient les commentateurs. *Libération* écrivait : « *La grâce, comme à la roulette* ». *France-Soir* s'interrogeait : « *Deux poids, deux mesures ? Une loterie ?* » Le sphinx de l'Élysée demeurait impénétrable. Au moins savait-on que la profonde aversion de Valéry Giscard d'Estaing à l'encontre de la peine de mort ne lui interdisait pas de laisser fonctionner la guillotine.

La reconstitution

À Troyes, l'instruction suivait son cours. Mlle Gérard avait demandé à un spécialiste en toxicologie, le professeur Lebreton, une expertise du sang de l'enfant. La conclusion fut sans équivoque : le taux d'alcool décelé dans le sang était de 0,34 gramme, équivalant aux deux tiers d'un verre de vin. Surtout, le rapport faisait état de traces d'acide barbiturique dans le sang : 80 milligrammes par litre. Patrick Henry n'en persistait pas moins dans ses dénégations : il n'avait fait absorber à l'enfant ni vin, ni bière, ni drogue.

Les expertises psychiatriques revêtaient pour la défense une importance considérable. En mars, lors de son séjour à la prison de la Santé, Patrick Henry avait été examiné par le professeur Roumajon et le docteur Sandberg. Ils n'avaient décelé aucun trouble de la pensée, aucune anomalie mentale, aucun signe de schizophrénie. Tout au plus diagnostiquait-on chez lui un « *fond d'immaturité, d'inconscience et d'impulsivité* ». Un examen médico-psychiatrique avait été pratiqué par deux autres médecins et une psychologue : « *Nous n'avons relevé dans sa personnalité,* écrivaient-ils, *tant du point de vue physique que psychique, aucune anomalie d'ordre pathologique... Aucun élément de dimension névrotique, perverse ou psychotique n'est de nature à expliquer sa conduite.* » La défense avait demandé une nouvelle expertise psychiatrique que Mlle Gérard avait ordonnée. Les conclusions des deux experts, les docteurs Cabrol et Carbon, étaient identiques à celles de leurs confrères : « *Pas de troubles psychotiques, pas de signes évoquant un processus schizophrénique ni d'organisation névrotique de la personnalité.* » Et ils précisaient : « *Il n'est pas non plus un pervers. Il n'est pas franchement antisocial et n'éprouve pas de désirs morbides de nuire.* » Le professeur Roumajon avait écrit : « *Henry ne présente pas, actuellement, un état dangereux au sens criminologique du terme... Il est capable de se réadapter.* » Sept experts parmi les plus réputés avaient ainsi examiné Patrick Henry. Leurs conclusions étaient identiques : il était « normal ».

Le juge d'instruction désirait éclairer quelques points du dossier à propos desquels les aveux de Patrick Henry étaient contredits par les déclarations de certains témoins. En particulier, le patron du bar qui avait loué à Patrick Henry le studio où il avait caché l'enfant après l'enlèvement affirmait qu'il était inconcevable qu'il n'eût pas entendu l'enfant marcher puisque le bar était situé juste au-dessous du studio et que le plancher craquait. Il ajoutait que l'enfant n'avait pu rester tranquille à regarder la télévision, le poste étant hors d'usage. Ces déclarations étayaient une autre version de l'affaire, selon laquelle l'enfant aurait été drogué dès son arrivée dans le studio et étranglé dans son sommeil. L'autopsie, à cet égard, ne fournissait aucune information précise. Quant à la cause de la mort, le sillon qui marquait profondément la gorge de l'enfant incitait les médecins légistes à conclure à l'usage d'une cordelette, alors que Patrick Henry avait toujours affirmé avoir utilisé un foulard de soie.

Le juge d'instruction décida donc de procéder à une reconstitution du crime dans le studio au-dessus du bar Les Charmilles. Des scellés avaient été apposés après l'arrestation de Patrick Henry. Nul n'avait pu y pénétrer depuis lors. Pour prévenir toute manifestation d'hostilité du public, voire un attentat « justicier », le juge décida que la reconstitution aurait lieu au cœur des vacances d'été, le 13 août à 6 heures du matin. Des précautions extraordinaires avaient été prises : Patrick Henry, détenu à Chaumont, serait extrait dans la nuit, conduit à Troyes dans une voiture banalisée, en empruntant un long détour par Reims. Sur place, des barrages de police tiendraient le public à distance. La veille du jour fixé, Bocquillon m'appela pour me dire que Patrick Henry refusait de participer à la reconstitution. Revoir le studio lui était insupportable. Il avait tout dit, tout avoué. Que le juge vérifie sans lui, avec les policiers, l'état des lieux, la sonorité du plancher, le bon fonctionnement du poste de télévision. Je décidai donc de ne pas me rendre à Troyes, m'en rapportant à la connaissance du dossier et à l'expérience de Bocquillon qui serait, lui, sur place. Au cours de notre entretien téléphonique, j'insistai seulement sur un point : si Patrick Henry changeait d'avis au dernier moment et décidait de participer à la reconstitution, qu'en aucun cas il n'acceptât de mimer lui-même le geste meurtrier. J'imaginais l'impression que pourrait produire sur les jurés la photo de Patrick Henry serrant le foulard autour du cou d'un mannequin représentant l'enfant. Bien heureux encore si ce cliché n'était pas publié dans la presse !

En définitive, Patrick Henry, convaincu par Mlle Gérard, accepta, dans la nuit, de suivre les policiers. À l'aube, après un long périple, le cortège arriva devant le bar. Si les journalistes, prévenus malgré la consigne de secret, étaient nombreux, seuls quelques badauds, à cette heure matinale, se trouvaient là, derrière des barrières. Les opérations furent rapidement menées en présence de Patrick Henry et du bâtonnier Bocquillon. Le plancher craquait et l'on entendait, du bar, les pas d'un enfant se déplaçant dans le studio. Mais c'était encore la nuit et chacun prêtait l'oreille aux bruits provenant de l'étage. Le téléviseur fonctionnait parfaitement, contrairement aux dires du propriétaire. Un policier joua le rôle de Patrick Henry et fit le geste d'étrangler, par-derrière, avec un foulard, puis une cordelette, un mannequin assis sur une chaise, devant la télévision. Des clichés furent pris. Au moins, Patrick Henry n'y figurait pas. Impassible jusque-là, il n'avait pu supporter cette vision et s'était détourné.

À la fin de la reconstitution, l'inculpé avait regagné, dans une voiture de police, la maison d'arrêt de Chaumont. Le bâtonnier Bocquillon m'appela aussitôt pour me faire part de ce qui était advenu. « Il était bouleversé », me dit-il en parlant de Patrick Henry. À l'entendre, j'avais le sentiment que lui l'était tout autant.

Vers le procès

L'automne était arrivé. La vie judiciaire avait repris son intensité. Mlle Gérard avait achevé l'instruction et entendu Patrick Henry une dernière fois en reprenant point par point tous les éléments de l'affaire. Le dossier avait été communiqué à la chambre d'accusation de Reims pour qu'elle examinât les charges et rendît l'arrêt qui saisirait la cour d'assises. Quelques semaines plus tard, nous apprîmes la décision de la chambre d'accusation : elle avait écarté la préméditation. Bocquillon y vit un heureux présage. Je demeurai plus pessimiste. Compte tenu des crimes commis, il n'était nul besoin de retenir l'assassinat pour que Patrick Henry fût condamné à mort.

Bien que l'arrêt de la chambre d'accusation ne fût pas défavorable, nous décidâmes de le frapper d'un pourvoi. C'était assurer à Patrick Henry quelques mois de plus à vivre. Nous souhaitions aussi que l'affaire ne fût pas jugée à Troyes. La douleur, la fureur qui avaient régné à l'annonce de la mort du petit Philippe n'étaient pas dissipées. La presse régionale s'était déchaînée contre « le monstre ». Et je me souvenais de la foule hurlant à la mort autour du palais de justice lors du procès de Buffet et Bontems. La sérénité et la dignité souhaitables pour un tel procès commandaient qu'il se déroulât dans une autre ville, à bonne distance de Troyes.

À ces raisons objectives s'ajoutaient des motifs plus personnels. Retourner à Troyes, revenir dans le même palais de justice, retrouver la salle d'audience où j'avais défendu Bontems et l'avais entendu condamner à mort, sous les applaudissements du public, m'était une perspective odieuse. L'avocat général qui soutiendrait l'accusation était déjà présent lors du procès Bontems. L'histoire judiciaire ne bégayait pas, elle ricanait. J'avais le sentiment d'être pris dans une sorte de labyrinthe judiciaire dont chaque station m'était familière et qui me conduisait inexorablement, d'étape en étape, à la cellule des condamnés à mort de la Santé. Au moins, dans une autre ville, un autre palais, une autre salle d'audience, devant un autre accusateur, j'échapperais à ce surcroît d'angoisse.

Notre avocat près de la Cour de cassation, fin juriste et abolitionniste convaincu, saisit donc la Chambre criminelle d'une demande de dessaisissement « dans l'intérêt de la justice ». La Cour de cassation rendit rapidement son arrêt : Patrick Henry serait jugé à Troyes, comme Bontems.

CHAPITRE II

Le procès Patrick Henry

Le choix des témoins

Le moment était venu de préparer l'audience. Puisque je voulais mettre la peine de mort au cœur du procès, il convenait de l'introduire dans les débats sans attendre l'heure des plaidoiries. Et d'arrêter le choix des témoins.

À la passion des militants je préférais le poids de l'expérience. Il s'agissait d'établir que la peine de mort était inutile : le professeur Jacques Léauté, directeur de l'Institut de criminologie, l'expliquerait aux jurés. Il convenait de démontrer que la peine de mort était aberrante : le professeur Lwoff, prix Nobel, démontrerait l'irrationalité, le caractère primitif de sa pratique. Il importait de convaincre que la peine de mort était inhumaine : l'abbé Clavier, aumônier de la Santé, qui avait accompagné Buffet et Bontems à la guillotine, retracerait l'horreur du supplice. Ce prêtre, qui avait consacré sa vie à assister le peuple souffrant des prisons, pourrait susciter la pitié dans le cœur des juges et des jurés. Tous trois acceptèrent sans hésiter de venir à Troyes. Encore fallait-il qu'ils fussent entendus. Le Code de procédure pénale ne prévoit, comme témoignages, que ceux portant sur les faits ou la personnalité de l'accusé. Nos témoins étaient étrangers à l'affaire et ne connaissaient pas Patrick Henry. Des incidents, à l'audience, étaient prévisibles et je m'y préparai.

L'automne s'achevait. La date du procès était fixée : du 18 au 20 janvier 1977. En décembre, Bocquillon et moi eûmes un long entretien à Paris. Nous nous répartîmes les tâches : à lui de faire comprendre aux magistrats et aux jurés que Patrick Henry n'était pas un monstre, mais un jeune homme qui avait commis un crime dont l'atrocité le dépassait. À moi de les convaincre qu'il ne fallait pas condamner à mort un être humain, quel que soit son crime. Quant aux faits eux-mêmes, nous veillerions, au cours des débats, à écarter des esprits la préméditation.

Demeurait l'imprévisible, si fréquent dans un procès d'assises. Nous y pourvoirions de notre mieux. Le dossier le mieux préparé ne met jamais à l'abri des surprises de l'audience.

Je savais qu'il me faudrait plaider contre la peine de mort. Puisque tout avait été dit à ce sujet, il fallait trouver, ailleurs que dans une argumentation classique, le ressort secret capable de libérer, chez les juges de Patrick Henry, les forces émotionnelles qui interdiraient de le condamner à mort. J'excluais le recours à la description de l'horreur du supplice. Par tempérament janséniste, je refusais toute exploitation rhétorique de la guillotine. Il fallait l'éloquence flamboyante d'Émile Pollak pour soutenir une telle évocation sans verser dans le mélodrame.

Je cherchai donc l'image la plus saisissante, sous la forme la plus dépouillée, pour exprimer la réalité du supplice. Guillotiner, ce n'était rien d'autre que prendre

un homme et le couper, vivant, en deux morceaux.
C'était aussi simple et insoutenable que cela. Voilà ce
qu'on demanderait aux juges et aux jurés d'ordonner. Je
décidai de le leur dire en face. Étrangement, bien des
années plus tard, en classant des papiers, je découvris
que cette image, cette formule, « couper vivant un
homme en deux », je l'avais lue quelques années plus
tôt dans une des lettres que Buffet avait adressées au
Président Pompidou[1]. Je compris alors pourquoi elle
m'avait tant impressionné, et pourquoi je l'avais
refoulée aussi profondément dans ma mémoire.

Cependant, même l'horreur de la guillotine ne suffirait pas à susciter dans cette affaire un mouvement de
pitié pour l'assassin. Avait-il eu, lui, pitié de l'enfant,
de ses parents martyrisés ? C'était ailleurs que se trouvait la clef qui m'ouvrirait les cœurs. L'image de
l'homme coupé en deux me la livra. Elle n'était insoutenable que si juges et jurés se sentaient personnellement
responsables du supplice. Il ne suffirait pas qu'il leur fît
horreur. Il fallait que cette horreur leur fût imputable,
qu'elle leur incombât directement. Il s'agissait, avec
toute l'intensité possible, de les mener devant la guillotine, leur montrer ce jeune homme devant eux, et leur
dire : à vous, maintenant, de décider s'il doit être coupé
en deux dans la cour de la prison. C'était devant ce
choix-là qu'il fallait les placer, sans leur permettre de
s'y dérober.

Or l'issue la plus évidente, c'était le droit de grâce du
président de la République. Une condamnation à

---

1. *Le Monde*, 12-13 janvier 1975. *Cf.* Thierry Lévy, *L'Animal judiciaire*
(les écrits et la mort de Claude Buffet), Grasset, coll. « Enjeux », 1975.

mort n'était en définitive qu'un vœu de mort montant de la cour d'assises vers le Président. Lui seul détenait le pouvoir ultime de faire mettre à mort – ou de laisser vivre – le condamné. Mais, dans le cas de Patrick Henry, l'alternative avait disparu. La décision du Président d'envoyer Ranucci à la guillotine impliquait le refus de la grâce de Patrick Henry. Car son crime était plus odieux encore que celui imputé à Ranucci, dont ce dernier s'était déclaré innocent jusqu'au pied de l'échafaud. C'était donc des magistrats et des jurés, et d'eux seuls, que dépendait la vie ou la mort de Patrick Henry. Mon rôle consistait à les placer face à cette responsabilité inouïe. D'en faire jauger le poids à chacun d'entre eux, jusqu'à la fin de ses jours. De les éclairer aussi complètement que possible. Puis de les rendre à la terrible solitude de celui qui doit décider. Alors ils mesureraient réellement ce que signifiaient les mots : condamner à mort. Je me souvenais de la phrase de La Rochefoucauld : « *Le soleil ni la mort ne se peuvent regarder fixement.* » Eh bien, je mettrais magistrats et jurés face à la mort de Patrick Henry.

À la prison

Les fêtes étaient finies. Janvier était arrivé, morose et glacial. J'étais rentré à Paris avant la Saint-Sylvestre. Il me fallait travailler encore au dossier. C'était la seule manière d'échapper à l'angoisse qui croissait au fil des jours.

Je voulais, avant le procès, m'entretenir de nouveau avec Patrick Henry. Robert Bocquillon, son neveu et François Binet lui rendaient de fréquentes visites. Par eux, je savais qu'il voyait s'approcher l'audience avec anxiété, mais sans faiblesse. Il entretenait une correspondance régulière avec des prêtres catholiques. Il exprimait un remords profond pour son crime. Certaines de ses lettres avaient été reproduites dans la presse. La sincérité de son repentir chrétien était mise en doute. On dénonçait, dans sa conversion, plus d'hypocrisie que de foi. Je ne partageais pas ces vues sommaires. Cet homme jeune n'avait pour horizon que la guillotine à laquelle il était promis. Il était naturel qu'il se tournât vers Dieu et mît toute son espérance en Lui. Bocquillon m'avait dit combien Patrick Henry désirait demander pardon aux époux Bertrand. Il n'osait pas leur écrire, par pudeur, et parce qu'il redoutait que cette démarche fût rendue publique, qualifiée de calcul et suscitât encore plus de haine contre lui.

La date du procès se rapprochant, Patrick Henry avait été transféré de Chaumont à la maison d'arrêt de Troyes. Je n'y étais pas revenu depuis le procès de Bontems et de Buffet. Dans le train, je regardai la campagne immobile, nue, glacée. À mon arrivée à Troyes, je gagnai directement la prison. Je connaissais le chemin. Le gardien qui m'accueillit me fit savoir, en traversant la cour, que l'on avait placé mon client dans la cellule jadis affectée à Buffet. Par mesure de sécurité, il recevait la visite de ses avocats dans sa cellule, non au parloir. Comme les condamnés à mort, pensai-je. C'était d'ailleurs une cellule de condamné à mort qu'occupait déjà Patrick Henry. Derrière une cloison, une partie était réservée aux gardiens qui pouvaient ainsi le surveiller sans relâche. Je ne m'appesantis pas sur la singularité de ce dispositif pour un accusé que la loi – et elle seule, dans son cas – présumait innocent !

Le surveillant nous laissa seuls. Je trouvai Patrick Henry très calme. S'il éprouvait de la crainte, voire de l'angoisse devant l'épreuve de l'audience, il n'en laissait rien paraître. Non par orgueil ou forfanterie. À écouter ses questions, j'avais le sentiment que, pour lui aussi, le verdict était déjà acquis. On avait si souvent répété qu'il serait condamné à mort qu'il le croyait, comme tout le monde. Je m'appliquai seulement à le ramener à son rôle à l'audience, à évoquer les questions qui lui seraient posées, notamment sur les traces de barbiturique dans le sang de l'enfant. Il me répondit à nouveau qu'il n'avait jamais administré de somnifères ni de calmants à Philippe, que l'enfant était sage, qu'il avait mangé de bon appétit – une truite fumée, précisa-t-il, et un poulet rôti qu'ils avaient partagé, le deuxième jour. Je l'écoutai, perplexe, répéter ces détails que je connaissais déjà.

Je le questionnai sur sa vie en prison. Il n'avait pas à se plaindre, il était bien traité. Il préférait être seul, il ne souhaitait pas la compagnie d'autres détenus. De toute façon, l'administration ne l'aurait pas permis, les menaces à son encontre étaient encore trop vives. Il écoutait beaucoup la radio. Il me raconta que, le matin de l'exécution de Ranucci, celle-ci avait retenti plus tôt que d'habitude, et très fort, dans les couloirs de la prison, pour qu'il apprît aussitôt la nouvelle. Mᵉ Bocquillon avait reçu, ajouta-t-il, une lettre de Mme Ranucci, très émouvante. Il me demanda s'il devait s'adresser aux parents Bertrand, leur demander pardon à l'audience. Je lui répondis que lui seul pouvait en décider. « C'est difficile », me dit-il.

Le moment était venu de partir. Je me levai, m'approchai de la table, vis un livre ouvert. C'était un manuel élémentaire d'anglais. « Oui, me dit-il, j'apprends l'anglais. Ça m'aide. » Je reposai l'ouvrage. Il n'avait donc pas perdu toute espérance. C'était un signe de vie dans cette cellule où tout annonçait la mort. Je lui serrai la main, lui dis que nous nous reverrions à l'audience. À ma surprise, en me disant au revoir, il ajouta : « Bonne chance, maître. » C'était sa façon, sans doute, de m'exprimer sa confiance et de conjurer le mauvais sort. Je ne répondis pas.

Je quittai la prison en pressant le pas, sans m'attarder devant le parloir où j'avais, pour la première fois, vu Bontems, quelques jours avant son procès. Dehors, le froid me parut plus vif encore. Je marchai très vite jusqu'à la gare. J'avais hâte de quitter Troyes.

Avant l'audience

Tout était prêt. Les pièces de la procédure classées, une chemise cartonnée contenait, pour chaque témoin, les pièces utiles, et une feuille de questions préparées. Les documents et les statistiques sur la peine de mort étaient empilés, comme des munitions de réserve, dans un dossier à part. J'avais rédigé de brèves notes pour la plaidoirie. Je savais qu'à l'ultime moment, après trois jours d'audience, ce seraient d'autres paroles qui jailliraient. Mais il n'était pas inutile de soumettre les arguments à l'épreuve de la plume.

Voir ainsi les dossiers alignés sur la table me donnait un sentiment de sécurité. François Binet s'en moquait toujours. Il savait que ce bel ordonnancement ne résisterait pas longtemps aux tensions de l'audience. Le moment venu, il lui faudrait me tendre la pièce décisive que je ne retrouvais jamais.

Le procès devait durer trois jours. Et trois nuits, pensai-je. Il commencerait le mardi 18 janvier. Ainsi les participants pourraient passer leur dimanche en famille. La veille du procès, le président de la République donnait une conférence de presse. Interrogé par un journaliste qui lui demandait de « clarifier sa position » sur la question de la peine de mort, Valéry Giscard d'Estaing rappela brièvement : « *La peine de mort est inscrite dans la législation française. Seul le législateur peut modifier cet état de chose. Le président de la République, dans l'exercice de son droit de grâce, apprécie un certain nombre de circonstances, soit exceptionnelles, soit humanitaires, qui peuvent le conduire à utiliser ce droit*[1]. » Où se trouvaient, s'agissant de Patrick Henry, les circonstances « exceptionnelles » ou « humanitaires » qui plaideraient en sa faveur ? Décidément, après l'exécution de Christian Ranucci, la porte de la clémence présidentielle paraissait bien fermée en cette veillée d'armes du procès.

J'avais décidé de ne pas séjourner à Troyes. J'avais donc retenu des chambres dans un hôtel récent, confortable et aseptisé, à quelques kilomètres de la ville. Je devais y retrouver François Binet, parti en voiture avec les dossiers le lundi matin. Il voulait voir Patrick Henry à la prison.

Dans la journée, nous apprîmes l'exécution de Gari Gelmore, un Américain qui avait tué deux hommes sans motif explicable, après que son amie l'eut quitté. En prison, il avait tenté de s'empoisonner. Dans sa cellule,

---

1. *Le Monde*, 20-21 janvier 1976.

à Salt Lake City, il avait réclamé, à l'instar de Buffet, qu'on l'exécutât, qu'on le « suicidât » enfin. Des volontaires s'étaient fait connaître pour participer au peloton d'exécution. Cinq avaient été tirés au sort. Gelmore fut fusillé, assis sur une chaise, cagoule sur la tête, une cible sur le cœur. C'était la première exécution aux États-Unis depuis 1967.

Je pensai au dernier jour du procès de Buffet et Bontems à Troyes, en juin 1972. Pendant que le jury délibérait, nous avions appris que la Cour suprême des États-Unis venait de rendre un arrêt annonçant l'abolition. Mais, en juillet 1976, elle avait changé sa jurisprudence. Et, maintenant, les exécutions reprenaient. Ils étaient plus de quatre cents détenus, dans les quartiers des condamnés à mort, à attendre d'être fixés sur leur sort. Et un autre, songeai-je, virtuellement à Troyes...

La presse n'en faisait pas mystère. *Libération* titrait : « *Troyes juge un condamné à mort* ». *Le Nouvel Observateur*, « *Procès d'un guillotiné* ». *Le Figaro* évoquait « *une cérémonie purificatrice* ». Le propos d'Antigone, dans la pièce d'Anouilh, me revenait en mémoire : « *C'est reposant, la tragédie, car on sait qu'il n'y a pas d'espoir.* »

Binet nous attendait à la gare. Dans la voiture, je lui demandai comment il avait trouvé Patrick Henry. « Il est calme. Il voulait savoir si sa mère assisterait à l'audience. Il ne le souhaite pas. » Je savais, par Bocquillon, que Mme Henry était souffrante. Mais c'était son fils qu'on jugeait. Elle serait là. « Et la presse locale ? » interrogeai-je. « Ça pourrait être pire. » À Troyes, m'avait confié Bocquillon, ils lui en veulent toujours autant, mais ils sont vexés qu'on les fasse passer pour des coupeurs de tête. Et puis, ils sont tellement sûrs qu'on va le condamner à mort... Ce qu'ils redoutent, c'est la grâce : « Avec Giscard, on ne sait jamais. » Je notai cette réflexion. Il faudrait en tenir compte, à l'heure des plaidoiries.

Je comprenais les Troyens. Ils avaient ressenti comme une offense notre requête en dessaisissement. Ils voulaient montrer que l'on pouvait juger Patrick Henry à Troyes. Les exhortations à la retenue n'avaient pas fait défaut. Le député-maire Robert Galley, le même qui avait demandé, l'année précédente, un châtiment prompt et exemplaire, avait appelé les Troyens au calme et à la dignité dont les parents Bertrand avaient toujours donné l'exemple. L'évêque de Troyes, Mgr Fauchet, avait évoqué la souffrance des parents du petit Philippe, et aussi celle de la mère de Patrick Henry. Lors de la cérémonie d'ouverture de l'année judiciaire, le président du tribunal avait rappelé l'exigence d'une justice sereine. Un an s'était écoulé depuis l'enlèvement de l'enfant. Troyes attendait le procès et la condamnation à mort. Les passions n'étaient pas apaisées, elles étaient silencieuses.

Cependant, à mesure que l'audience approchait, les lettres de menace se faisaient plus nombreuses. On annonçait à Bocquillon sa mort prochaine sous les formes les plus diverses. Je n'étais pas épargné, non plus que ma femme. Des correspondants anonymes évoquaient avec délices l'assassinat de nos enfants. Nous décidâmes de les envoyer à la campagne pendant la durée du procès. Ce n'était pas seulement pour leur sécurité. Nous souhaitions que, pendant ces journées-là, les échos du procès ne parviennent pas jusqu'à eux, dans la cour de l'école. Benjamin, mon fils cadet, m'avait demandé : « C'est vrai, papa, que tu aimes bien les assassins d'enfants ? » Je lui avais expliqué de mon mieux qu'un avocat était fait pour défendre les accusés, même les assassins d'enfants, mais que défendre, ce n'était pas aimer celui qu'on défendait. C'était bien compliqué pour un garçon de six ans. Il m'avait regardé et m'avait embrassé. C'était ma récompense. Mais nous préférions savoir nos enfants loin de Paris. Nous serions plus tranquilles, du moins de ce côté-là.

Les préliminaires

L'audience débutait à 8 heures. Le jour se levait lorsque nous arrivâmes au palais. Il y avait foule devant les grilles, dans la brume froide. Des policiers filtraient l'accès du public. Sitôt la porte franchie, l'agitation était grande. La salle des pas perdus regorgeait de monde. Une foule de journalistes attendaient de pénétrer dans la salle des assises.

Tout procès a son protocole, ses rites de courtoisie. J'allai saluer, selon l'usage, le bâtonnier de Troyes qui me souhaita la bienvenue sans ironie apparente. Puis, avec Bocquillon, je gagnai le bureau du président de la Cour. Il s'y trouvait déjà avec ses assesseurs et l'avocat général. Je n'avais pas revu celui-ci depuis le procès Bontems. Le président, tout en rondeur, nous accueillit avec affabilité. Il parlait vite et d'abondance. Il souligna les précautions prises pour assurer la sécurité de l'accusé, évoqua la présence massive de la presse. « C'est simple, nous dit-il, c'est à peine s'il reste quelques places pour le public. » Le climat émotionnel des assises, jamais indifférent parce qu'il impressionne les jurés, s'en trouverait modifié. Je me souvenais du bloc compact des personnels pénitentiaires qui avait pesé, au fond de la salle, sur les débats du procès Bontems. Mieux valait l'attention de professionnels que les réactions de spectateurs en quête de mise à mort. Le procès y perdrait en intensité. Il y gagnerait en sérénité.

Je fis savoir au président que l'un des témoins que j'avais fait citer, Daniel Mayer, président de la Ligue des droits de l'homme, était empêché de venir à Troyes. Je lui remis la lettre dans laquelle il priait la Cour de l'excuser et exprimait les raisons du combat de la Ligue contre la peine de mort. Le président sourit, prit la lettre : « On verra tout cela à l'audience ! » Le propos était sibyllin mais, derrière la courtoisie, je percevais la défiance. Le président avait en charge le procès de Patrick Henry. Moi, celui de la peine de mort. Pareille divergence ne manquerait pas d'éclater au cours des débats. Derrière sa bonhomie, je sentais, chez le président, une volonté arrêtée de conduire l'affaire au terme qu'il lui avait fixé. Mais quel était ce terme ? Bocquillon m'avait dit ignorer l'opinion des trois magistrats sur la peine de mort. Le président n'avait pas, en tout cas, la réputation d'être abolitionniste. Nous prîmes congé avec civilité.

La salle d'audience bruissait de conversations. Je gagnai le banc de la défense. Je m'assis à ma place, celle-là même que j'avais occupée devant Bontems, aux côtés de Philippe Lemaire, cinq ans plus tôt. Je regardai les panneaux de bois clair, les hautes fenêtres aux voilages blancs, les bancs garnis de similicuir. J'exécrais ce décor fonctionnel et aseptisé. À cet instant, j'en voulais secrètement à Patrick Henry de m'avoir ramené là.

La sonnerie retentit. La Cour et les jurés entrèrent. Le président ordonna d'introduire l'accusé : Patrick Henry parut dans le box, encadré par des gendarmes. Le silence se fit dans la salle. Je regardai les journalistes, le public découvrir cet homme dont on avait tant parlé, dont on connaissait si bien le visage. Je me retournai vers lui, debout, immobile, bien peigné, bien rasé, dans son costume bleu et sa chemise claire. Je savais quelle impression ceux qui le découvraient, y compris les jurés, ressentaient : il n'y avait aucun rapport, aucune concordance imaginables entre ce jeune homme sage, à la contenance timide, au regard perdu derrière ses lunettes, et le « monstre » si souvent dénoncé. Un instant, je revis Buffet prenant possession du box, s'asseyant sans même attendre l'invitation du président, maître de l'audience avant que celle-ci ne commençât. Par une alchimie mystérieuse, le crime et la mort s'inscrivaient sur son visage lisse et blême. Le président d'alors l'appelait par moments, sans s'en apercevoir, « Monsieur Buffet ». Cette fois, le président appellerait parfois l'accusé « Patrick ».

Je portai mon regard vers l'autre côté de la salle. Les époux Bertrand étaient assis près de leur avocat, Johannès Ambre, homme d'expérience et de talent. Ils offraient à nu leurs traits ravagés. Près du box, au premier rang du public, la mère et la sœur de Patrick Henry étaient serrées l'une contre l'autre. La cour d'assises est le lieu géométrique de la douleur humaine.

Le tirage au sort du jury commença. Nous avions coché, sur la liste, les jurés qui, par leur profession ou leur domicile, nous paraissaient *a priori* hostiles à Patrick Henry. Ce jour-là, nous usâmes, Bocquillon et moi, du droit de récuser jusqu'à épuisement. Nous

eûmes tort. Parce que le petit Philippe avait été enlevé
à la sortie de son école, nous écartâmes notamment une
institutrice. J'appris ensuite qu'il s'agissait d'une abolitionniste convaincue, membre de la Ligue des droits de
l'homme... Tel qu'il se trouva finalement composé, le
jury représentait assez bien la France profonde : trois
femmes mariées, sans profession ; six hommes : artisan,
ouvrier, agriculteur, employé, commerçant, directeur
d'école.

Le jury constitué, l'audience commença par la lecture
de l'arrêt de la Chambre d'accusation, énonçant les
charges retenues contre l'accusé. À l'écouter, il se révélait moins impressionnant que le récit des faits publié
dans certains journaux. La prose judiciaire a ce mérite :
elle ne cultive ni l'adjectif ni les superlatifs. Les faits
dans leur nudité lui suffisent. La lecture achevée, le
président se tourna vers Patrick Henry et l'interrogatoire
commença.

L'interrogatoire

Le président était un magistrat d'expérience. Son ton
était amène, il n'élevait pas la voix et, de question en
question, suivait le bonhomme de chemin qu'il s'était
tracé. Mais il paraissait plus attentif aux questions qu'il
posait qu'aux réponses de l'accusé. Il s'agissait moins,
pour lui, d'amener l'accusé à dire aux jurés ce qu'avait
été sa vie que de dresser à leur intention, par petites
touches, le portrait de l'accusé tel que lui-même le
voyait.

La courte vie de Patrick Henry avait été médiocre.
L'interrogatoire la rendait suspecte. À l'école, il

redouble des classes. Aide-cuisinier dans un hôtel de La Bourboule, il dérobe deux mille francs dans un placard. De retour à Troyes, employé dans un restaurant, il emprunte, un soir, la voiture de son patron et provoque un accident. Travaillant dans une cantine du Crédit agricole, il soustrait huit cents francs à un collègue. Puis il vole un chèque à un client, le remplit à son ordre, tente de l'encaisser. Arrêté, il est condamné à quinze mois de prison avec sursis. Il quitte la restauration pour la représentation commerciale, ouvre un petit magasin. Il fait des dettes. À entendre le président s'attarder sur ses larcins ou ses médiocres arnaques, l'on voyait poindre le vieux dicton populaire : « Qui vole un œuf vole un bœuf. » Quel rapport, cependant, entre une minable tentative d'escroquerie et le rapt et le meurtre d'un enfant ? Patrick Henry expliqua que l'idée du kidnapping lui était venue en lisant dans la presse le récit de l'enlèvement d'un riche héritier. Pour sa libération, sa famille avait accepté de verser une grosse rançon en se gardant de prévenir la police. Cette histoire crapuleuse d'un crime réussi avait fasciné Patrick Henry ! Mais ce qui ressortait de son récit des faits, c'était son incapacité à mesurer le caractère chimérique de son action. Agissant seul, donnant son adresse véritable au propriétaire du studio, n'ayant rien prévu pour le cas où la police serait alertée par les parents, son entreprise criminelle était vouée à l'échec. Comme tout ce qu'il avait tenté jusque-là.

Au banc de la défense, à entendre cet interrogatoire et les réponses de Patrick Henry, nous mesurions l'impression désastreuse qu'il produisait sur les jurés. Se tenant à distance du micro, sa voix paraissait comme étouffée, ses propos presque inaudibles. Je ressentais la nécessité, avant la fin de l'audience, de rendre à Patrick Henry un peu d'humanité, de l'arracher à cette trame de détails négatifs que l'interrogatoire tissait autour de lui. Heureusement, l'audience criminelle est comme la mer, changeante. Le président décida que sitôt après l'inter-rogatoire, on entendrait deux témoins : la sœur de Patrick Henry et un prêtre qui l'avait connu enfant.

Advint alors, dans la cour d'assises, un moment de grâce, d'émotion imprévue quand Nicole, la sœur aînée qui avait élevé Patrick Henry, vint à la barre. Elle évoqua son enfance. Elle dit sa gentillesse, combien il aimait les enfants. L'avocat général l'interrompit : « *Il aimait aussi l'argent.* » Comme si cette phrase avait brisé en elle une barrière, Nicole, d'une voix hachée, raconta tout. Un autre Patrick Henry apparut soudain. Un garçon affectueux, attentionné, toujours prêt à rendre service à ses voisins, à ses amis. Elle s'arrêta, elle n'en pouvait plus. Je sentais qu'il fallait aller plus loin pour que juges et jurés comprennent que cet homme, devant eux, n'était pas qu'un ravisseur, qu'un meurtrier d'en-fant. Il était aussi celui que décrivait cette jeune femme en pleurs, les mains rivées à la barre. Je me levai et lui demandai : « *Vous l'aimez, votre frère ?* » La question était inutile, tant la réponse s'inscrivait dans ces épaules secouées de sanglots. Elle murmura : « *Il était si bon avec nous.* » C'était insuffisant, c'était le mot « amour » que je voulais lui faire prononcer, parce qu'il était la négation du monstre qu'on avait construit. Je l'inter-pellai à nouveau : « *Alors, dites-le que vous l'aimez, votre frère !* » Elle cria : « *Oui, je l'aime, mon frère, je l'aime !* » Sa voix se brisa.

Le silence pesait. Une femme, dans le jury, pleurait. Je me rassis lentement. J'avais été trop loin, je le sentais, et je détestais mon interpellation. Binet me murmura : « C'est bien. Ils sont émus. » Le président reprit alors son micro et dit : « *Bien sûr, vous êtes sa sœur et même sa mère...* » Je le remerciai intérieurement pour ce dernier mot.

Nicole regagna sa place près de Mme Henry, tête baissée, sans regarder personne. L'interrogatoire de Patrick Henry paraissait loin, à présent.

Mais, déjà, le pendule repartait dans l'autre sens. M. Larche, le grand-père maternel du petit Philippe, vint à la barre. Droit, robuste, sûr de lui, il raconta les faits tels qu'il les avait vécus, et le martyre des parents, jour après jour, nuit après nuit. La haine de M. Larche à l'encontre de Patrick Henry était comme un bloc de granit dressé dans cette salle, devant les jurés, incontournable, inentamable. Elle impressionnait d'autant plus qu'on la sentait nourrie de souffrance, et que cette souffrance, c'était Patrick Henry qui la lui avait infligée. M. Larche voulait la mort du coupable. Chacun le sentait et le comprenait. La version qu'il donnait était celle de l'assassinat prémédité dès l'enlèvement, avant même la demande de rançon. « *J'ai entendu cet homme au téléphone,* disait le grand-père, *froid comme une vipère. On sentait qu'il avait le temps, parce que l'enfant était mort...* » L'audience s'acheva sur cette déposition. La mort de l'enfant avait repris possession de la salle.

Tout au long de l'après-midi, le président interrogea Patrick Henry sur les faits. Il répondit d'une voix monocorde, par des phrases plates et brèves. Cette apparente absence d'émotion rendait son récit insupportable. Un instant, pourtant, j'eus le sentiment fugace que cette pellicule de glace allait céder. Il répétait de nouveau que jamais il n'avait eu l'intention arrêtée de tuer l'enfant.

« *Mais vous l'avez fait*, dit le président. *Comment ?* » Il y eut un silence. « *Il était assis sur le lit, regardait la télé, j'étais derrière lui, j'ai pris le foulard.* » Silence. « *Je n'ai pas réfléchi à ce que j'allais faire.* » Silence. Je le regardais de profil. Il baissait la tête. Ses lèvres s'entrouvrirent, il commença même une phrase. Je pensais qu'il allait enfin parler, dire ce qu'il avait ressenti, demander pardon aux parents, crier que son crime lui faisait horreur, comme à nous tous. Mais déjà le président posait une autre question, évoquait un autre épisode. La minute de vérité humaine était passée.

À la suspension d'audience, je mesurai, plus clairement encore qu'à la lecture du dossier, combien nos moyens de défense étaient faibles. Quand bien même nous écarterions de l'esprit des jurés la version la plus sinistre du crime, celle de la préméditation, il n'en demeurerait pas moins atroce. La seule question qui importait était celle de la peine de mort.

Les témoins de la défense

Le président avait décidé d'entendre les témoins de la défense avant ceux cités par l'accusation. La loi lui en donnait le pouvoir. Son choix me parut révélateur de ses sentiments. Il n'était pas enclin à voir la cour d'assises se transformer en un tribunal chargé de juger la peine de mort. Dès le premier témoin, l'abbé Clavier, l'incident éclata. Aumônier de la Santé, homme de foi, de cœur et de devoir, il avait accompagné Buffet et Bontems à la guillotine. Il entreprit de raconter aux jurés la réalité que recouvraient ces trois mots du Code pénal : « peine de mort ». L'avocat général jaillit alors de son siège avec une telle fougue que ses médailles s'entre-choquèrent. Il brandit les photos de la petite victime : « *Et ce n'est pas pire que la peine capitale, ça ?* » L'abbé Clavier répondit : « *On ne répond pas à l'horreur par l'horreur.* » Je demandai au président qu'on laissât le témoin s'exprimer. Ironique, il me lança : « *Voyons, maître, nous ne sommes pas ici au Parlement pour débattre de la peine de mort !* » Je protestai à l'intention des jurés : « *Mais justement, c'est ici et maintenant qu'il faut en débattre, parce que, demain, ce sera à vous et aux jurés d'en décider.* » Le président : « *Croyez-vous, maître, que nous ayons tant besoin d'être éclairés ?* » L'abbé Clavier reprit sa déposition d'une voix très calme. Les jurés écoutaient avec une attention intense.

Le professeur Lwoff, prix Nobel de médecine, lui succéda. Avant qu'il eût prêté serment, l'avocat général demanda à la Cour qu'il ne soit pas autorisé à témoigner. Il invoqua le Code de procédure pénale. Le professeur Lwoff ne connaissait ni l'accusé ni les faits. Il n'avait donc rien à dire qui pût éclairer la Cour. J'avais prévu l'objection et préparé des conclusions écrites demandant à la Cour d'ordonner l'audition de nos témoins. Tandis que François Binet les remettait au greffier, je déclarai aux jurés qu'il était vraisemblable que le ministère public demanderait la tête de Patrick Henry. J'ajoutai, me tournant vers l'avocat général : « *À moins qu'il ne nous dise à présent le contraire...* » Sa seule réponse fut un sourire ironique. Dès lors, je plaidai que refuser d'entendre nos témoins au sujet de la peine de mort, c'était refuser d'éclairer les jurés. On voulait leur faire exercer la plus lourde responsabilité qu'une femme ou un homme pût assumer et, dans le même temps, on leur interdisait de s'informer. Quelle justice était donc celle qu'on voulait rendre ? Et j'évoquai, rhétorique oblige, le bandeau placé au Moyen Âge sur les yeux de la Justice. À l'intention des magistrats, je rappelai certains précédents judiciaires, notamment le procès de Bobigny où Gisèle Halimi, à propos de l'avortement, avait fait citer comme témoins devant le tribunal correctionnel trois prix Nobel. Le tribunal avait accepté de les entendre. Pour ma part, je n'en avais qu'un seul, le professeur Lwoff, mais j'y tenais. Je demandai donc à la Cour de passer outre à l'opposition de l'avocat général. Avec une habile magnanimité, Me Ambre, avocat des parties civiles, vieux renard des audiences, rappela que ce n'était pas la peine de mort qu'on jugeait à Troyes, mais bien un assassin nommé Patrick Henry ; toutefois, il souhaitait laisser à la défense la latitude de faire entendre tous les témoins qu'elle voulait. Il s'en rapportait donc à la Cour.

Visiblement préoccupé, le président se retira avec ses deux assesseurs pour délibérer, laissant le professeur Lwoff, fort âgé, debout à la barre. Après une heure et demie d'attente, les magistrats revinrent avec l'arrêt : le professeur Lwoff ayant été témoin indirect des faits, comme tous les Français, son témoignage pouvait être reçu. La motivation était singulière, mais l'essentiel était acquis. La Cour avait admis que, dans le procès de Patrick Henry, se posait la question de la peine de mort.

Le professeur Lwoff se garda de toute déclaration de principe. Son propos fut simple et surtout modeste. Il avait consacré sa vie à la recherche scientifique. Rien n'était plus rare que d'atteindre la certitude, surtout s'agissant des êtres humains. Qui pouvait dire ce qui fait agir un meurtrier ? Que savions-nous de la pulsion criminelle ? La connaissance trébuchait là où l'on demandait à des juges de prendre, en leur âme et conscience, une décision irréversible : celle de donner la mort. Sa conscience et son expérience refusaient pareille démarche qui relevait plus de l'exorcisme que de la justice. Le président ne lui posa aucune question. Le professeur Lwoff se retira.

Le professeur Jacques Léauté, directeur de l'Institut de criminologie de l'université de Paris II, fut introduit. Auteur d'un traité de criminologie très connu des magistrats, il rappela que toutes les enquêtes réalisées dans les pays abolitionnistes aboutissaient à la même conclusion : la criminalité sanglante suivait une évolution sans rapport avec la présence ou l'absence de la peine de mort dans la loi. La valeur dissuasive de la peine de mort était un mythe que, jamais, aucune étude sérieuse n'avait corroboré. Le professeur Léauté exposa, chiffres à l'appui, que dans tous les États européens où l'on avait aboli la peine de mort, la criminalité sanglante ne différait pas de la nôtre, et parfois même était moins élevée. Il montrait un grand talent pédagogique. Le prétoire s'était mué en salle de cours. Certains jurés prenaient des notes. L'atmosphère de cette fin d'audience s'en trouvait transformée. Pour un temps, nous étions loin du studio au-dessus du bar et du corps du petit Bertrand dissimulé sous le lit.

Le dernier témoin entendu fut le professeur Roumajon. Psychiatre renommé, il avait été désigné par le juge d'instruction pour examiner Patrick Henry avec un autre expert. Leurs conclusions étaient sans ambiguïté : ils n'avaient relevé chez Patrick Henry ni trouble psychiatrique, ni état dangereux au sens criminologique du terme. Dépassant les constatations inscrites dans son rapport, le professeur Roumajon évoqua le problème, le mystère de la pulsion de mort chez l'être humain. Rejoignant le professeur Lwoff, il rappela les incertitudes de la science dans ce domaine si sombre de la personnalité. À l'intention des jurés, il évoqua les limites de la science psychiatrique. Il cita le cas d'Olivier, un ouvrier agricole qui avait violenté et tué sauvagement un petit garçon dans les années soixante. Il l'avait examiné avec des collègues. Ils n'avaient décelé aucun trouble psychiatrique. Seul l'acte s'avérait « monstrueux ». Olivier avait été condamné à mort et guillotiné. À l'autopsie, des lésions du cerveau étaient apparues, que les moyens d'investigation de l'époque ne permettaient pas de déceler. Il avait fallu qu'on le décapitât pour connaître la gravité de son mal...

À une question posée sur l'exemplarité de la peine de mort, le professeur Roumajon répondit qu'il ne connaissait pas d'exemple de criminel potentiel renonçant à commettre un crime par crainte de l'échafaud : « *Ou il croit qu'il échappera à la police et il commettra le crime, ou il craindra d'être pris et il y renoncera. Mais, réclusion à perpétuité ou guillotine, la nature du châtiment importe peu. Ce qui est déterminant pour le criminel de sang-froid, c'est la conviction de n'être pas pris, non la nature du châtiment s'il est pris. Quant aux crimes les plus atroces, ceux qui terrifient et bouleversent les sensibilités, ceux-là nous demeurent le plus souvent inexplicables.* »

La journée s'acheva sur cette déposition. Je savais gré au professeur Roumajon d'avoir ainsi ébranlé, à sa façon discrète, les arguments qu'avançaient, comme autant de certitudes, les partisans de la peine de mort. Grâce à nos témoins, l'autre procès, celui que l'humanité soutenait depuis des siècles, était à présent ouvert dans l'esprit des jurés.

Nous regagnâmes, ma femme et moi, notre lointain hôtel. Bocquillon et son neveu étaient partis de leur côté. Ils voulaient encore travailler, préparer l'audience du lendemain. Je les louai de ce zèle, mais ne les imitai pas. La clef que je cherchais se trouvait ailleurs que dans le dossier.

Experts et témoins

La deuxième journée s'ouvrit sur les dépositions des autres psychiatres et psychologues qui, comme le professeur Roumajon, avaient examiné Patrick Henry. Chacun rendit compte à sa manière du déroulement des expertises. Mais la conclusion était toujours la même : normal, Patrick Henry était désespérément normal. Il ne présentait aucun signe d'altération de la personnalité, aucun trouble psychiatrique. Tout au plus évoquait-on une immaturité affective, une incapacité à exprimer ses sentiments. Chacun avait pu le constater à l'audience. Mais cela ne retirait rien à l'horreur du crime.

Elle s'inscrivait dans la sécheresse des constatations des médecins légistes. L'enfant avait été étranglé parderrière, à l'aide d'un lien mince et souple. Les experts évoquaient une cordelette. Patrick Henry avait toujours fait état d'un foulard de soie. La cordelette signifiait la préméditation. L'usage du foulard, une pulsion. Pendant que les médecins légistes déposaient, le président fit circuler les photographies du cadavre de l'enfant prises par l'Identité judiciaire. Elles avaient été réunies dans une sorte d'album dont chaque juré à son tour tournait les feuillets. La dernière photo était celle du petit Philippe souriant à la vie. J'avais regardé l'album. J'en mesurai l'effet sur les jurés dont les visages se fermaient, se durcissaient à mesure qu'il passait de main en main.

Avec la déposition des toxicologues, la tension monta encore. Le professeur Lebreton, directeur du laboratoire de toxicologie de la Préfecture de Paris, était formel : l'échantillon de sang qu'il avait analysé contenait des traces d'alcool et de barbiturique. L'enfant aurait donc été drogué par le ravisseur et tué dans son sommeil. Patrick Henry l'avait toujours nié. Pourtant, plonger l'enfant dans un sommeil profond par absorption de barbituriques lui aurait épargné toute angoisse et toute peur. Le recours à des somnifères n'impliquait pas une volonté arrêtée de tuer l'enfant. L'endormir pour être sûr qu'il n'appellerait pas, ne pleurerait pas pendant les absences de son ravisseur pouvait paraître une précaution utile. Mais, quelles que fussent les constatations des experts, Patrick Henry n'en voulait point démordre. Non, il n'avait pas administré de barbituriques à l'enfant. Il le répéta encore devant le professeur Lebreton qui maintenait ses conclusions. Pareille attitude le desservait dans l'esprit des jurés. La préméditation, le dessein, que l'accusation lui prêtait, de vouloir tuer l'enfant dès son enlèvement refaisait surface.

Il fallait réagir. Mais comment ? Je demandai au professeur Lebreton s'il était sûr que l'échantillon reçu provenait bien du sang du petit Philippe. Les flacons adressés à son laboratoire ne comportaient aucune indication à ce sujet. Le médecin légiste qui avait procédé aux premières constatations vint alors confirmer à la barre l'origine du sang. Je me tournai vers Patrick Henry, dans son box, et lui posai moi-même, sèchement, la question : « *Vous avez entendu M. le Professeur Lebreton. Je vous le demande, moi aussi : avez-vous donné des barbituriques à l'enfant ?* » Patrick Henry parut désarçonné par cette agression de son avocat. Mais la réponse jaillit, immédiate : « *Non. Je ne lui ai donné que de l'eau et de l'orangeade. Jamais de vin ni de barbituriques.* » La partie civile protesta aussitôt contre mon procédé, dénonça cet interrogatoire « à l'américaine ». Peu importait. Au moins, en répondant à ma question qui l'avait pris par surprise, Patrick Henry avait donné l'impression de dire la vérité. Moi-même, je m'étais, aux yeux des jurés, démarqué de lui. Il était préférable, à ce stade, que j'apparaisse, comme eux, en quête d'une difficile vérité.

En me rasseyant à ma place, j'étais cependant préoccupé. À disputer ainsi des détails des expertises, des versions successives des témoignages, je m'usais inexorablement aux yeux des jurés. Pour une fois, mon principe : « une affaire criminelle se gagne au cours des débats, lorsque la conviction des jurés est en train de se former » me paraissait erroné. Cette fois, il n'y avait rien à espérer de la discussion des faits. Tout se jouerait au moment des plaidoiries, quand se déroulerait et se déciderait, dans l'esprit et le cœur des jurés, le seul procès qui importait : celui de la peine de mort. Pour lui, il fallait désormais me réserver aux yeux de la Cour et des jurés. Je ne devais plus apparaître comme le défenseur de Patrick Henry, mais comme l'avocat de l'abolition, l'adversaire sans merci d'une justice qui tue.

À la suspension d'audience, je fis part à Robert Bocquillon de ma résolution. Je n'interviendrais plus dans les débats, pour mieux montrer que seule comptait à mes yeux la question de la peine de mort. Cette attitude le laissait seul en première ligne, en présence des témoins de l'accusation encore à entendre. L'excellent homme s'écria avec une bourrade : « Tu as raison, ménage ta voix, tu en auras besoin demain ! »

À la reprise de l'audience, je pris place à l'extrémité du banc de la défense. Et là, sans bouger, sans ciller, sans intervenir, je demeurai impassible tout au long des débats, comme si tout ce qui se passait à l'audience ne me concernait plus, que seul comptait l'autre procès, celui de la peine de mort, qui avait commencé la veille avec nos témoins et s'achèverait le lendemain. Jamais audience ne m'apparut plus longue, ni choix plus difficile que celui du silence, en pareil moment, au banc de la défense.

Avec le concours de François Binet, Robert Bocquillon fit face au long défilé des témoins à charge. Les policiers racontèrent l'enquête, décrivirent le comportement de Patrick Henry pendant la garde à vue, évoquèrent la découverte du cadavre de l'enfant sous le lit. Les gendarmes retracèrent l'épisode de Bréviandes, leur arrivée précipitée à la cabine téléphonique, qui avait provoqué la fuite de Patrick Henry. À la requête de l'accusation, le président fit lire par le greffier la transcription de l'enregistrement de la conversation téléphonique entre les époux Bertrand et Patrick Henry. La demande de rançon : « *Débrouillez-vous pour avoir le million de francs, votre beau-père a de l'argent* » ; le chantage : « *Il est très gentil, l'enfant, il ne lui sera fait aucun mal si vous êtes coopératif* » ; la menace, aussi : « *Que ferez-vous à l'enfant si nous n'avons pas l'argent ? – Dieu seul le sait !* » Les tenanciers du bar-hôtel Les Charmilles vinrent à la barre affirmer qu'il était impossible qu'un enfant de huit ans eût séjourné dans le studio sans qu'on l'entendît marcher au-dessus de leurs têtes : ils avaient fait l'expérience avec leur petit garçon. La copine de Patrick, celle avec laquelle il était parti, avec un autre jeune couple, en Suisse, le week-end suivant la mort de l'enfant, le dépeignit alors : « *Il était comme à son habitude, décontracté.* » Elle ajouta : « *On a parlé de l'enlèvement. Il a dit que ceux qui avaient fait cela étaient des salauds, qu'il fallait les supprimer.* » Les jurés fixaient Patrick Henry, tête courbée, dans le box, pendant qu'elle parlait.

Trente témoins s'étaient succédé à la barre. Aucune déposition n'avait servi la cause de l'accusé. Une sorte de lassitude, comme cela arrive parfois à l'audience, pesait sur la salle. Ultime témoin, le frère de Patrick Henry fut entendu en fin de journée. Il avait été arrêté en même temps que lui, le 10 février, et relâché aussitôt. Son débit était précipité. Il s'accusa d'avoir incité Patrick à parler aux journalistes pour se blanchir de toutes les accusations, puisqu'il était innocent. Il dit aussi que c'était terrible d'être de la famille de Patrick, que tout le monde leur parlait sans cesse de l'enfant qu'il avait tué. Sa voix monta, il ne se maîtrisa plus, il hurla : « *C'est du théâtre, ici, tout est maquillé, tout est préparé ! C'est sûr que Patrick a commis une faute horrible, mais il s'agit de la peine de mort ! Nous y pensons tout le temps : ça fait mal, ça fait mal !* » Je le regardai, cramponné à la barre des témoins, comme sa sœur, les épaules secouées de sanglots. On ne lui posa aucune question. À quoi bon ?

L'accusation

Cette nuit-là, la dernière avant la plaidoirie, je dormis à peine. Je demeurais immobile dans le noir. La respiration régulière de ma femme me gardait de la solitude. Je repassai dans le désordre les arguments préparés, déjà si souvent analysés, tentai d'en trouver de nouveaux, plus convaincants. À mesure que la nuit avançait, l'angoisse grandissait. Que pourraient mes raisonnements face à la pulsion de mort et de vengeance qui n'avait cessé de monter tout au long de cette journée de témoignages ? Dix fois j'avais recommencé ma plaidoirie quand le sommeil enfin m'engloutit comme une vague miséricordieuse.

Au vestiaire des avocats, je retrouvai Bocquillon, le visage ravagé. « Je n'ai pas fermé l'œil, je suis mort de trouille. » Je lui souris : « Tout à l'heure, ce sera pire. » Il soupira. Il pensait sans doute à sa femme qui l'avait averti de ne point se lancer dans cette affaire. Ah, le brave cœur !

La salle d'audience regorgeait de monde. Il faisait très chaud. Au fond, près des portes, une masse compacte de corps et de visages était agglutinée. Aujourd'hui, c'était le jour de la mise à mort tant annoncée, tant attendue. À l'entrée de la Cour, le silence se fit. Un frémissement, une onde accueillit Patrick Henry. Le président se tourna vers Johannès Ambre : « Maître, vous avez la parole. »

Il avait du talent, Mᵉ Ambre, et du métier à revendre. Partie civile, sa parole était celle des parents Bertrand. Il fut, à leur exemple, d'une dignité et d'une réserve admirables. Il se garda de tout excès, il ne cria pas vengeance, il ne demanda pas la mort du meurtrier. Il parla de l'enfant, et l'émotion nous prit. Il parla de la souffrance des parents, et leur douleur devint celle de tous. Il fut mesuré, sobre, retenu. Mais il était un avocat trop expérimenté pour s'en tenir là. Les faits étaient atroces, ils condamnaient sans merci leur auteur. Il les reprit donc un à un, minutieusement. Il s'arrêta à chaque station du chemin de croix de Philippe et de ses parents. Il rappela les conclusions du professeur Lebreton, la présence de barbituriques dans le sang. Pour lui, c'était la preuve de la préméditation du meurtre de l'enfant. J'observai les jurés. Ils ne perdaient pas une de ses paroles impitoyables. Enfin, ayant achevé sa démonstration, il évoqua à nouveau les parents Bertrand. Il dit leur attente d'une parole de Patrick Henry montrant qu'il avait compris l'atrocité de son crime, qu'il demandait pardon à tous, à l'enfant assassiné, aux parents crucifiés. Et, fixant Patrick Henry, il conclut : « *Dans ce regard-là, ils n'ont vu aucun remords.* » François Binet se pencha vers moi : « Terrible ! » me murmura-t-il. Il avait raison. Ambre avait été au-delà de ce que je redoutais.

L'avocat général ne fut pas, pour sa part, en deçà de ce que j'attendais. L'accusation, dans une cour d'assises, est d'autant plus redoutable qu'elle se montre modérée dans le ton, objective dans l'argumentation, sans passion dans les conclusions. J'ai connu des avocats généraux qui croyaient aux vertus de la peine de mort, mais la demandaient presque à regret, comme si, après avoir examiné toutes les hypothèses, ils ne pouvaient retenir que celle-là, tant les faits étaient cruels et la culpabilité certaine. Pareille démarche intellectuelle impressionnait les jurés. Elle les libérait de leur angoisse. Puisque ce magistrat en robe rouge avait cherché toutes les issues possibles et n'avait trouvé que celle de la guillotine, alors eux, modestes citoyens sans expérience judiciaire, pouvaient le suivre, leur conscience apaisée.

Telle n'était pas la manière de l'avocat général à Troyes. Son honnêteté intellectuelle était certaine. S'il requérait la peine de mort, c'est qu'il l'estimait juste et nécessaire. Il le dit en ouverture : « *Je n'ai jamais demandé de peine que, comme juré, je n'aurais pu appliquer en mon âme et conscience.* » Mais il n'était pas à la place des jurés. Lui demandait la peine de mort. Eux en porteraient la responsabilité.

Pour l'obtenir des magistrats et des jurés de Troyes, qu'il croyait sans doute bien connaître, l'avocat général ne se borna pas, comme Ambre l'avait fait, à relever l'une après l'autre les charges qui accablaient Patrick Henry. Au fur et à mesure qu'il avançait dans son réquisitoire, sa voix enflait. Il évoqua le petit Philippe et brandit à nouveau ses photos. À ce stade des débats, le geste paraissait presque sacrilège. Il évoqua le cynisme et le sang-froid de celui qui avait réussi à résister quarante-sept heures aux policiers. Il dépeignit « *ce génie du mal, rejeté par tous* », qui, dans sa prison, se serait tourné vers Dieu « *par intérêt, sans doute, parce qu'il n'avait plus d'autre chose à faire* ». Et, parce que nous étions à Troyes, il dénonça ce crime « *encore plus abominable et sordide que celui de Buffet et Bontems* ».

Je l'écoutai prononcer ces mots, me les adresser dans cette même salle où j'avais entendu demander leurs têtes. Une sorte de fureur m'envahit en l'entendant proférer, là, devant moi, le nom de Bontems pour envoyer un autre homme à la guillotine. J'étais hors de moi, mais ne cillai pas.

L'avocat général, désignant Patrick Henry, s'écria : « *On se prend à douter qu'un tel être puisse encore porter le beau nom d'homme*[1]. » Il n'appartenait donc pas à l'espèce humaine, ce garçon de vingt-quatre ans, dans le box, que tous les experts avaient déclaré « normal » ? Et il conclut sur la peine de mort : « *Une société n'a pas le droit de laisser se perpétuer des êtres dangereux. Elle n'a pas le droit de mettre en danger la vie d'innocentes victimes. Sans haine, sans passion, sans faiblesse, vous appliquerez les lois de notre pays*[2]. »

L'avocat général se rassit. Tout avait été dit, ou plutôt tout semblait dit. L'audience fut suspendue jusqu'à l'après-midi. Un journaliste habitué des cours d'assises hochait la tête : « Il est indéfendable, ce garçon-là. » C'était évident pour tous, je le savais. Mais je savais aussi que si, à cet instant, j'acceptais cette évidence-là, alors il était vraiment perdu.

La défense

Il avait toujours été convenu que Robert Bocquillon plaiderait en premier. Au moment de regagner la salle d'audience, je l'arrêtai et lui murmurai « M... ». Dans sa famille, en terre de l'Est, il y avait eu, au fil des temps, beaucoup d'officiers. Il se tenait droit, comme eux, à la barre. Il était courageux aussi, comme eux. Il avait

---

1. Rapporté par Roger Gicquel in *La Violence et la Peur, op. cit.*, p. 64.
2. *Le Monde*, 23-24 janvier 1977.

accepté, le premier, cette cause que d'autres avaient rejetée. Il n'était pas habile, Bocquillon, il était vrai. Ses phrases n'étaient pas toujours bien construites, mais il parlait aux jurés leur langage. Son discours n'était pas bien ordonné, mais il était imprégné de bonté et de générosité. Avec une audace que seuls son émotion et son âge autorisaient, il réunit dans un même mouvement l'enfant qui était mort, qui aurait pu être son petit-fils, et Patrick dont on voulait la mort et qui aurait pu être son fils. « *Il y a dans ce prétoire*, dit-il, *une odeur affreuse de sang : le sang de la victime, un enfant sacrifié par un autre enfant qui n'avait même pas trouvé sa maturité.* » Grâce à lui, par la force de sa compassion, Patrick Henry, qu'il avait si souvent visité dans sa prison à Chaumont, cessait d'être le monstre auquel l'avocat général avait dénié la qualité d'être humain. Il redevenait un jeune homme ayant commis un crime atroce qui le dépassait. Si on lui laissait la vie, il pourrait encore devenir un autre, sans pour autant cesser de porter en lui le remords d'avoir tué l'enfant.

Je sentais les jurés émus, mais pas convaincus. À un moment donné, l'angoisse fut si forte que je quittai le banc de la défense et sortis de la salle. Pendant quelques minutes, dans le vestibule, je m'assis à l'écart, rassemblant tout ce que je pouvais porter de forces pour ce qui allait advenir. Puis je rentrai, regagnai ma place. Binet me regarda, et son expression me dit ce qu'il lisait sur mon visage.

Bocquillon arrivait à ses ultimes propos. Comme un cri que l'émotion rendait rauque, il jeta : « *Ne faites pas cela !* » Il eut encore quelques paroles hachées, inutiles. Je savais qu'il avait touché les cœurs, brisé le mur de haine qui entourait Patrick Henry. Je savais aussi que cela ne suffisait pas, qu'il fallait entraîner les juges et les jurés bien au-delà d'un mouvement de pitié. L'on priait jadis au passage de la charrette qui menait le condamné au lieu du supplice. Il n'en était pas moins brûlé vif.

Bocquillon s'était tu. Je me levai à mon tour, pris sa place, face aux magistrats, aux jurés. J'étais debout là même où j'avais défendu Bontems. Un silence extraordinaire s'était fait : « Maître Badinter, vous avez la parole. »

De sa plaidoirie, lorsque l'avocat ne l'a pas écrite pour la lire comme sermon en chaire, de sa plaidoirie lorsqu'elle a jailli comme si un autre s'était substitué à lui et l'emportait là où il ne pensait jamais aller, vers un soleil noir, l'avocat ne conserve que des impressions. Elles se figent ensuite en souvenirs.

De ces moments, à Troyes, dans la salle de la cour d'assises où je plaidai pour Patrick Henry, demeure vivante en moi cette impression singulière que je ne défendais pas seulement la vie de Patrick Henry, mais à nouveau celle de Bontems. Tout ce que je n'avais pas su dire pour lui jaillissait à présent pour cet autre, assis derrière moi. « Le mort saisit le vif », dit un vieux brocard. Ce jour-là, dans ce box, derrière moi, l'un était devenu l'autre. Sans doute l'avocat général, en prononçant le nom de Bontems dans son réquisitoire, avait-il rouvert cette plaie de culpabilité que je portais, secrète, en moi. Et, puisqu'il en avait parlé, j'en parlai à mon tour.

Je rappelai la guillotine et le rituel de mort derrière les hauts murs, sous le dais noir. Et, calmement, je dis que, si Patrick Henry était condamné à mort, nous irions, Bocquillon et moi, cette nuit-là, avec l'abbé Clavier, à la Santé. Mais l'avocat général, lui, n'était pas venu voir mourir Bontems et Buffet.

Je me tournai alors vers les jurés, cherchai leur regard. Je ne voulais pas les perdre, pas une seconde. Je leur dis qu'ici, c'étaient désormais eux et lui, l'accusé, qui étaient seuls en cause. Je leur dis que, quand l'avocat général demandait la peine de mort, c'était à eux, ensuite, qu'il laisserait la responsabilité de la décision. Il n'y aurait pas de cassation, parce qu'il n'y avait pas de motifs de cassation. Il n'y aurait pas de grâce, puisque le Président avait fait exécuter Christian Ranucci. Je leur dis qu'ils étaient donc seuls, seuls à décider de la vie ou de la mort de ce garçon assis là, dans ce box ; que c'était un moment unique dans leur existence, qui les engagerait pour le restant de leurs jours.

Ils me fixaient avec une attention intense. Alors j'entamai vraiment ma plaidoirie. J'avançais comme un funambule, sur une sorte de fil intérieur qui me tenait au-dessus d'un abîme que moi seul voyais. Je fis ce que je n'avais pas prévu de faire : je repris les faits, très vite, seulement pour balayer la préméditation. Je refusais l'idée que la mort de l'enfant fût inscrite dans le projet de Patrick Henry. Et je rappelai que la Chambre d'accusation ne l'avait pas retenue contre lui.

Mais, même sans la préméditation, le meurtre de l'enfant n'en demeurait pas moins atroce. Et cette atrocité, inexplicable. Rien, chez ce garçon de vingt-quatre ans, ne l'annonçait. Et certainement pas les larcins de son adolescence. « Normal », disaient les psychiatres. Normal, un pareil crime chez un garçon « normal » de cet âge ? J'évoquai les limites de la connaissance psychiatrique, l'incertitude des experts. Nul ne savait réellement qui était ce jeune homme. Pas plus eux, ses juges, que les experts. Mais c'était à eux qu'on demandait de le tuer. C'était donc cela, la peine de mort : ce sacrifice judiciaire dans les ténèbres de l'ignorance.

J'en étais arrivé au point où je voulais d'emblée aller. Je rappelai ce qu'avaient déclaré le professeur Lwoff et le professeur Léauté. Je citai l'exemple de tous les pays européens, nos voisins, tous abolitionnistes. Je rappelai aussi, plus intensément encore, qu'à Troyes on avait condamné à mort Buffet et Bontems, il y avait seulement quatre ans de cela. Patrick Henry se trouvait dans la foule qui hurlait « À mort ! » devant le palais de justice. Leur exécution l'avait-elle dissuadé d'agir ?

Je savais que tous ces arguments, toutes ces raisons qui justifiaient l'abolition, les juges et les jurés les avaient déjà entendus. Mais, à cet instant, ils m'écoutaient passionnément. Ce n'était pas le sort de la peine de mort qui se jouait, c'était la vie ou la mort d'un jeune homme. Et elle dépendait d'eux.

Alors je sentis le moment venu d'évoquer ce qui se décidait là d'essentiel pour eux, en ce moment unique. J'en arrivai au cœur des choses, à la décision de mort qu'on voulait leur arracher. Je leur rappelai Nicole Henry et son frère, sanglotant à la barre. Je leur demandai où était la justice quand les larmes d'une mère faisaient écho aux larmes d'une autre mère. Je pris devant moi la lettre que Mme Ranucci, la mère de Christian, avait adressée au bâtonnier Bocquillon. Je la lus lentement aux jurés :

« Je vous adresse cette carte pour que vous fassiez connaître à la famille de Patrick Henry que je prends part à leur calvaire inhumain. Je prie pour que la vie de leur fils soit épargnée. Je suis angoissée et je pleure comme

eux en lisant et en écoutant le détail du procès où les partisans de la peine de mort font preuve de férocité. Ils ne pensent pas que leur fils ou leur frère peut être un jour à cette place. Je suis la mère du garçon de vingt-deux ans condamné à mort, Christian Ranucci. »

Je reposai la lettre. J'étais au bout de mes forces. Il fallait conclure. Debout à la barre, comme si, à travers tant d'années écoulées, résonnait encore en moi la voix de mon vieux maître Henry Torrès, dans un ultime élan de passion j'évoquai l'évêque de Troyes, Mgr Fauchet, et l'exigence du pardon pour qui croit en Dieu. Et, pour celui qui ne croit qu'en ce monde, je dis ma foi en l'homme, toujours susceptible de changer, de s'améliorer, de s'élever. Je m'arrêtai un instant. Je pris le regard des jurés, l'un après l'autre. Je m'entendis leur dire : « *Si vous votez comme Monsieur l'avocat général vous le demande, je vous le dis, le temps passera, c'en sera fini du tumulte, des encouragements, vous demeurerez seul avec votre décision. On abolira la peine de mort, et vous resterez seul avec votre verdict, pour toujours. Et vos enfants sauront que vous avez un jour condamné à mort un jeune homme. Et vous verrez leur regard !* »

Je me tus. Les jurés me fixaient toujours. Certains s'efforçaient de dissimuler leurs larmes. Nous restâmes face à face dans le silence. Je me rassis. Je ne pouvais plus rien pour Patrick Henry.

Ce qui advint alors nous surprit tous. Patrick Henry se leva. Le président lui demanda, conformément à la loi, s'il souhaitait faire une déclaration. À la stupéfaction générale, il parla. Sa voix, dans le micro, avait perdu cette froideur, cette distance qui le rendait à certains moments odieux. C'était enfin lui, ce jeune homme, qui s'exprimait, sans doute parce que c'était l'ultime moment où il pouvait nous dire la vérité avant que la nuit ne l'emporte. Il était calme et en même temps très ému. « *Je vais essayer,* commença-t-il. *Je n'ai jamais pu m'extérioriser, tout se passe chez moi à l'intérieur.* » Il expliqua que, s'il avait pleuré, on l'aurait traité de lâche. Que, puisqu'il ne pouvait pas pleurer, on le regardait comme un monstre. Il ajouta que les heures, les mois qu'il venait de vivre lui avaient permis de beaucoup réfléchir. Il savait que ce qu'il avait fait était atroce. Il le savait mieux que personne. Pendant un très court instant, il s'interrompit. Il était livide, le souffle court. Enfin, il dit les mots tant attendus, qui se bousculaient à présent dans sa voix : « *Je regrette du fond du cœur. Depuis longtemps je voulais demander pardon aux parents de Philippe. Je voulais leur dire combien j'ai horreur de ce que j'ai fait et combien je souffre de ne plus pouvoir réparer.* » Puis, brusquement, il lança : « *Je ne peux plus* », et repoussa le micro.

Tout avait été dit. La Cour et les jurés se retirèrent pour délibérer. Les gendarmes entraînèrent Patrick Henry. La salle, figée jusque-là, retrouva la vie. Le public se disloqua. De petits groupes se formaient, des conversations bruissaient, certains gagnaient le vestibule. Je restai un moment à ma place, échangeai quelques propos avec Binet. Il se disait confiant. Je refusais toute espérance – toute illusion, pensais-je. Quelques membres de notre cabinet étaient venus assister à l'audience, par curiosité et aussi pour partager cette épreuve. Ils paraissaient émus, l'amitié éclairait leur visage et leurs propos. Mais j'avais trop connu de batailles judiciaires pour partager l'optimisme qu'ils affichaient. Frédéric Pottecher, grand chroniqueur judiciaire, vint me dire, à sa façon bourrue, que c'était bien, ce que j'avais fait. Je répliquai : « Ils le condamneront quand même à mort. » C'était, pour partie, une parole destinée à conjurer le mauvais sort. Mais, au fond de moi-même, je ne m'attendais à rien d'autre qu'à reprendre le chemin déjà parcouru et à retourner à la Santé, tous les matins, pour y visiter Patrick Henry dans la cellule des condamnés à mort.

Élisabeth m'avait rejoint. L'inquiétude troublait son regard. Je n'en pouvais plus de cette salle. Nous sortîmes, retrouvâmes Bocquillon. Il était gris d'anxiété. Je lui dis combien j'avais aimé sa plaidoirie. « Tu te moques de moi ! Je leur ai raconté n'importe quoi ! » Je le quittai, descendis l'escalier dérobé, gagnai le sous-sol grillagé, là où l'on gardait l'accusé pendant les suspensions d'audience. J'y retrouvai Patrick Henry. Je m'assis près de lui comme je m'étais assis naguère, là même, auprès de Bontems. Il me remercia presque chaleureusement. Je lui dis combien, pour les parents Bertrand, mais aussi pour lui, il était essentiel qu'il eût enfin demandé leur pardon. Mais pouvaient-ils pardonner à celui qui avait tué leur enfant ? Nous échangeâmes encore quelques mots. Je sentais renaître l'angoisse qui m'avait tenaillé avant de plaider. Je le quittai et remontai vers la salle des pas perdus, les voix, la vie.

Le vestibule grouillait de monde. Je sortis avec Binet sur le perron du palais, dans l'air glacial. La nuit était tombée. Derrière les grilles, quelques centaines de personnes étaient rassemblées. Ce qu'elles attendaient, je le savais trop bien. Je regagnai la salle d'audience.

L'attente ne dura pas longtemps. Je vis arriver Binet, tout agité. Il me tira à l'écart, murmura : « Les cars de

CRS arrivent. » Je demeurai stupéfait. Je lui avais dit que, si le verdict n'était pas la mort, le président ferait sûrement venir des renforts de police pour contenir toute explosion de fureur populaire. J'entendis en effet des bruits de cars ou de camions qui se rangeaient sous les fenêtres, dans la cour. Presque aussitôt, la sonnette retentit. Chacun regagna sa place dans le tumulte. Je regardai la pendule : le délibéré avait duré une heure et demie. La Cour et les jurés rentrèrent dans la salle. Je les observai intensément. Lorsque Patrick Henry pénétra dans le box, je vis les regards de certains jurés converger sur lui. Or, lorsque Bontems avait été condamné à mort, j'avais constaté qu'à aucun moment, pendant la lecture de l'arrêt, les jurés n'avaient tourné les yeux vers le box. Ils fixaient devant eux une sorte de ligne d'horizon invisible, comme si, en effet, la mort ne se pouvait regarder en face.

Le président entreprit la lecture de l'arrêt. Il lisait vite. Aux questions posées sur la culpabilité, la réponse ne pouvait qu'être : « Oui, à la majorité des voix. » Seule la dernière question importait. Le président marqua un imperceptible temps d'arrêt : « *Existe-t-il des circonstances atténuantes en faveur de l'accusé ? – OUI.* »

Dans le brouhaha qui suivit, on perçut les mots : « *Réclusion criminelle à perpétuité.* » On entendit un cri : c'était la mère de Patrick Henry. Lui avait porté la main à ses lèvres. Il paraissait abasourdi. L'assistance était debout. Le président, après avoir rappelé le public au silence, ajouta : « *Patrick Henry, la Cour a fait preuve à votre égard d'une grande mansuétude. Puissiez-vous ne pas la décevoir. Nous comptons sur vous.* » Patrick Henry murmura : « *Je vous remercie, vous n'aurez pas à le regretter.* » Je me laissai tomber sur mon banc. J'étais vidé. Je savais seulement que je ne retournerais pas dans la cellule des condamnés à mort.

Des journalistes couraient téléphoner la nouvelle. Dehors, des cris montaient : « À mort l'assassin ! Justice pourrie ! » Patrick Henry se pencha pour embrasser sa mère, sa sœur, son frère, debout tout près du box. Il pressa les mains de Mlle Gérard, le juge d'instruction, visiblement émue. Bocquillon exultait. Il m'embrassa. Il étreignit Patrick Henry que les gendarmes entraînaient. Il était vivant. L'horizon se réduisait cependant pour lui aux murs des centrales. Il appartenait désormais à l'univers pénitentiaire. Nous savions que la perpétuité n'existe que dans les codes. Mais combien de décennies s'écouleraient avant qu'il puisse quitter la prison ? L'enfant était mort. Patrick Henry, lui, avait perdu sa vie, sinon la vie.

Selon l'usage, j'allai saluer les magistrats avant de quitter le palais. Le président me lança : « Vous devez être satisfait, maître. » En vérité, je ressentais moins de contentement que d'apaisement. Comme si l'affaire Bontems s'était achevée vraiment ce soir-là. Mais Bontems, qui n'avait pas tué, avait été guillotiné. Patrick Henry, lui, avait sauvé sa tête. Plus que jamais je combattrais cette loterie sanglante.

Dans le vestibule, je fus assailli de questions par les journalistes. Comment expliquais-je ce verdict ? Je rendis hommage au courage des jurés. Leur nom et leur adresse avaient été publiés dans la presse. Je savais qu'une part de la haine vouée à Patrick Henry se reporterait sur eux. L'interrogation revenait : « N'est-ce pas la fin de la peine de mort ? » Bocquillon, à mes côtés, déclara : « *C'en est fini de la peine de mort, on ne pourra plus la prononcer contre quiconque après l'avoir refusée pour Patrick Henry.* » Je ne partageais pas cet optimisme. La victoire était considérable, mais nous n'en avions pas encore terminé avec la peine de mort.

Le commissaire de police qui veillait à la sécurité du palais me prit à part. Il avait fait sortir les jurés par une porte de derrière. Il souhaitait que nous en fassions autant pour éviter tout incident. La foule n'était pas dispersée, elle avait conspué la voiture cellulaire qui ramenait Patrick Henry à la prison. Il redoutait une explosion de colère si je sortais par la grande porte où m'attendaient déjà les photographes. Il proposa de nous reconduire à l'hôtel dans son propre véhicule, garé dans le parking souterrain du palais. C'est ainsi que nous quittâmes le palais de justice, ma femme, Binet et moi, serrés à l'arrière d'une voiture de police, furtivement, comme des malfaiteurs.

La fatigue, à présent, m'accablait. Je n'avais qu'un désir : rentrer chez moi au plus vite. Un ami proposa de nous ramener à Paris sans attendre. Nous partîmes aussitôt. La nuit était claire. Nous traversâmes la ville. Les rues étaient vides. Je pris la main d'Élisabeth assise à côté de moi. La voiture roulait vite. Je fermai les yeux. Adieu, Troyes.

TROISIÈME PARTIE

La longue marche

Un moment d'incertitude

Retour de Troyes

Au retour, ma vie reprit son cours ordinaire. À notre cabinet, je fus accueilli par des transports d'amitié. François Binet, qui avait assumé plus que son lot d'épreuves, tenait conférence à la bibliothèque et racontait aux plus jeunes collaborateurs, avec un luxe de détails, les péripéties de la grande bataille. Au-delà de la fatigue qui maintenant m'accablait, j'éprouvais l'indicible soulagement de savoir que je ne retournerais pas à la Santé visiter Patrick Henry dans la cellule des condamnés à mort. Au fond de moi-même, depuis un an, j'avais vécu avec cette obsession, la refoulant de mon mieux. J'étais libéré de cette angoisse-là. Aussi goûtais-je des moments heureux.

Le plus éclatant, celui qui reste gravé dans ma mémoire, se produisit le jour où, après le verdict de Troyes, je pénétrai dans l'amphithéâtre de la vieille faculté de droit, rue Soufflot, où j'enseignais depuis 1974. Debout à leur place ou dressés sur les marches, les étudiants m'applaudirent à tout rompre. Je n'avais devant moi que de jeunes visages radieux. Au tableau noir était inscrit à la craie en lettres énormes : « *Merci, Monsieur Badinter* ». Je restai debout, un peu ridicule sans doute, dans mon manteau sombre, ma serviette à la main, un prof qui mesurait à cet instant unique que ses étudiants, qu'il aimait sans jamais le leur montrer, l'aimaient aussi et le lui signifiaient sans détours. Je m'approchai du micro, fis un signe et, dans le silence revenu, leur dis en souriant : « Je vous remercie. Il a eu de la chance... Moi aussi ! » Et le cours reprit là où nous l'avions laissé quelques jours plus tôt.

Au Palais de Justice, je reçus le lot convenable de manifestations d'amitié et de compliments d'usage. J'avais eu le tort d'accorder à un grand hebdomadaire une interview sur le procès. Lors d'une réunion du Conseil de l'ordre, quelques confrères s'interrogèrent gravement sur le point de savoir si le fait d'être photographié en robe, hors du Palais, ne constituait pas un manquement au devoir de réserve. Après discussion, on décida de s'en tenir à l'ordre du jour...

Un courrier considérable me parvint. La haine s'y exprimait à nu. J'étais celui qui avait diaboliquement remplacé un procès par un autre, et, grâce à un tour de passe-passe de mes grandes manches noires, substitué, dans le box des accusés, la guillotine à Patrick Henry. Le préfet de police me proposa de faire assurer ma protection. Je déclinai l'offre, non par forfanterie, mais par sentiment de son inutilité. En revanche, ma femme et moi prîmes quelques précautions élémentaires, s'agissant du trajet de nos enfants entre notre domicile et l'école. De son côté, Bocquillon n'était pas épargné. Par lui, j'appris que certains jurés recevaient aussi insultes et menaces.

L'essentiel s'inscrivait ailleurs que dans ces péripéties. La véritable interrogation que posait le verdict était celle de ses conséquences pour l'abolition. Bernard Guetta écrivait dans *Le Nouvel Observateur* : « *Ce n'est pas Patrick Henry que les jurés ont absous, c'est la peine de mort qu'ils ont condamnée*[1]. » *Le Point* titrait : « *La mort de la peine de mort*[2] ». Et *L'Express* concluait : « *Grâce aux jurés de Troyes, on peut espérer que plus jamais on ne pourra faire résonner les sinistres échos de cette justice-là*[3]. »

Du côté des abolitionnistes, le verdict de Troyes avait suscité un nouvel élan. Le 23 janvier 1977, le Syndicat des avocats de France décida de lancer une campagne de pétitions en faveur de l'abolition immédiate. Le Syndicat de la magistrature, qui s'était prononcé pour l'abolition à son congrès de novembre 1976, et la Fédération autonome des syndicats de police soutinrent cette initiative. Dans *Le Monde*, la personnalité la plus respectée de la magistrature française, Maurice Aydalot, premier président honoraire de la Cour de cassation, écrivit : « *Je crois profondément, gravement, que le problème de la vie ou de la mort ne doit plus se poser à la justice de notre pays. Il a été tranché résolument par la cour d'assises de l'Aube... Ce n'est pas seulement un assassin que les jurés ont condamné en tenant compte des faits ou de sa personnalité, c'est la peine de mort qu'ils*

---

1. *Le Nouvel Observateur*, 24 janvier 1977.
2. *Le Point, id.*
3. *L'Express, id.*

129

ont d'abord jugée. Voilà la grande leçon de ce verdict. C'est pourquoi nous n'avons plus le droit de maintenir la peine de mort dans nos codes[1]. »

L'Église catholique affirma de nouveau son hostilité à la peine de mort. Le père Concetti, théologien connu pour exprimer la pensée du Saint-Siège, rappela, dans l'*Osservatore Romano*, que la vie est sacrée et intangible, et qu'aucun être humain ne peut perdre le droit d'exister. Il ajoutait : « *Nul ne peut décider de la vie de quiconque... La mort nous semble être la pire des solutions parce qu'il manque le pouvoir de l'infliger. Et parce qu'elle est antihumaine*[2]. » Mgr Jean Badré, président de la Commission épiscopale pour l'opinion publique, déclarait à son tour : « *C'est le fondement même de la doctrine chrétienne qui joue pour le condamné à mort*[3]... »

Tel n'était pas le sentiment commun. Le verdict de Troyes suscitait dans l'opinion plus de colère que d'approbation. Dans l'Aube, *L'Est-Éclair* faisait part de réactions indignées : « *Nous avons reçu de très nombreux coups de téléphone dénonçant la clémence de la cour d'assises de Troyes. Ils émanaient de tous les horizons du département*[4]. » La femme d'un juré écrivait : « *J'ai reçu de nombreux coups de téléphone au sujet du verdict. Tous étaient anonymes : injures et menaces se sont succédé.* » Des mères de famille lancèrent un Mouvement contre l'abolition de la peine de mort. À Épernay,

---

1. *Le Monde*, 27 janvier 1977.
2. *Le Monde*, 25 janvier 1977.
3. *Ibid.*
4. *L'Est-Éclair*, 21 janvier 1977.

au lendemain du verdict, fut annoncée la création d'une Ligue pour la justice publique et la révision du procès des assassins d'otages et d'enfants[1].

Se fondant sur les dires de certains journaux selon lesquels le juge d'instruction, Mlle Gérard, aurait embrassé Patrick Henry à l'énoncé du verdict, le président de la Commission des lois de l'Assemblée nationale, Jean Foyer, ancien garde des Sceaux, posa au ministre de la Justice une question écrite pour lui demander « *s'il estim[ait] convenable, et compatible avec l'obligation de réserve, le comportement public d'un magistrat instructeur embrassant, à la fin de l'audience, un criminel condamné à la réclusion criminelle pour un crime abominable qui a[vait] indigné la France et le monde[2]* ». L'assertion était inexacte. Sitôt après le prononcé du verdict, Patrick Henry, se penchant pour embrasser sa mère, avait serré avec effusion les mains de Mlle Gérard, debout près d'elle. D'embrassade, aucune : mon collaborateur, François Binet, qui avait assisté à la scène, me l'avait affirmé. Selon Robert Bocquillon, Mlle Gérard avait des convictions abolitionnistes, mais elle ne s'était livrée à aucune confidence à ce sujet ou à propos de l'affaire. Son instruction avait été un modèle de rigueur et d'objectivité. Mais Mlle Gérard était membre du Syndicat de la magistrature, bête noire de Jean Foyer. Le premier président de la cour d'appel la convoqua donc à son bureau, à Reims. Les choses en restèrent là. L'incident n'en était pas

---

1. *L'Union*, 21 janvier 1977.
2. *France-Soir*, 31 janvier 1977.

moins significatif du ressentiment des partisans de la peine capitale.

Devant la cour d'assises d'Aix-en-Provence, quelques jours après l'affaire Patrick Henry, l'avocat général dénonça le verdict de Troyes en requérant la peine de mort. En vain. « *Le test Patrick Henry a fonctionné*[1] », écrivit *Libération*. Lors de la traditionnelle rentrée de la Conférence du stage des avocats de Paris, le 29 janvier 1977, à laquelle assistaient le président de la République et les plus hauts magistrats, le bâtonnier Mollet-Vieville prôna l'abolition de la peine de mort en déclarant : « *Le juge ne doit plus être enfermé dans le plus cruel des dilemmes, et le problème d'un homicide légal ne doit plus se poser ni à l'État ni à son chef.* » Dans sa réponse, Valéry Giscard d'Estaing ne releva pas le propos du bâtonnier. Tout au plus fit-il référence au rôle des avocats lors des recours en grâce : « *L'éloquence des défenseurs m'a amené à modifier des décisions que j'avais envisagées.* »

Deux jours plus tard, au cours de l'émission « Les Dossiers de l'écran », le président de la République précisa sa position. Il évoqua « *la France, au fond divisée sur cette affaire de peine de mort... Une majorité de Français, plutôt favorables à son maintien, s'interrogent... Si on donnait le choix entre la peine de mort, qui est une peine très cruelle, très barbare dans son origine, dans son déroulement, et la détention réellement à perpétuité, les Français se diraient : "En effet, peut-être que..."* ». Il ajouta : « *Peut-être, en effet, en l'absence*

---

1. *Libération*, 23 janvier 1977.

d'une peine de cette nature, il restera une pression et un besoin de maintenir la peine de mort[1]. » Il était évident que le Président n'entendait pas saisir le Parlement de la question de l'abolition. Les élections municipales étaient proches. Et, selon les résultats d'un sondage réalisé pour l'émission, 83 % des personnes interrogées se déclaraient favorables à la peine de mort !

Au même moment, à Lille, se déroulait le second procès de Jérôme Carrein[2]. Il avait été condamné à mort par la cour d'assises du Pas-de-Calais, le 22 juillet 1976, pour le viol et le meurtre d'une fillette de huit ans. La décision avait été cassée. Puis était survenu le verdict de Troyes. À l'audience de Lille, l'avocat général avait réclamé la peine capitale, brandissant une photo de la fillette et clamant : « *Peu importe que vous méritiez la mort trois fois ou deux fois !* » Il avait dénoncé « *le viol de conscience opéré aux assises de l'Aube* ». Vainement l'avocat de Carrein avait-il évoqué « *l'irrespirable odeur de sang qui montait dans le prétoire[3]* » et retracé le destin misérable de l'accusé, fruste, ivrogne, vagabond, rejeté de toutes parts. Le verdict était tombé après une heure de délibéré : Carrein était de nouveau condamné à mort. La décision fut accueillie par des applaudissements. L'effet Patrick Henry avait fonctionné derechef, mais en sens inverse : on avait le sentiment que Carrein était condamné à mort parce que Patrick Henry ne l'avait pas été.

---

1. *Le Monde*, 3 février 1977.
2. *Cf. supra*, p. 71.
3. *Le Monde*, 3 février 1977.

En étions-nous pour autant revenus à la situation antérieure au verdict de Troyes ? Je n'avais jamais pensé que l'affaire Patrick Henry marquerait le terme de la peine de mort. Mais j'étais convaincu que, dans les profondeurs de la conscience collective, le refus des magistrats et jurés de Troyes de l'infliger à Patrick Henry avait sapé les fondements de la peine capitale. On avait répété à satiété pendant un an que seule la mort pouvait punir un tel crime. Si on l'avait épargnée au « monstre » de Troyes, comment l'appliquer à d'autres sans susciter le sentiment d'une injustice, d'une loterie judiciaire dont l'enjeu était la vie ? L'affaire Patrick Henry avait porté à la peine de mort un coup décisif mais dont l'effet ne serait pas immédiat. À Troyes, la vieille bête avait été profondément blessée. Elle ne se remettrait pas du coup reçu, mais elle mordait encore.

La scène politique

L'axiome « tout est politique », cher aux militants de 1968, revêtait toute sa portée à propos de la peine de mort. Souvent, au cours des débats, ses partisans déclaraient que, s'agissant d'un « choix de société », la décision devait être prise par le peuple lui-même ; ils évoquaient la nécessité d'un référendum. Pareil discours procédait de la pure démagogie. Modifier le Code pénal relevait en effet de la loi ordinaire, non de la Constitution. Les hommes politiques qui clamaient : « Référendum ! Référendum ! » dès que l'on évoquait l'abolition le savaient parfaitement. Ils y revenaient cependant toujours. Le sénateur Édouard Bonnefous, membre de l'Institut, se distingua à cet égard par une initiative singulière. Lors de l'ouverture de la séance hebdomadaire de l'Académie des sciences morales et politiques, il saisit la compagnie d'une motion visant à l'organisation d'une consultation populaire sur le châtiment suprême[1]. Après avoir délibéré en comité secret, l'Académie vota donc un texte « *estimant qu'une consultation du pays sur la peine de mort est devenue indispensable*[2] ». Sur les formes juridiques de cette consultation, la docte assemblée restait muette. L'essentiel était de donner à l'opinion le sentiment que les abolitionnistes se jouaient des citoyens et qu'ils se préparaient à prendre en catimini une mesure odieuse au peuple.

En cet hiver 1977, la bataille des élections municipales revêtait une particulière intensité. À droite se jouait un enjeu essentiel : la conquête de la mairie de Paris. Le 25 mars 1977, Jacques Chirac, devançant Michel d'Ornano, candidat et ami du Président, devenait le premier maire de Paris depuis la Révolution française. La gauche réalisait, à l'occasion des élections municipales, des progrès substantiels. Un nouveau gouvernement Barre fut formé dans la perspective des élections législatives prochaines.

Au ministère de la Justice, Alain Peyrefitte succéda à Olivier Guichard. Je m'interrogeai moins sur la signification politique de ce remplacement d'un baron du gaullisme par un autre que sur ses conséquences pour l'abolition. Normalien, écrivain de talent, Alain Peyrefitte était considéré comme un adversaire de la peine capitale. Quelques mois plus tôt, il avait été nommé par

---

1. *Le Figaro*, 8 février 1977.
2. *Le Monde*, 22 février 1977.

le président de la République à la tête d'un Comité d'études sur la violence composé de personnalités dont la sensibilité générale paraissait plus libérale que répressive. Selon certaines rumeurs, le Comité s'était prononcé contre le maintien de la peine de mort. Il était difficile de croire que le président du Comité eût été mis en minorité par ses membres sur une question aussi brûlante. J'accueillis donc avec satisfaction l'arrivée d'Alain Peyrefitte place Vendôme.

Au sein des partis de gauche, l'abolition était un article de foi républicaine. Dans toutes les réunions publiques auxquelles je participais, j'avais pu mesurer combien la ferveur abolitionniste était forte chez les militants. Sans doute, chez quelques élus, des réticences se faisaient-elles jour sur l'opportunité politique d'une abolition immédiate. Mais le long exil du pouvoir, l'arrivée d'une nouvelle génération au sein du parti socialiste avaient modifié les attitudes et affermi les convictions. Jaurès demeurait le grand exemple et la première référence morale. Or nul homme politique plus que Jaurès n'avait combattu la peine de mort.

J'avais rarement évoqué la question de l'abolition avec François Mitterrand. L'actualité judiciaire le passionnait. Il m'avait longuement questionné sur le déroulement du procès Patrick Henry, et témoigné sa satisfaction du verdict. Garde des Sceaux de 1956 à 1957, il avait accepté l'usage de la guillotine pendant la guerre d'Algérie. Le souvenir de cet épisode de sa carrière ministérielle sous la IVe République lui était désagréable, et il évitait d'en parler. Depuis lors, ses convictions abolitionnistes s'étaient affermis. Pour lui, la question paraissait réglée : la gauche au pouvoir abolirait la peine de mort parce que c'était conforme à son idéal et inscrit dans son programme. Mais il n'y faisait que rarement référence. Annoncer une mesure impopulaire n'est pas la meilleure façon de gagner des voix. Or, c'était la victoire électorale qu'il fallait d'abord arracher. L'abolition suivrait d'elle-même.

En secret, je nourrissais quelques doutes sur cet enchaînement. L'arrivée d'une majorité de gauche au pouvoir par la voie des élections législatives se réaliserait dans un climat politique tendu, puisque le Président Giscard d'Estaing resterait en fonctions. Les « réalistes » ne manqueraient pas, à gauche, pour déclarer qu'il ne faudrait pas, dans ce domaine sensible, heurter de front l'opinion par une abolition immédiate et inconditionnelle. À cet égard, le dépôt au Sénat d'une proposition de loi émanant du groupe socialiste, demandant la création d'une commission de personnalités « *représentant les différents courants de la pensée française, chargée d'examiner les problèmes posés par le maintien ou la suppression de la peine de mort*[1] », me paraissait quelque peu ambigu. Certes, il pouvait être utile de montrer au public que dans aucun État abolitionniste la suppression de la peine de mort n'avait entraîné un accroissement de la criminalité sanglante. Les études faites au sein du Conseil de l'Europe ou au Canada en témoignaient. Mais, dans cette démarche, il y avait une sorte de frilosité qui me faisait redouter des atermoie-

---

1. Proposition de loi n° 207, première session ordinaire de 1976-1977, annexée au procès-verbal de la séance du 20 décembre 1976 du Sénat, le 2 février 1977.

ments plutôt qu'une initiative décisive aux premiers jours de la nouvelle législature.

Le débat public

En vérité, il n'était nul besoin d'une nouvelle commission pour étudier le problème de l'abolition. Depuis l'affaire Patrick Henry, le débat avait repris avec une intensité nouvelle. Au premier rang des abolitionnistes s'inscrivaient Albert Naud et Émile Pollak, grandes figures du barreau qui avaient beaucoup bataillé contre la peine de mort dans les enceintes judiciaires. J'étais lié d'amitié avec l'un et l'autre, particulièrement avec Émile Pollak. Je retrouvais en lui la générosité humaine, la puissance d'improvisation, les fulgurances oratoires de mon vieux maître Henry Torrès. Comme lui, Pollak considérait les êtres et la vie avec une lucidité bienveillante et ironique. Comme lui, il aimait à la passion les courses de chevaux, et passait plus de temps à annoter la chronique hippique que les revues juridiques. Albert Naud, à l'éloquence plus classique, avait beaucoup écrit contre la peine de mort[1]. À leur exemple, dans la nouvelle génération, d'autres avocats, au premier rang desquels Philippe Lemaire, Henry Leclerc, Paul Lombard, Thierry Levy, poursuivaient, avec conviction et talent, le bon combat. À la tête de l'Association pour l'abolition de la peine de mort, la

---

1. Albert Naud, *Tu ne tueras pas*, Morgan, 1959 ; *L'Agonie de la peine de mort*, La Table Ronde, 1972 ; avec Jacques Charpentier, *Pour ou contre la peine de mort*, Berger-Levrault, 1967.

militante féministe Georgie Vienney multipliait colloques, débats et réunions publiques. Les champions de l'abolition ne manquaient pas d'adversaires : au banc de la partie civile ou dans le débat public, François Sarda soutenait le bien-fondé de la peine capitale avec une efficacité d'autant plus grande que son propos était toujours modéré. D'autres ne montraient pas toujours la même retenue...

Le débat sur l'abolition dépassait largement les milieux judiciaires. Un Comité de liaison contre la peine de mort avait été créé au moment de l'affaire Patrick Henry. Il organisa à Paris une semaine internationale pour l'abolition, du 21 au 27 mars 1977, à laquelle s'associèrent de nombreux mouvements de gauche et d'extrême gauche. Le 26 mars, une manifestation réunit à la Mutualité militants et artistes. On discourut, on chanta, on voua aux gémonies la guillotine et ses partisans. L'atmosphère était chaleureuse et festive. L'on y respirait encore l'air de Mai 68.

Plus sérieusement, des ouvrages sur la peine de mort voyaient le jour[1]. Depuis 1968, les questions de justice suscitaient un intérêt intellectuel nouveau. Avec de jeunes chercheurs, Michel Foucault conduisait notamment une réflexion originale sur la signification du châtiment. En avril 1977, Foucault, le psychanalyste, Jean

---

1. Jean Imbert, *La Peine de mort*, PUF, coll. « Sup. », 1972 ; Jean Imbert, Georges Levasseur, *Le Pouvoir, les Juges et les Bourreaux*, Hachette, 1972 ; Jacques Léauté, « Le combat contre la peine de mort », dans *L'Herne*, n° 27, cahier Arthur Koestler, 1975 ; Jacques Léauté, *Notre violence*, Denoël, 1977 ; Antoine Marcilhacy, *Tuer les jeunes ?*, Tema, 1976 ; Laurence Thibault, *La Peine de mort en France et à l'étranger*, Gallimard, coll. « Idées », 1977 ; Jean Toulat, *La Peine de mort en question*, Pygmalion, 1976.

Laplanche et moi eûmes un long entretien au siège du *Nouvel Observateur* sur la peine de mort et l'angoisse de juger[1]. En en relisant la transcription, je m'interrogeai sur la portée de nos analyses. Car l'opinion publique, elle, demeurait toujours aussi attachée à la peine capitale. Aux assises de Vendée, une nouvelle condamnation à mort venait d'être prononcée, pour meurtre précédé de torture, contre un certain Michel Bodin. Son destin allait bientôt croiser le mien.

La France n'était pas une île coupée du reste du continent. Le terrorisme qui sévissait en Europe nous avait relativement plus épargnés que nos proches voisins. Certes, sur notre sol, nationalistes corses, bretons, basques ou guadeloupéens commettaient çà et là des attentats. Et quelques forcenés se constituaient en groupuscules armés qui rêvaient d'imiter les terroristes allemands. Mais nous ne connaissions pas la vague de crimes que perpétraient l'IRA en Irlande du Nord, l'ETA en Espagne, les Brigades rouges en Italie ou, en RFA, la Fraction Armée Rouge. L'écho des attentats perpétrés en Europe occidentale ne s'arrêtait pas à nos frontières. Ce qui advenait notamment en Allemagne ou en Italie était ressenti en France avec inquiétude.

La question du terrorisme s'inscrivait au cœur du débat sur la peine de mort. Pour ses partisans, il était aberrant de prôner l'abolition et de désarmer ainsi, selon leur expression, la répression. Seule la guillotine, à les en croire, pouvait dissuader les terroristes d'agir. Les

---

1. *Le Nouvel Observateur*, 30 mai 1977.

abolitionnistes, eux, évoquaient les leçons de l'Histoire où des attentats sanglants répondaient toujours aux exécutions de terroristes. Ils citaient en exemples les démocraties voisines – Italie, RFA, Espagne – où la peine de mort était proscrite et où les gouvernements refusaient de la rétablir.

En Israël, les autorités, peu suspectes de laxisme envers les terroristes, refusaient tout recours à la peine capitale. Les leaders israéliens savaient que tout terroriste exécuté serait considéré comme un martyr de la cause palestinienne. Chaque exécution engendrerait des commandos de vengeurs, et la spirale infernale – attentats/exécutions/attentats – ne cesserait de grandir. Mieux valait, m'avait dit un leader israélien, un terroriste en prison qu'un terroriste mort. Dans le premier cas, on risquait une prise d'otages à laquelle on pouvait faire face. Dans le second, on était certain de voir apparaître des commandos suicides contre lesquels on était démuni.

Mais c'était un fait : l'atmosphère d'angoisse suscitée par les récits des détournements d'avions, des enlèvements et des attentats terroristes n'était guère favorable à l'abolition.

Le débat sur la peine de mort se doublait à présent d'un autre : celui sur la peine dite « de substitution ». Le président de la République s'en était fait l'écho lorsqu'il avait évoqué une peine qui rassurât l'opinion publique en écartant tout risque de récidive du condamné.

Aux journées d'étude de l'Institut de criminologie, en juin 1977, le professeur Léauté et Me Lombard proposèrent de substituer à la peine de mort l'« internement de sûreté à vie[1] ». Il pourrait être prononcé pour les crimes les plus graves, ceux précisément pour lesquels on requérait la peine de mort (enlèvements suivis de mort, assassinats d'enfants, de policiers ou de surveillants de prison). Pendant vingt ans, toute libération ou grâce seraient interdites. À l'échéance, le condamné comparaîtrait de nouveau devant une cour d'assises qui déciderait d'une éventuelle libération conditionnelle ou d'une remise de peine. Leur proposition reçut un accueil très réservé. Une période de sûreté de vingt ans paraissait un durcissement brutal au regard de la pratique des libérations conditionnelles des condamnés à perpétuité. La vénérable Société des prisons tint à son tour un colloque sur le thème : « Remplacer la peine de mort[2] », dans le cadre de la Chambre criminelle de la Cour de cassation. Je participais volontiers à ces débats, sans nourrir d'illusions sur leur portée dans l'opinion publique et le monde politique.

---

1. *Le Monde*, 4 juin 1977.
2. *Le Monde*, 8 juin 1977.

CHAPITRE II

Le retour de la guillotine

Exécution de Carrein

Tandis que se déroulaient ces discussions acadé-
miques, dans sa cellule à la prison de Douai, Jérôme
Carrein attendait la décision du président de la République[1]. La Cour de cassation avait fait diligence. En
moins de deux mois, le pourvoi avait été rejeté. Entre
la guillotine et Carrein, il n'y avait plus que la feuille
de papier sur laquelle le président de la République
pouvait écrire sa grâce.

Il en décida autrement. Le 24 juin à l'aube, Jérôme
Carrein fut guillotiné à la maison d'arrêt de Douai. La
nouvelle ne suscita guère de réactions. Le procès n'avait
pas intéressé la presse. Elle ne me surprit pas. Le Président
avait fixé sa jurisprudence. Il avait envoyé à l'échafaud
Ranucci, condamné pour avoir enlevé et tué une fillette,
comme Carrein. Dès lors qu'il avait refusé la grâce à
Ranucci, pourquoi l'aurait-il accordée à Carrein ? Et puis,

---

1. *Cf. supra*, p. 71 et 133.

il y avait eu le verdict de Troyes. Je me disais que si Patrick Henry avait été condamné à mort et exécuté, Jérôme Carrein aurait peut-être échappé à la guillotine, par une sorte de lassitude du Président à la pensée de ces têtes coupées l'une après l'autre en moins d'un an[1].

Le rapport du Comité d'études sur la violence

En mars 1976, le président de la République avait annoncé la création d'un Comité d'études sur la violence, la délinquance et la criminalité. La présidence, on l'a vu, en avait été confiée à Alain Peyrefitte[2]. Le Comité avait procédé à des auditions d'experts et dépouillé une importante documentation. Un rapport général, qui faisait la synthèse de ses travaux, fut rendu public en juin 1977. Il proposait cent trois mesures propres à combattre la violence et la criminalité en France. Par six voix contre trois et deux abstentions, le Comité s'était prononcé au scrutin secret pour la suppression de la peine de mort. Il proposait en contrepartie la création d'une « peine de sûreté » de quinze à vingt ans, pendant laquelle un condamné à la réclusion criminelle à perpétuité ne pourrait bénéficier d'aucune mesure de réduction de peine ou de libération conditionnelle.

---

1. « *On ne se demande pas ce qui a pris à Jérôme Carrein de tuer une petite fille. On se demande ce qui a pris à Giscard de tuer Jérôme Carrein. Il serait temps d'arrêter cette boucherie. On va finir par s'interroger sur les motivations du boucher* », Delfeil de Ton, *Le Nouvel Observateur*, 4 juillet 1977.

2. Le Comité réunissait de hauts magistrats, des universitaires, un avocat, un psychiatre, un écrivain, un architecte, un ancien directeur de la Police judiciaire.

L'essentiel était qu'une commission créée par le président de la République, dont la présidence avait été confiée au futur garde des Sceaux, s'était prononcée pour la suppression de la peine de mort. Rien ne pouvait mieux servir la cause de l'abolition. Comment justifier le maintien de la peine de mort dans notre droit alors qu'un collège de personnalités choisies par le garde des Sceaux avec l'accord du président de la République proposait, à une large majorité, son abolition ? Connaissant son habileté politique et ses talents intellectuels, j'attendais avec curiosité de voir comment le nouveau garde des Sceaux allait concilier le service de César et le culte de Minerve.

Le mois d'août s'achevait lorsque Alain Peyrefitte publia dans *Le Monde* un article intitulé « Sur la peine de mort[1] ». Le ministre s'y déclarait solidaire de la majorité des membres du Comité. Il ajoutait : « *Le principe de la peine de mort m'a toujours fait horreur.* » Il rappelait les écrits de ses vingt ans : « *On a peine à croire que la condamnation à mort soit encore admise dans des pays qui prétendent fonder en raison leurs institutions... Qu'un juge condamne à mort un criminel, ou qu'un criminel perpètre son crime est également criminel...* » Mais, après avoir repris les arguments toujours avancés pour ou contre la peine capitale, Alain Peyrefitte énonçait sa position ministérielle : « *Je ne suis pas sûr que le moment soit venu d'abolir la peine de mort.* » Pour justifier sa position, le garde des Sceaux rappelait les sondages dans lesquels la majorité des Fran-

---

1. *Le Monde*, 25 août 1977.

çais se déclarait favorable à son maintien. Habitué des joutes politiques, il anticipait l'argument : « *Dira-t-on que le propre de l'homme d'État est de ne pas hésiter à déplaire et que seul le politicien court à la recherche de ce qui plaît ?* » en répondant : « *Des hommes responsables ne peuvent accepter d'agir précipitamment quand les conditions concrètes sont aussi évidemment défavorables.* » À l'idéalisme des vingt ans succédait ainsi le réalisme de la maturité. Et le garde des Sceaux concluait avec noblesse sur une citation de Camus : « *Tu as bien fait de nous calmer. Il est trop tôt pour agir : le peuple, aujourd'hui, serait contre nous. Veux-tu guetter avec nous le moment de conclure ?* »

À la lecture de cet article, je bouillonnai d'indignation. Jamais je n'ai fait grief à quiconque de se déclarer partisan de la peine de mort. Vouloir l'abolir ou préférer la conserver est un choix moral qui relève de la conscience de chacun. Mais, dans la démarche du garde des Sceaux, ce qui me heurtait, c'était qu'un intellectuel, un abolitionniste proclamé se résignât au maintien de la peine de mort parce que l'opinion publique y était favorable selon les sondages. De surcroît, dans l'article, les partisans de l'abolition immédiate étaient pointés du doigt ministériel comme de dangereux idéologues ou de naïfs irresponsables. Je décidai de répliquer sans attendre. Jacques Fauvet, alors directeur du *Monde*, m'ouvrit les colonnes du journal. Dans une série de trois articles[1] publiés eux aussi sous le titre « Sur la

---

1. « Sur la peine de mort – Fonction politique et grâce », *Le Monde*, 14 septembre 1977 ; « Faut-il une sanction de remplacement ? », *id.*, 15 septembre 1977 ; « Encore un instant, Monsieur le Bourreau », *id.*, 16 septembre 1977.

peine de mort », je répliquai avec passion aux propos du garde des Sceaux.

Encore une exécution

Tandis que j'écrivais ces articles tomba la nouvelle de l'exécution d'Hamida Djandoubi, le 10 septembre, à la prison des Baumettes, à Marseille. Il avait été condamné à mort le 25 février précédent par la cour d'assises des Bouches-du-Rhône. Les faits étaient atroces : Djandoubi avait torturé et étranglé une jeune fille qui refusait de se prostituer pour lui. Émile Pollak, qui le défendait, avait en vain évoqué l'amputation de la jambe droite que Djandoubi avait subie en 1971 à la suite d'un accident du travail. Depuis cette mutilation, cet ouvrier tunisien, jusque-là considéré par tous comme un garçon doux, travailleur et honnête, s'était transformé en un proxénète sadique. La délibération avait duré moins d'une heure. Le pourvoi en cassation avait été rejeté en juin. Les avocats avaient été reçus par le président de la République le 6 septembre. Ce fut le dernier acte de la lutte d'Émile Pollak contre la peine de mort. Fumeur immodéré, il était atteint d'un cancer du poumon. Nous nous étions vus à Paris quelques mois plus tôt. Il respirait déjà difficilement. Homme de courage et de pudeur, il taisait sa souffrance. Je le raccompagnai en voiture. Durant le trajet, il me dit qu'il comptait sur moi pour continuer le combat. Je protestai avec toute l'énergie qu'on met dans ces moments-là à faire partager au malade une conviction feinte. Il me répondit : « Tu sais, mon rêve, ce serait d'être enterré dans un petit champ de courses provençal. Tu imagines : être là, sous la pelouse, et entendre pour l'éternité le galop des chevaux au-dessus de moi... » Je le déposai devant l'immeuble où il allait dîner. Il s'éloigna, la crinière blanche au vent, un peu voûté. Je repartis après que la porte se fut refermée sur lui. Je pensais au Pollak triomphant que j'avais connu. Ce soir-là, la nuit était noire.

L'affaire Bodin

En ce début d'automne 1977, l'exécution de Djandoubi, la troisième en treize mois, rendait vaine l'espérance d'une mise au repos de la guillotine. Les élections législatives approchaient. Déjà elles accaparaient les esprits. Le pouvoir paraissait usé, la droite, plus divisée que jamais entre le RPR, conduit par Jacques Chirac, et l'UDF de Valéry Giscard d'Estaing. Survint alors pour la majorité en place une divine surprise : l'union de la gauche vola en éclats. La perspective d'une abolition prochaine s'éloignait avec celle de la victoire d'une gauche désormais désunie. Le garde des Sceaux, Alain Peyrefitte, réaffirma, le 9 novembre 1977 à l'Assemblée nationale : « *Supprimer actuellement la peine de mort aboutirait à faire écrouler tout l'édifice, et ce serait prendre le risque de provoquer des réactions d'autodéfense qui auraient des conséquences beaucoup plus meurtrières que la peine de mort.* » Et le ministre de conclure : « *La question de l'abolition n'est pas d'actualité*[1]. »

La peine de mort, elle, était toujours présente dans les prétoires. Le 8 novembre, la cour d'assises du Nord condamnait à mort Michel Rousseau qui avait fracassé à coups de marteau le crâne d'une fillette de neuf ans. Dans son réquisitoire, l'avocat général avait affirmé que le crime de Rousseau était « pire encore » que celui de Jérôme Carrein, lequel avait été guillotiné. Ces singulières gradations dans l'échelle du crime sanglant avaient convaincu les juges.

En avril, j'avais trouvé dans mon courrier une lettre provenant de la maison d'arrêt de Poitiers. Le nom du détenu, Michel Bodin, me rappela la condamnation à mort prononcée quelques semaines plus tôt par la cour d'assises de La Roche-sur-Yon. Bodin avait formé un pourvoi en cassation. Il me demandait d'assurer sa défense, si le verdict était cassé. « Comme vous avez fait pour Patrick Henry », écrivait-il. Bodin avait tué un vieillard pour lui voler ses économies. Sa courte vie évoquait les romans populaires du XIXe siècle : le père ivrogne, la mère battue, l'enfant confié à l'Assistance publique, les placements successifs dans des foyers, les fugues succédant aux fugues. Un psychiatre avait diagnostiqué chez l'adolescent de graves troubles du comportement. De treize à vingt et un ans, Bodin avait été placé en hôpital psychiatrique. Sorti de l'hôpital à sa majorité, il avait travaillé où et comme il pouvait. Il avait commis quelques vols, des larcins plutôt. Il avait

---

1. *Le Monde*, 11 novembre 1977.

été condamné, puis placé de nouveau en hôpital psychia-trique, à La Rochelle puis à Toulouse. Il y avait rencontré une handicapée qu'il avait épousée. Deux petites filles étaient nées de l'union, placées par la DDASS en nourrice.

En juillet, la Cour de cassation annula l'arrêt de La Roche-sur-Yon. Bodin serait jugé de nouveau, cette fois par la cour d'assises de Nantes. Je l'en avisai aussitôt. Sa réponse me fit sourire : il m'avoua qu'il avait écrit, après sa condamnation à mort, simultanément à Émile Pollak et à moi-même pour demander à chacun de nous de le défendre. Il était convaincu, disait-il, que l'un des deux au moins refuserait, puisque lui-même était sans ressources. À sa surprise, nous avions tous deux accepté. Il se trouvait donc nanti à présent de deux avocats, sans compter celui qui l'avait défendu à La Roche-sur-Yon. Je téléphonai à Pollak. Nous plaisantâmes sur la dissi-mulation de Bodin et convînmes de le défendre ensemble. C'était l'occasion de nous retrouver côte à côte dans une affaire qui s'annonçait très difficile. La voix de Pollak me parut essoufflée, lasse.

La lecture du dossier me consterna. Bodin s'était lié avec une jeune fille, Danielle, sortie comme lui d'un hôpital psychiatrique. Ensemble ils avaient commis quelques petits vols. Bodin connaissait un retraité à demi paralysé qui habitait seul dans une petite maison à l'écart d'un hameau. Il avait sans doute des économies cachées, pensait-il. Il fut décidé qu'on irait chez lui avec une bonne bouteille, qu'on mélangerait au vin des somnifères. Aussitôt endormi, on le dépouillerait. Pour ne pas attirer ses soupçons, on résolut de venir en groupe, avec la sœur de Danielle et une copine. La bande se rendit chez le vieil homme, on ouvrit la bouteille trafiquée, les filles chantèrent et dansèrent. Scène sordide. Le vieil homme ne donnait cependant aucun signe d'assoupissement. Bien mieux, il laissait percer sa méfiance et s'écria au troisième verre : « Je vous ai à l'œil et, croyez-moi, je vous ai bien photographiés. » En entendant ce propos, Bodin, ivre, se leva et, empoignant une chaise, le frappa à coups redoublés. Le vieillard s'effondra. Bodin entreprit alors de fouiller les meubles dans la cuisine, puis dans la chambre. Les filles, qui s'étaient enfuies au jardin, revinrent dans la maison. Enfin, Bodin trouva dans l'armoire de la chambre une boîte dissimulée. Elle contenait deux mille sept cents francs. Il partagea la somme en deux parts égales, l'une pour lui, l'autre pour les filles. Puis ils s'enfuirent dans la voiture volée jusqu'à La Roche-sur-Yon, où ils traînèrent dans des bars. Le lendemain matin, Bodin et les trois filles étaient arrêtés. Un voisin les avait vus entrer, puis ressortir. Le vieil homme ne recevant guère de visites, leur présence l'avait intrigué. Il s'était rendu à son domicile, l'avait trouvé mort, le crâne éclaté, les yeux crevés. Il avait aussitôt prévenu les gendarmes.

Bodin avait avoué le meurtre. Mais il se défendait farouchement d'avoir crevé les yeux du vieillard. Les filles déclaraient n'avoir rien vu, s'être enfuies dès que Bodin avait frappé, et n'être revenues dans la maison que pour le partage du butin. Pour l'accusation, tout était clair : Bodin s'était jeté sur le vieil homme, l'avait frappé, puis lui avait crevé les yeux pour lui faire avouer où étaient cachées ses économies. Ivre de vin et de fureur, devant son silence, il l'avait achevé à coups de chaise. Aux assises, les trois filles, qui partageaient la même cellule depuis leur incarcération, avaient accablé

Bodin. Lui, maladroit, incohérent dans ses explications, avait exaspéré les juges. Malgré ses internements successifs en hôpital psychiatrique, les experts l'avaient déclaré entièrement responsable de son crime. Le verdict apparaissait dès lors inéluctable.

À étudier le dossier, je fus saisi d'un doute sur la version de l'accusation. Bodin s'était toujours défendu d'avoir crevé les yeux du vieillard alors qu'il avait narré avec précision la scène des coups mortels. Or un détail de l'autopsie m'impressionna : les paupières du vieillard étaient intactes. Comment crever les yeux d'un être vivant sans qu'il cherche à refermer les paupières ? De surcroît, les experts précisaient que les yeux avaient été perforés, au centre de l'iris, de façon identique, par un instrument très pointu ou piquant. Bodin avait frappé sa victime avec une chaise, puis à coups de barreau. Le crâne du malheureux avait été enfoncé. Comment concilier cette explosion de violence sauvage avec ces deux piqûres si précisément ajustées, perçant l'iris sur un millimètre, comme deux coups d'épingle ? Bodin était ivre, il était devenu une brute ayant perdu tout contrôle de lui-même. Les piqûres évoquaient en revanche la précision d'un chirurgien... ou d'une dentellière. Je songeai aux travaux de couture auxquels on astreignait les filles dans les établissements d'éducation surveillée qu'avait fréquentés Danielle. Je décidai de consulter un ami, ophtalmologiste réputé. Je lui adressai le rapport d'autopsie en lui faisant part de ma perplexité.

Quelques jours plus tard, il m'invita à venir le voir. Il lui paraissait impossible que les yeux de la victime eussent été percés alors que celle-ci était encore consciente. Le réflexe d'abaisser les paupières faisait que celles-ci auraient été déchirées ou à tout le moins lésées. Or, elles étaient intactes. Les deux coups symétriques, un dans chaque œil, avaient été portés l'un après l'autre. La victime devait donc être plongée dans un coma profond. Ou, plus probablement encore, elle venait de succomber. Dans les deux cas, l'hypothèse de l'accusation, selon laquelle Bodin avait crevé les yeux de sa victime pour lui faire avouer où étaient cachées ses économies, s'effondrait. On ne torture pas un homme à la tête fracassée, déjà mort ou qu'on croit tel, pour le faire parler.

Et puis, il y avait la précision du geste, ces deux petits trous d'aiguille portés au centre de l'iris, dans ces yeux grands ouverts. Un tel acte évoquait le comportement sadique d'enfants qui crèvent les yeux des oiseaux prisonniers. Je me souvenais d'une lettre de Bodin racontant qu'après avoir frappé le vieillard il s'était rendu dans la chambre pour aller la fouiller avec Danielle, puis que celle-ci était retournée seule dans la cuisine. Je demeurais perplexe. Rien n'était sûr, hormis les précisions scientifiques de mon ophtalmologiste.

Je lui demandai s'il accepterait de témoigner en cour d'assises. J'évoquai ses titres hospitaliers, sa notoriété. Il me renvoya à l'un de ses confrères de Loire-Atlantique, respecté par toute la profession. Fin octobre, je me rendis à Nantes. L'ophtalmologiste me reçut avec bienveillance, me confirma les conclusions de son confrère parisien. Je lui représentai que ces observations, émanant de lui, pourraient avoir sur le jury une influence déterminante. Car si l'accusation de torture était écartée, le crime, si odieux fût-il, perdrait ce caractère de perversité sadique qui faisait horreur. La vie de Bodin, toute de misère et d'abandon, de troubles psychiatriques, nous pourrions alors la faire prendre en compte par les magistrats et jurés. Mon interlocuteur m'écouta attentivement. Il me dit qu'il viendrait témoigner. C'était pour lui un devoir de conscience.

Je m'en fus ensuite voir Bodin à la prison. De cet entretien je conserve le souvenir de son extrême maigreur, d'une fébrilité qu'il ne contrôlait pas. Je le fis longuement parler de son enfance. Il me dit son amour pour sa mère, qui l'avait pourtant abandonné, et pour ses deux petites filles. Il sanglotait en prononçant leur prénom ; il me montra leur photo. Je regardai les visages enfantins, presque des bébés encore. Je lui demandai l'adresse de la nourrice chez qui elles étaient placées ; peut-être son témoignage pourrait-il servir Bodin. Je lui fis retracer ensuite la scène du crime. Il me confirma être resté seul à fouiller la chambre après le meurtre alors que Danielle était retournée dans la cuisine où se trouvait le corps. Je ne dis rien, attentif seulement à noter les détails. Je le quittai en l'assurant que j'avais confiance dans l'issue du procès. De retour à Paris, je décidai de joindre sans délai Émile Pollak, pour convenir avec lui d'un rendez-vous de travail.

Il n'eut jamais lieu. La secrétaire me répondit que Pollak était souffrant. Sa fille me rappela quelques jours plus tard. Elle me dit que son père ne pourrait se rendre à Nantes à la date fixée, mais elle était disposée à m'assister. Je connaissais Nicole, jeune avocate de caractère et de talent. Je savais qu'Émile l'aimait passionnément, comme tout père sa fille grandie à ses côtés. Je l'assurai que sa présence à la barre serait bienvenue. Je demandai aussi à Mᵉ Assicaud, l'avocat qui avait défendu Bodin avec dévouement et humanité à La Roche-sur-Yon, d'ouvrir les plaidoiries. Sans balancer, il accepta cette mission.

Aux assises de Nantes

Les débats aux assises de Nantes échappèrent à mes prévisions. L'interrogatoire fut enlevé à un rythme soutenu. Michel Bodin, bourré de tranquillisants, répondait par monosyllabes aux questions du président. Quelques jours plus tôt, dans un accès de dépression, il avait tenté de se suicider. Sa voix presque inaudible conférait à l'interrogatoire un caractère étrange, dépouillé de toute émotion et, par là même, d'autant plus angoissant. Une sorte de malaise plutôt que d'hostilité régnait dans le prétoire. Le défilé des témoins se déroula dans une atmosphère morne, jusqu'au moment où, après policiers et experts, parut la jeune Danielle, la complice de Bodin. Elle n'avait pas interjeté de pourvoi en cassation contre l'arrêt qui l'avait condamnée à cinq ans de prison. Le droit français interdit de rejuger quelqu'un pour les mêmes faits si la première décision est devenue définitive. Elle ne risquait donc plus rien, quoi qu'il advînt au cours des débats.

Je l'observai tandis qu'elle exposait sa version des faits d'une voix assourdie. Maigre, le teint blême des détenues, elle était vêtue d'un pantalon et d'une veste qui accentuaient encore le caractère androgyne de sa silhouette. Elle avait l'air d'un petit mec. Son visage – mais peut-être était-ce dû à la tension de l'audience – était dur, le regard qu'elle tourna vers moi lorsque je me levai pour l'interroger n'était qu'hostilité. D'une voix sourde, elle répéta les réponses qu'elle avait déjà faites à la police, à l'instruction, au premier procès. Je sentais qu'elle avait fixé sa version et s'y tiendrait quoi

155

qu'il arrivât. Je lui demandai si elle avait entendu Bodin interroger le vieillard, lui demander où il cachait ses économies. Elle répondit très vite : « *Je n'ai rien vu, je suis sortie dès qu'il a frappé le vieux avec la chaise.* – *Mais, avant cela,* repris-je, *n'a-t-il pas menacé la victime de lui crever les yeux ? – Non. – Mais alors, puisque la victime a été aussitôt assommée, quand Bodin aurait-il pu la menacer de lui crever les yeux ?* »

La question portait en elle sa réponse, comme souvent à l'audience. Danielle éclata de colère : « *Je n'en sais rien, je n'ai rien vu, j'en ai assez !* »

Elle fit mine de quitter la barre. Le président la rappela à l'ordre. Il fallait en finir très vite. Je lui demandai d'une voix calme, comme pour vérifier un détail : « *Vous avez déclaré que le vieux monsieur parais- sait méfiant et qu'il vous avait dit : "Je vous ai photogra- phiés." Vous le confirmez ?* »

Elle hocha la tête.

« *Mais lui, Bodin,* repris-je, *la victime le connaissait bien. C'est donc à vous qu'il s'adressait quand il disait qu'il vous avait photographiée et qu'il saurait vous reconnaître devant la police, le cas échéant.* »

À cette évocation, elle s'emporta et voulut de nouveau quitter la barre ; le gendarme qui se tenait près d'elle la retint par le bras. La Cour et les jurés avaient compris où je voulais en venir. Cela seul importait.

J'attendais beaucoup de mon premier témoin, le professeur d'ophtalmologie. Il s'exprima avec précision. À plusieurs reprises, je lui fis dire que le vieil homme était plongé dans un coma ultime ou déjà mort lorsqu'on lui avait percé les yeux. J'insistai sur la précision des coups, le recours à une pointe fine comme une aiguille ou une épingle, hasardai-je. Le professeur acquiesça. Je ne poussai pas plus loin mes questions. Je ressentais de plus en plus intensément le climat de malaise qui régnait dans la salle d'audience.

Les derniers témoins se succédèrent dans la même atonie. Même la nourrice, sur laquelle je tablais, n'émut point, tant elle était paralysée par la timidité et s'exprimait difficilement, par saccades. J'enrageai de la voir quitter la barre en me lançant un regard qui trahissait son désarroi. Décidément, rien n'allait comme je le souhaitais.

À l'évidence, le représentant du ministère public entendait faire de cette tragique affaire un succès personnel. Il avait beaucoup travaillé ses réquisitions. « Elles sentent l'huile de lampe », aurait dit mon maître ! Je regardais ce jeune homme élégant, issu, pensais-je, d'un milieu cultivé. Il avait sensiblement le même âge que Bodin. En l'écoutant, je songeais à la parabole du frère de l'ombre. Chacun de nous, sur cette terre, a un « frère de l'ombre » qu'il ne connaît pas, un être humilié et misérable qu'il aurait lui-même été si Dieu ou le destin n'en avaient décidé autrement. J'avais souvent songé, dans mes moments de bonheur, à cette parabole. Et voici que, dans cette salle d'audience, celui des deux frères humains que la vie avait choyé demandait la mort de celui qu'elle avait accablé[1].

À la suspension d'audience, avant les plaidoiries, tandis que je m'entretenais avec Nicole Pollak, François Binet m'entraîna à l'écart. Il venait d'apprendre que la cour d'assises d'Évry avait condamné à mort Mohamed

---

1. *Ouest-France*, 26-27 novembre 1977.

Yahiaoui, un ouvrier tunisien qui avait égorgé un couple de boulangers, ses patrons. Yahiaoui m'avait demandé quelques semaines plus tôt de le défendre. Son procès avait été fixé à la même date que celui de Bodin. De surcroît, ce dernier avait déjà été condamné à mort et jouait sa dernière chance judiciaire. Yahiaoui, lui, comparaissait pour la première fois en cour d'assises. J'avais donc écrit à Yahiaoui pour lui dire que je ne pouvais le défendre. Et voici qu'il était condamné à mort, et que Bodin était menacé de l'être, si impitoyable avait été le réquisitoire. Je sentis l'angoisse, jusque-là maîtrisée, m'envahir une nouvelle fois. Binet, qui m'observait, me murmura : « Méfiez-vous. Calmez-vous. » J'opinai de la tête. Mais mon tour venu, je quittai le banc de la défense, m'approchai au plus près des jurés, devant l'estrade où ils siégeaient. Une colère non feinte – que je regrettai ensuite – m'emporta contre ces réquisitions de mort. Je m'acharnai à démontrer que Bodin, ivre de vin et de fureur, les mains tremblantes, ne pouvait avoir frappé ces deux coups précis, symétriques, portés au centre de l'iris. Dans ma péroraison, je dénonçai à nouveau passionnément le recours à la peine de mort, cet échec de l'humanité. Lorsque je me rassis au banc de la défense, j'étais épuisé.

Le délibéré fut long, très long : plus de deux heures. Minuit était passé lorsque la Cour revint. Les jurés nous regardaient bien en face. À la question décisive, celle portant sur les tortures, la réponse était non. Bodin était sauvé. La Cour lui reconnaissait des circonstances atténuantes. Il était condamné à la réclusion à perpétuité. Un silence absolu régnait dans la salle. Bodin remercia la Cour de quelques mots confus.

Très vite, nous prîmes congé du président et des assesseurs. Je revins dans la salle des assises, déserte à présent, où m'attendait ma femme. Les portes du palais étaient fermées. Nous errâmes à travers le bâtiment jusqu'à ce que le concierge nous désignât une sortie dérobée. La robe d'avocat jetée sur un bras, la serviette à la main, nous paraissions, dans la nuit, une petite troupe d'acteurs quittant un théâtre après la représentation. Nous soupâmes dans une brasserie proche où flottait une odeur de moules et de vin blanc. Comme toujours, après la tension de la journée la fatigue m'accablait. Nous parlions peu. La tête de Bodin était sauve. C'était tout ce qui importait.

Au moment de nous séparer, je dis à Nicole Pollak d'embrasser son père pour moi. Elle sourit sans répondre. Il mourut quelques semaines plus tard. Après Albert Naud, Émile Pollak. Ni l'un ni l'autre n'aurait vu l'abolition pour laquelle ils avaient tant lutté.

À Stockholm

L'automne 1977 s'acheva sur un moment heureux. Amnesty International tenait son congrès à Stockholm à la mi-décembre, au moment où la grande organisation humanitaire recevait le prix Nobel de la paix. Ce congrès était consacré à la lutte contre la peine de mort dans le monde. Je devais présenter un rapport sur la situation en France.

À Stockholm, il faisait - 10 °C dans les rues, et la nuit tombait à trois heures de l'après-midi. Mais la joie était grande, parmi les militants, de célébrer ce prix Nobel qui venait couronner leur action au service des droits de l'homme. Sans transports émotionnels, sans rhétorique passionnée, les délégués, venus de soixante-dix pays, donnèrent au problème de la peine de mort, sur lequel tout paraissait pourtant avoir été dit, une intensité nouvelle. Amnesty International avait été créée pour venir en aide aux prisonniers d'opinion. Luttant contre la torture, confrontée à la disparition des opposants politiques, l'organisation avait été conduite à combattre la peine de mort sous toutes ses formes. Tel était le premier mérite de l'approche d'Amnesty International : ne pas traiter la peine de mort en soi, comme s'il s'agissait d'un problème autonome, mais l'inscrire parmi les atteintes aux droits fondamentaux de l'homme, dont le premier est le droit à la vie.

Le congrès d'Amnesty International rendait à la peine de mort sa véritable dimension. À Stockholm, elle se révélait dans toute sa tragique réalité. Au long des rapports se révélait l'ampleur de ce fléau pudiquement baptisé par les experts internationaux « *governmental political murder* » (GPM). D'abord en Amérique du Sud : vingt mille exécutions sommaires au Guatemala depuis 1966, quatre mille dans le Chili de Pinochet. Au Brésil, dans l'État de Rio de Janeiro, l'« escadron de la mort » exécutait sans procès plusieurs centaines d'opposants par an. En Argentine, depuis le coup d'État de mars 1976, plusieurs milliers de personnes avaient disparu, qu'on savait avoir été exécutées. En Afrique, qu'il s'agît de l'Ouganda, de la Guinée-Équatoriale ou de l'Éthiopie, les exécutions en masse sévissaient. En Asie, que ce fût en Chine ou en Thaïlande, et plus encore au Cambodge, s'accomplissaient de véritables génocides politiques. Encore les données obtenues étaient-elles fragmentaires, incomplètes. Le cancer était si profond, il atteignait tant de pays étouffant sous la terreur et le secret qu'il était difficile d'en appréhender toute l'étendue. Mais il était présent sur tous les continents et tuait sous toutes les formes. Car aux exécutions sans jugement par les polices d'État ou les milices parallèles Amnesty International assimilait à juste titre les parodies de procès à huis clos et sans défense, comme en Iran. S'y ajoutaient les exécutions pratiquées dans les camps ou les bagnes à l'occasion de prétendues tentatives d'évasion, comme en Afrique du Sud ou au Chili, et l'assassinat des détenus qu'on privait de soins médicaux ou qu'on acculait au suicide, comme dans les régimes de l'Europe de l'Est.

La pire violence, la violence meurtrière d'État, prenait ainsi corps devant nos yeux, dans le calme du congrès de Stockholm. À la mesure des crimes révélés, le silence complice qui les enveloppait, celui des puissances et des hommes indifférents à tout ce qui ne les menace pas directement, ce silence-là faisait honte.

En quittant la salle du congrès d'Amnesty International, je regagnai à pied mon hôtel (l'hôtel de l'Armée du salut !). Les rues piétonnières étaient illuminées à l'approche des fêtes de Noël. Des jeunes gens emmitouflés, filles et garçons, exposaient sur des étalages improvisés des brochures et des photos de victimes. Des banderoles dénonçaient les exécutions commises presque partout dans le monde. Je regardai ces jeunes militants des justes causes. Je m'étais trompé : il ne faisait pas froid, à Stockholm, en ce mois de décembre 1977, mais chaud, bien chaud au cœur.

CHAPITRE III

Entre morale et politique

La déclaration des évêques

Le 23 janvier 1978, la Commission sociale de l'épis-copat français publiait un document intitulé *Éléments de réflexion sur la peine de mort*. Sous ce titre modeste, il s'agissait d'une prise de position sans équivoque en faveur de l'abolition. Annoncé dans son bulletin diocé-sain par Mgr Etchegaray, archevêque de Marseille et président de la Conférence épiscopale, le texte, signé par dix prélats, fut présenté à la presse par Mgr Fauchet, évêque de Troyes, lequel, au moment de l'affaire Patrick Henry, avait parmi les premiers appelé ses concitoyens à dépasser leur douleur et leur colère.

Le texte des évêques retraçait l'histoire complexe des rapports de l'Église à la peine de mort. Il rappelait sa justification par saint Thomas d'Aquin, les sentences de l'Inquisition invoquant le péril que faisaient courir les hérésies. Il retraçait la longue connivence de l'Église et des Princes dans le recours à la peine capitale. À ce passé la déclaration des évêques opposait le message originel du christianisme. Elle rappelait que l'homme est corps et âme, et que « *c'est comme personne, corps et âme, que l'homme est redevable à Dieu* ». Le chrétien ne pouvait accepter qu'un être humain « *puisse, de sang-froid, interrompre ce mystérieux dialogue entre une personne et Dieu* ». Le propos visait le titulaire du droit de grâce. Surtout, la déclaration épiscopale se prononçait en termes éloquents sur l'incompatibilité entre la peine de mort et le christianisme. « *Condamner à mort un homme, c'est nier pour lui la possibilité de se redresser. Pour un chrétien, c'est mettre en doute la puissance de la grâce, l'universalité de la rédemption et la possibilité de la conversion.* » Et elle ajoutait : « *La société, même au terme d'un procès régulier, ne peut disposer de la vie d'un homme sous le couvert de sa culpabilité. Le droit à la vie est un absolu et la peine de mort une des formes du mépris de la vie humaine*[1]. »

Ce que les abolitionnistes énonçaient depuis deux siècles était ainsi solennellement proclamé par la Commission épiscopale avec l'évident accord de sa hiérarchie. Un an plus tôt, l'organe du Vatican, *L'Osservatore Romano*, s'était prononcé pour l'abolition[2]. Les évêques français concluaient à leur tour : « *Après une réflexion approfondie, les signataires estiment qu'en France la peine de mort devrait être abolie.* »

J'exultais. J'écrivis aussitôt à Mgr Etchegaray afin de le féliciter, ainsi que tous les signataires du texte, pour leur courage moral. Car, comme le disait ironiquement

---

1. *Le Monde*, 22 janvier 1978.
2. C'est seulement en 1977 que la peine de mort a disparu des lois régissant l'État du Vatican.

Mgr Fauchet : « *Si nous voulions parler au goût du jour, nous n'aurions pas parlé du tout*[1]. »

La déclaration épiscopale suscita des réactions prévisibles. Saluée avec enthousiasme par la presse de gauche[2], avec réserve par la presse de droite[3], vilipendée par l'extrême droite[4], cette prise de position apparut à beaucoup comme « *un geste de première grandeur... Que l'on soit croyant ou non, une telle affirmation ne peut laisser indifférent*[5] ». La réaction la plus vive fut celle de François Romerio, ancien président de la Cour de sûreté de l'État, qui venait de constituer, avec d'autres partisans d'une politique pénale plus répressive, l'association Légitime Défense. Il s'écria : « *Les évêques contre la peine de mort ? Ils n'auraient pu commettre pire reniement. De Bernard à Jeanne d'Arc, tous les saints français n'étaient-ils pas des tueurs ? Et la croix était-elle autre chose que la guillotine*[6] *?...* »

---

1. *Le Monde*, 25 janvier 1978.

2. *L'Humanité* salua comme « *un événement considérable l'intervention spectaculaire des évêques de France* ». *La Croix* exprima l'espoir que « *la déclaration de l'épiscopat aidera[it] l'opinion publique à évoluer dans ce domaine* ». *Le Matin* : « *L'essentiel est que l'élan soit donné aujourd'hui.* » (Citations relevées dans la revue de presse de *L'Actualité religieuse*, février 1978.)

3. Sous le titre « Une société de jérémiades », Max Clos écrivait dans *Le Figaro* du 21 janvier 1978 : « *Nous sommes de ces gens qui éprouvent davantage de compassion pour les assassins que pour les victimes...* » *L'Aurore* : « *On peut être catholique et partager un avis différent.* »

4. *Minute* qualifia la déclaration des évêques de « *bénédiction aux assassins* » et *Aspects de la France* s'étonna que « *des prélats qui n'ont à la bouche* » que le respect de l'homme « *nient aussi effrontément ce qui en fait la grandeur : le fait d'être personnellement responsable de ses actes* ». Cité dans *L'Actualité religieuse*, février 1978.

5. Philippe Boucher, *Le Monde*, 23 janvier 1978.

6. *L'Actualité religieuse*, janvier 1978.

La campagne électorale

Après la trêve des fêtes de fin d'année, nous étions entrés dans la phase active de la campagne pour les élections législatives de mars 1978. L'état des forces politiques en présence était singulier. La division régnait au sein des deux camps opposés. À droite, le Président Giscard d'Estaing avait pour adversaire immédiat son ancien Premier ministre, Jacques Chirac. À gauche, la rupture paraissait consommée entre socialistes et communistes. François Mitterrand tint le 4 janvier une conférence de presse qui marquait l'ouverture de la campagne électorale. Il déclara : « *Aucune petite histoire de partis ne peut justifier que l'on sacrifie l'espoir de tous les Français qui ont cru – et qui croient encore – à l'union de la gauche et à sa victoire*[1]. » Le lendemain, le parti communiste l'accusait de refuser de « *renouer sur des bases sérieuses les fils du dialogue qu'il a[vait] lui-même interrompu* ». Les alliés étaient devenus des rivaux avoués.

Dans cette confusion, la campagne électorale de 1978 apparut comme une reprise de celle de 1973. Les résultats du premier tour marquèrent une poussée de la gauche, qui recueillit 49,5 % des suffrages exprimés. C'était insuffisant pour faire basculer la majorité. Mais, pour la première fois depuis la Libération, le parti socialiste devançait les communistes. Le RPR et la nouvelle

---

1. *Le Monde*, 6 janvier 1978.

166

UDF faisaient presque jeu égal. Au second tour, le 19 mars, la droite l'emporta avec 290 sièges contre 201 à la gauche. Les socialistes dénoncèrent l'attitude de Georges Marchais qui, « *en multipliant ses attaques contre les socialistes, avait rendu service à la droite* ». Raymond Barre fut reconduit à Matignon. Alain Peyrefitte conserva les Sceaux. Rien n'était changé.

J'avais très peu participé à la campagne électorale. Quelques notes pour François Mitterrand sur des problèmes de justice. Quelques réunions électorales auxquelles des candidats amis m'avaient demandé de participer. J'avais, à ces occasions, mesuré combien, pour le public, j'étais identifié à la lutte pour l'abolition. Toutes les questions qui m'étaient posées concernaient la peine de mort. Le meeting tournait bien vite à la conférence sur l'abolition. Cela ne faisait guère l'affaire des candidats. Pour eux, il s'agissait de ne pas heurter un électorat réputé majoritairement partisan de la peine de mort. Le plus simple était donc d'en parler le moins possible[1].

Une offensive parlementaire

Ce fut des rangs de la majorité de droite que partit la nouvelle initiative politique en faveur de l'abolition. Début mars 1978, onze députés UDF et RPR déposèrent

---

1. Voir, cependant, les déclarations de François Mitterrand sur Europe n° 1, le 3 mars 1978. Le leader socialiste ne se déclarait « *pas favorable à la peine de mort* », mais rappelait la nécessité d'une justice sévère. *Le Monde*, 4 mars 1978.

une proposition de loi supprimant la peine capitale. Le premier signataire était Pierre Bas, député de Paris, inlassable militant de l'abolition. À ses côtés figuraient Bernard Stasi et Philippe Séguin, tous deux abolitionnistes convaincus. L'exposé des motifs n'avait rien d'original. Tous les arguments classiques contre la peine de mort y étaient énoncés. En revanche, l'initiative paraissait singulière. Alors que tout au long de la campagne électorale qui venait de s'achever le président de la République avait répété que, s'agissant de la peine de mort, il convenait d'attendre, des députés de droite proclamaient qu'il était urgent d'agir.

Le groupe parlementaire communiste, puis le groupe parlementaire socialiste avec, pour premier signataire, François Mitterrand, déposèrent à leur tour des propositions de loi d'abolition. Certains analystes virent dans ces démarches convergentes une subtile tactique des abolitionnistes de tous bords, ceux de droite ouvrant la voie à un débat à l'issue duquel l'abolition serait obtenue grâce aux voix de gauche. En bref, une sorte de *remake* de la loi Veil sur l'interruption volontaire de grossesse, qui n'avait été votée que grâce aux députés de gauche. C'était méconnaître le fait qu'en 1974 le président de la République voulait libéraliser l'avortement, conformément au vœu de la plupart des Français. Alors qu'en 1978 le même Président n'entendait pas proposer l'abolition de la peine de mort contre le sentiment de la majorité des électeurs.

Le gouvernement étant maître de l'ordre du jour des travaux parlementaires, il était certain que cette proposition de loi émanant de quelques partisans de l'abolition ne serait pas soumise à l'Assemblée. Mais, politiquement, l'initiative faisait plutôt désordre. Le gouvernement s'appliqua donc à rappeler les députés de la majorité au sens des réalités. Un sondage publié opportunément le 23 juin souligna que l'opinion publique demeurait majoritairement favorable (58 % contre 31 %) à la peine capitale[1]. L'avant-projet de réforme du Code pénal rédigé par la Commission de révision fut rendu public le 1er juillet 1978. Il proposait de « *maintenir la sanction capitale, mais de la limiter aux cas d'une exceptionnelle gravité, comme l'assassinat accompagné de tortures ou la prise d'otage suivie de la mort de la victime* ». Pour quels autres crimes était-elle jamais prononcée dans la réalité judiciaire ?

En vieux routier de la vie parlementaire, Alain Peyrefitte déclara avec bonhomie que la proposition de loi de Pierre Bas pourrait être étudiée lors de la prochaine session, « *si la conférence des présidents de groupe en décidait ainsi*[2] ». Comme la majorité de cette conférence était acquise au gouvernement, il n'avait rien à redouter de ce côté-là.

Raymond Barre, interrogé sur le fait que 74 % des Français souhaitaient un grand débat au Parlement sur le sujet, se déclara « *personnellement contre la peine de mort* ». Mais il ajouta aussitôt : « *Nous vivons en société et il peut y avoir des situations dans lesquelles la peine de mort est nécessaire pour sanctionner des actes qui sont profondément répréhensibles et qui suscitent une réprobation générale*[3]. » Au même moment, l'Espagne se préparait à voter une Constitution démocratique qui

---

1. *Le Figaro*, 23 juin 1978.
2. *La Lettre de la Chancellerie*, 1er juillet 1978.
3. Propos tenus sur Europe n° 1, le 6 juillet 1978, et rapportés dans *Le Monde*, 8 juillet 1978.

interdisait tout recours à la peine de mort. Et la France, première nation du continent européen à avoir proscrit la torture, se cramponnait à la guillotine comme à un totem sanglant !

Il est vrai qu'Alain Peyrefitte avait trouvé un argument inédit : « *Il ne faut pas, en abolissant la peine de mort à un moment inopportun, provoquer le contraire de ce que l'on recherche, c'est-à-dire pousser les gens à se faire justice eux-mêmes.* » Je croyais rêver : ou bien le criminel demeurait inconnu ou introuvable, et donc hors de portée de tout « justicier » ; ou bien il était arrêté et condamné à une peine perpétuelle ou de très longue durée. Dans ce cas, comment imaginer qu'après des décennies les proches de la victime retrouveraient et abattraient le criminel pour assouvir leur vengeance, comme Monte-Cristo ? Mieux aurait valu dire simplement les choses : « *Nous sommes contre l'abolition, parce qu'elle nous paraît politiquement trop coûteuse...* »

Au même moment, d'autres initiatives parlementaires étaient prises, à droite, pour témoigner que la majorité entendait bien maintenir la peine de mort. Soixante-deux députés UDF déposaient une proposition de loi tendant à l'application de la peine aux coupables d'enlèvement de mineur en vue d'obtenir une rançon[1], alors que le Code pénal ne prévoyait la peine capitale qu'en cas de meurtre de l'enfant. Six sénateurs centristes proposaient de remplacer la guillotine « *par des moyens plus décents*

---

1. *Le Monde*, 24 juin 1978.

et efficaces sur lesquels l'Académie de médecine pourrait se prononcer ». Dans l'exposé des motifs, les auteurs de cette proposition soulignaient que, s'agissant de « *faire disparaître de la société un être nuisible..., il faut le faire passer plus proprement* (sic) *de vie à trépas*[1] ». Je revoyais le sang sur le pavé de la cour de la Santé, après l'exécution de Buffet et Bontems. Où était l'humanité, dans ce souci de faire disparaître la vieille machine à tuer ? Dans un mouvement d'éloquence, Gambetta s'était écrié, à l'adresse de ceux qui voulaient interdire les exécutions en public : « Vous voulez la guillotine ? Regardez-la ! » Les sénateurs centristes, eux, préféraient détourner les yeux en soupirant : « Cachez ce sang que nous ne saurions voir... »

En attendant le grand débat toujours différé, Pierre Bas et ses collègues créèrent un groupe d'études pour l'abolition de la peine capitale. Pourtant, les analyses, les rapports, les chiffres ne faisaient point défaut en France et à l'étranger. Tous les arguments avaient été échangés entre partisans et adversaires de la peine capitale. Le choix de l'abolition était d'ordre moral. La décision était de nature politique. Tout le problème était là.

Où l'on reparle de Ranucci

Christian Ranucci avait été exécuté deux ans plus tôt. Avant de monter sur l'échafaud à la prison des Baumettes, il avait lancé à ses avocats : « Réhabilitez-moi ! » L'un d'entre eux, M[e] Le Forsonney, avait alors

---

1. *Le Monde*, 7 juillet 1978.

entrepris de recueillir de nouveaux éléments sur l'affaire. Parallèlement, un écrivain, Gilles Perrault, avait minutieusement analysé l'enquête, l'instruction et le procès lui-même pour en déceler toutes les failles. De ce travail scrupuleux était né un livre, *Le Pull-over rouge*[1]. L'ouvrage mettait au jour les défauts, les négligences, les contradictions de l'enquête de police et de l'instruction. Il évoquait l'hypothèse d'un autre criminel éventuel, « l'homme au pull-over rouge ». Surtout, le livre jetait une lumière crue sur une justice éperdue du désir de trouver au plus vite l'auteur d'un crime qui avait bouleversé l'opinion. Analysant l'ouvrage de Gilles Perrault, Michel Foucault écrivait : « *Ranucci, guillotiné le 28 juillet 1976, était-il innocent de l'assassinat d'une fillette, deux ans plus tôt ? On ne le sait toujours pas. On ne le saura peut-être jamais. Mais on sait, de façon irréfutable, que la justice est coupable. Coupable de l'avoir, avec cinq séances d'instruction, deux jours d'assises, un pourvoi rejeté et une grâce refusée, mené sans plus hésiter à l'échafaud*[2]. »

Parallèlement à la sortie du livre de Gilles Perrault, une requête en révision de l'arrêt condamnant Ranucci était déposée par Mes Jean-Denis Bredin et Le Forsonney auprès du garde des Sceaux. D'autres demandes de révision devaient suivre celle-là au fil des ans. Faute d'éléments jugés suffisamment nouveaux, la Cour de cassation a refusé la révision de l'arrêt de condamnation. Mais le doute suscité par le livre de Gilles Perrault n'en

---

1. Éditions Ramsay, 1978 ; rééd. Fayard, 1994.
2. *Le Nouvel Observateur*, 11 septembre 1978.

demeure pas moins. Et la question, lancinante, terrible, subsiste : si Ranucci n'avait pas été exécuté en 1976, s'il avait pu du fond de sa prison faire entendre sa voix et demander qu'on rouvre le dossier, que serait-il advenu ? Si Ranucci a été victime d'une erreur judiciaire, alors son exécution revêt une dimension insoutenable. Car il n'est rien de plus révoltant que la mise à mort, au nom de la Justice, d'un innocent. Cette seule évocation suffit à justifier l'abolition.

Le procès Bhutto

Tandis que l'affaire Ranucci refaisait surface, j'assistais, à des milliers de kilomètres de là, à la perpétration d'un forfait judiciaire : le procès d'Ali Bhutto, ancien Premier ministre du Pakistan, devant la Cour suprême de ce pays.

Un an plus tôt, le général Zia Ul-Haq, chef des forces armées, avait fomenté un coup d'État militaire et s'était emparé du pouvoir, à l'instigation, disait-on, et avec l'appui de la CIA. Ali Bhutto, chef incontesté du parti politique le plus important du Pakistan, huit fois ministre et Premier ministre tout-puissant, avait été placé en résidence surveillée. La politique étrangère qu'il avait conduite, ses liens avec la Chine avaient irrité la Maison-Blanche. Ses rapports avec la France et, notamment, la fourniture de moyens nucléaires, limités, selon Paris, à des fins pacifiques avaient accru l'exaspération américaine. Le putsch avait mis au pouvoir un général qui bénéficiait de l'entière confiance de la Maison-Blanche.

En août 1977, Bhutto avait été rendu à la liberté. Des élections avaient été prévues pour octobre. Partout, le passage de Bhutto suscitait des manifestations d'enthousiasme populaire. La victoire de son parti paraissait certaine. En septembre, il fut de nouveau arrêté. Il était accusé d'être l'instigateur d'un crime de droit commun. Trois ans plus tôt, en 1974, une rafale de coups de feu avait été tirée sur la voiture d'un député, membre d'un parti opposé à celui de Bhutto. Le parlementaire avait été blessé, son père tué. L'enquête policière n'avait pas abouti. Selon l'accusation, Bhutto avait fait étouffer l'affaire. Curieusement, cependant, le même député avait sollicité quelques mois plus tard d'être admis dans le parti de Bhutto, le parti du Peuple (PPP). Il n'y avait pas fait carrière, bien qu'il eût multiplié les déclarations d'allégeance à l'égard de Bhutto. En mars 1977, il avait quitté le PPP. Le putsch survint. Il proféra aussitôt des accusations contre Bhutto.

Les choses se précipitèrent. Le directeur de la Sûreté fédérale avait été arrêté après le coup d'État. Saisi d'une fièvre de « confession », il consigna la longue suite de ses méfaits sur un cahier qui fut remis au général Zia. Il « avouait » avoir organisé l'attentat de 1974 sur ordre de Bhutto. Conduit devant un juge, il renouvela ses accusations. En échange de ses aveux, une totale impunité lui fut accordée. D'accusé virtuel, il devenait témoin de l'accusation. Un témoin si précieux qu'on le garda au secret.

Un montage judiciaire fut échafaudé à partir de là. Les exécutants, tous officiers de police, se confessèrent sans tarder. L'organisateur de l'attentat, interrogé comme il convenait, accusa à son tour Bhutto. Puis, devant les juges, il se rétracta. Il fut condamné à mort. De sa prison, il adressa une nouvelle déclaration à la Cour suprême, reconnaissant de nouveau sa culpabilité et chargeant Bhutto. Il n'existait ni preuve matérielle, ni témoignage objectif mettant en cause Bhutto. Mais peu importaient les contradictions, les invraisemblances, les mensonges. La pièce était écrite. Il n'y avait plus qu'à la jouer. À huis clos, par précaution. Bhutto eut beau protester, affirmer son innocence, clamer qu'il n'avait aucune raison de faire tuer un politicien dont l'influence était nulle, ses avocats eurent beau démonter l'accusation et dénoncer cette parodie de justice, tout fut vain. La cour de Lahore condamna à mort l'ancien Premier ministre.

Dans un ultime effort pour arrêter la machine judiciaire qui entraînait Ali Bhutto vers la potence, la bégum Bhutto et sa fille Benazir décidèrent de faire appel à des avocats étrangers pour épauler la défense pakistanaise. Non que celle-ci fût incompétente ou timorée. Rarement ai-je rencontré des avocats combinant à ce point expérience professionnelle et courage moral. L'un d'eux devait être victime par la suite d'un attentat, un autre arrêté et condamné pour des motifs fallacieux. Mais la présence de juristes étrangers au banc de la défense pouvait inciter les juges à veiller au respect des règles internationalement reconnues du « procès équitable ». Ces avocats, venus de grandes démocraties occidentales, pourraient en outre faire connaître à l'opinion publique internationale la sinistre entreprise judiciaire qui se déroulait au Pakistan.

Ainsi me retrouvai-je, dans la chaleur moite de Rawalpindi, en cet été de 1978, à franchir les portes fortement gardées de la Cour suprême, en compagnie des avocats pakistanais d'Ali Bhutto. Les limites de mon rôle avaient été négociées et fixées à Paris lorsque j'avais demandé mon visa. J'étais autorisé à me rendre au Pakistan pour y collaborer avec les avocats d'Ali Bhutto. Je pouvais assister aux débats mais j'étais interdit de parole à l'audience. Je m'en consolai d'autant plus aisément que, devant la Cour suprême, la procédure était pour l'essentiel écrite.

Ce que je vis là, dans cette salle aux sombres boiseries, me parut étrange, presque surréaliste. La culture judiciaire britannique, ses rites, ses traditions oratoires subsistaient formellement. Une courtoisie raffinée présidait aux débats, et l'accent d'Oxford de nombre des participants renforçait l'impression que l'audience se déroulait dans une cour anglaise. Mais, derrière le respect des formes, je percevais que le procès suivait un cours inflexiblement tracé et qu'il déboucherait sur la confirmation de la condamnation à mort de Bhutto. Chaque soir, ses avocats faisaient le point sur ce qu'il était advenu, s'indignaient de ce qui se déroulait, et préparaient les débats du lendemain. Les traits creusés à l'extrême par l'angoisse, Benazir Bhutto écoutait intensément et intervenait passionnément. Elle avait le visage d'Antigone. Le général Zia, pensais-je, aurait à affronter un jour un ennemi plus redoutable encore qu'Ali Bhutto : sa fille Benazir.

Le moment vint où je dus quitter Rawalpindi. Un avocat anglais devait prendre ma place pour la suite du procès. Nous dînâmes une dernière fois ensemble, les avocats pakistanais et moi. Je ressentais leur angoisse parce qu'elle était devenue la mienne. Ils me demandèrent de faire savoir en France ce qui se tramait derrière le cérémonial judiciaire. Je le leur promis. Je leur dis aussi que j'irais, dès mon arrivée, voir le ministre des Affaires étrangères. J'évoquai d'autres démarches possibles, notamment à Washington. Mais j'avais perçu comme eux, dans ces audiences paisibles, l'avance inexorable de la mort programmée d'Ali Bhutto. Certes, on pouvait espérer un miracle judiciaire. Et peut-être les juges se rappelleraient-ils, à l'heure de la décision, que la postérité finit toujours par juger ceux dont les verdicts font l'Histoire.

Mes amis pakistanais m'écoutèrent en silence. Ils m'accompagnèrent à l'aéroport. Je les embrassai l'un après l'autre. Je n'osai leur souhaiter bonne chance. Au moment de franchir la porte de la salle d'embarquement, je me retournai. Ils étaient là, tous les six, à me regarder partir, et tous me sourirent. Je fis un geste de la main et m'en fus, très vite. Je pensais à Bhutto arpentant sa cellule étouffante, à ces avocats qui retourneraient le lendemain à l'audience. Je me sentais un fuyard.

Les crédits du bourreau

À la rentrée parlementaire, en octobre, les partisans de l'abolition lancèrent une nouvelle offensive. La situation leur paraissait bloquée. Le garde des Sceaux avait rappelé que, pour le gouvernement, la question de la peine de mort n'était pas d'actualité[1]. Pierre Bas et Bernard Stasi décidèrent de recourir à un stratagème qui avait été utilisé naguère avec succès contre la censure théâtrale : pour la faire disparaître, on avait supprimé ses crédits budgétaires. Ils demandèrent donc la suppression du traitement du bourreau, inscrit au projet de budget. Raymond Forni, député socialiste de Belfort, déposa un amendement identique. En vérité, plutôt que d'obtenir l'abolition par la bande, il s'agissait de forcer le débat à l'Assemblée. Les experts estimaient d'ailleurs que, même en ajoutant aux trente députés de droite réputés abolitionnistes les deux cents voix de la gauche, il n'y avait pas, à l'Assemblée, de majorité prête à voter l'abolition.

Comme il était prévisible, la Commission des lois se prononça contre l'amendement portant suppression des crédits du bourreau : 185 000 francs, une goutte d'eau dans l'océan du budget. Entendu par la Commission, le garde des Sceaux déclara qu'« *il ne serait pas digne, pour le Parlement et pour le gouvernement, de régler à la sauvette une question aussi grave et controversée*[2] ». Lors de la discussion du budget de la Justice devant l'Assemblée, le 24 octobre, Raymond Forni, Pierre Bas et Bernard Stasi firent assaut d'éloquence. Pierre Bas rappela qu'en 1906 la Commission du budget avait déjà supprimé le crédit affecté à l'indemnité du bourreau (que

---

1. « *Cette question,* avait de nouveau déclaré le ministre, *doit être examinée calmement, sereinement, après un long débat, et nous avons le temps d'y réfléchir* », Le Monde, 8 juillet 1978.
2. *Le Monde*, 25 octobre 1978.

la Chambre des députés avait aussitôt rétabli lors du vote du budget). Il s'écria : « *Trouvez-vous normal que notre peuple soit le dernier en Europe à entretenir un bourreau[1] ?* » Pour éviter que l'Assemblée se prononçât sur les amendements déposés et que l'on comptât les abolitionnistes dans les rangs de la majorité, le garde des Sceaux eut recours à une astuce de procédure : il demanda un vote bloqué sur l'ensemble des crédits de la Justice. Pour voter l'amendement de Pierre Bas, il aurait donc fallu, à droite, rejeter tout le budget de la Justice. C'était politiquement inconcevable. Ainsi, pour l'année 1979, le traitement du bourreau fut assuré et les crédits votés pour de nouvelles exécutions.

Au même moment, les avocats se voyaient refuser de nouveau la rémunération, maintes fois promise, de la défense des accusés sans ressources. Des crédits pour le bourreau, mais non pour l'avocat ! Les choix étaient lourds de symbole, dans le budget de la Justice pour 1979...

La période de sûreté

Tandis que se déroulait ce débat illusoire sur les crédits du bourreau, le gouvernement faisait voter d'urgence par sa majorité un texte durcissant le régime d'exécution des peines. La loi du 22 novembre 1978 instaurait pour la première fois une période de « sûreté » d'une durée comprise entre la moitié et les deux tiers de la peine. Pendant ce temps, le condamné ne devait plus

---

1. *Le Monde*, 26 octobre 1978.

espérer sortir de l'enceinte pénitentiaire, retrouver sa famille ni se mêler à la vie des hommes libres. De surcroît, les réductions de peine ne seraient pas imputées sur la période de sûreté. La durée maximale de celle-ci fut fixée à quinze ans, mais pouvait être portée à dix-huit ans par décision spéciale de la cour d'assises.

L'inspiration de la loi était claire. Le Comité d'études sur la violence, présidé par Alain Peyrefitte, avait préconisé la suppression de la peine de mort et l'instauration d'une période de sûreté incompressible d'au moins vingt ans de réclusion criminelle. Le vœu du Comité pouvait être considéré, à cet égard, comme satisfait. Restait à faire voter l'abolition. Mais, sur cette question, le président de la République s'empressa de dissiper toute illusion. Le 21 novembre 1978, lors d'une conférence de presse à l'Élysée, il déclara : « *La démarche que nous devrions suivre, et je souhaite pouvoir la mener jusqu'à son terme, c'est d'établir dans la société française un état de sécurité et de justice tel qu'il apparaisse que l'on puisse supprimer la peine de mort. Encore faudrait-il définir la peine de remplacement. C'est à ces problèmes que le ministre de la Justice consacre ses réflexions*[1]. » En clair : pas de projet de loi sur l'abolition jusqu'à l'élection présidentielle de 1981.

De son côté, Alain Peyrefitte déclara que le gouvernement ne s'opposerait pas à un débat parlementaire, qu'il pourrait même en prendre l'initiative. Il ajouta à l'intention des députés abolitionnistes de la majorité : « *Il n'est pas souhaitable qu'une décision de cet ordre*

---

1. *Le Monde*, 23 novembre 1978.

soit prise à la sauvette, comme elle a failli l'être lors du dernier débat budgétaire par le biais dérisoire de l'argent[1]. »

Les députés abolitionnistes ne désarmaient pas pour autant. En réponse à la demande de l'association Légitime défense de « *consulter tous les électeurs du pays par une sorte de sondage au suffrage universel[2]* », Pierre Bas annonça le lancement d'une pétition nationale en faveur de l'abolition. Cette initiative était soutenue par l'association présidée par Georgie Vienney, par des prêtres, l'abbé Clavier et l'abbé Toulat, et par des avocats, notamment Philippe Lemaire et Charles Libman. En lançant la pétition, Pierre Bas proclamait le 13 décembre : « *L'année 1979 doit être l'année de l'abolition[3]*. » Je demeurais sceptique. Le choix du président de la République était arrêté. Il s'imposait au gouvernement et à sa majorité parlementaire. Jusqu'à l'élection, ce serait encore dans les cours d'assises qu'il faudrait combattre la peine de mort.

---

1. *Le Monde*, 25 novembre 1978.
2. *Le Figaro*, 17 décembre 1978.
3. *Le Monde*, 16 décembre 1978.

CHAPITRE IV

Un rude hiver

Trois procès

En cette fin d'automne 1978, je considérais avec appréhension l'avenir immédiat. Dans sa dernière conférence de presse, le président de la République s'était plu à souligner qu'il n'y avait aucun condamné à mort dans les prisons françaises. Et d'ajouter : « *Il ne s'agit donc pas de traiter un problème qui soit d'application immédiate*[1]. »

Ce n'était pas de son fait. Si les cellules des condamnés à mort étaient vides, la clémence présidentielle n'y était pour rien. Grâce à l'autorité juridique et aux convictions abolitionnistes du conseiller Braunsweig et du doyen Malaval, les condamnations à mort prononcées en 1977 avaient toutes été cassées par la Chambre criminelle de la Cour de cassation. Les trois accusés concernés devaient être rejugés dans les mois à venir. Les procès devaient se succéder du 15 décembre à la

---

1. *Le Monde*, 23 novembre 1978.

mi-mars. Les trois hommes m'avaient demandé l'un après l'autre de les défendre. L'hiver serait rude, pensais-je dans les pluies froides de novembre.

Il n'y a rien, dans ma vie professionnelle, que j'aie autant aimé qu'un grand procès d'assises. Parce qu'on connaît les rites, les personnages, la matière du drame, mais qu'on ignore l'essentiel : le dénouement. Parce qu'à travers ces procédures minutieusement réglées, l'imprévisible peut à tout moment surgir. Un témoin dont on attend le pire procure à la défense, en livrant un détail jusque-là ignoré, une ouverture inespérée. Un autre, au contraire, dont on espérait qu'il saurait émouvoir les jurés, paralysé par le trac, récite d'un ton monocorde une déposition préparée. Les incidents jalonnent le cours des débats, parfois utiles pour dissiper l'impression laissée par un expert, parfois dangereux quand ils dégénèrent en querelles de mots avec le ministère public. L'audience, c'est la mer pour l'avocat d'assises : toujours imprévisible, parfois périlleuse. Ne demandez pas au marin pourquoi il aime l'océan. Il l'aime, voilà tout, c'est sa passion, son élément, sa vie. De même, l'avocat aime l'audience pour les bonheurs qu'elle lui dispense, les épreuves qu'elle lui réserve, et même l'angoisse qu'il ressent quand la fortune judiciaire l'abandonne. L'audience criminelle est pour lui comme le champ clos des tournois, le carré éblouissant du ring, le lieu magique de la souffrance, de la gloire et parfois aussi de la défaite.

À l'époque et dans les procès que j'évoque, c'était la vie même de l'accusé qui était en jeu. La mort était présente dans la salle d'audience de la cour d'assises comme dans les arènes de Séville. « L'avocat ne mérite pas l'habit de lumière, disait mon maître, enfant du Sud-

Ouest et grand amateur de corridas (que je réprouvais pour ma part). Il est tout au plus bon à porter le deuil de son client. D'ailleurs, il est déjà prêt, dans sa robe noire ! » Et il ajoutait en souriant de l'excès du propos : « Tandis que l'avocat général, lui, mérite bien sa robe rouge : elle est couleur de sang. »

C'était bien, en effet, de mort qu'il s'agissait dans les trois procès qui allaient scander pour moi l'hiver 1978-1979.

Les accusés s'appelaient Mohamed Yahiaoui, Michel Rousseau et Jean Portais. Tous trois étaient accusés d'avoir commis des crimes atroces : Yahiaoui, vingt-sept ans, tunisien, avait égorgé ses employeurs, un couple de boulangers de la banlieue parisienne, pour les voler ; Rousseau, trente et un ans, chauffeur routier, alcoolique, avait, en état d'ivresse, assommé à coups de poing et fracassé contre les murs de son appartement une petite voisine âgée de sept ans ; Portais, soixante-dix ans, vieux cheval de retour des cours d'assises, deux fois condamné à des peines criminelles, était accusé d'avoir, en cambriolant à main armée une bijouterie, tué la fille de la propriétaire. Interpellé par hasard, avec un autre récidiviste, par des gendarmes, il avait abattu l'un d'entre eux. Portais niait avoir commis les deux meurtres, les imputant à des complices dont l'un était mort depuis les faits et l'autre protestait avec force contre ces accusations. À considérer la gravité des crimes, la personnalité des victimes et le comportement des accusés, l'on comprenait aisément pourquoi ils avaient été condamnés à la peine capitale.

Tout grand procès est, pour la défense, affaire de stratégie. Après celui de Patrick Henry, j'avais longuement réfléchi à celle qu'il me faudrait dorénavant adopter.

Une règle d'or s'imposait à mes yeux dans l'art judiciaire. Elle se résumait à un mot : surprendre.

La procédure criminelle française comporte une très longue phase d'instruction. Lorsque le rideau se lève sur l'audience criminelle, on a le sentiment que toute la pièce est déjà écrite dans le gros dossier que le président des assises, l'avocat général, la partie civile et les avocats connaissent. Mais les jurés n'y ont pas accès. De l'affaire ils ne savent que ce que la presse a dit. Et ce qu'ils peuvent apprendre de la lecture de l'arrêt d'accusation faite par le greffier sur un ton monocorde. Je savais, par expérience, que rien n'est plus dangereux pour l'avocat que demeurer prisonnier du dossier d'instruction. À sa lecture, inévitablement, le président et l'avocat général se font, avant l'audience, une certaine idée de l'affaire et, nécessairement, des arguments de l'accusé. Comme le président assure la direction des débats, le risque est grand que ceux-ci se trouvent presque naturellement orientés par la conviction qu'il s'est préalablement forgée. De son côté, l'avocat général connaît déjà les moyens de défense. Il lui est aisé de les désamorcer, de les réfuter par anticipation. Ce jeu de rôles, défini avant l'audience, m'apparaissait comme un piège redoutable. Il fallait le refuser, s'évader du dossier et de l'argumentation attendue, et ouvrir les esprits et les cœurs à des perspectives nouvelles. « Surprendre, répétais-je à mes collaborateurs. La victoire judiciaire est à ce prix ! »

S'agissant de ces procès où la peine de mort était en jeu, « surprendre » signifiait d'abord ne pas aller là où chacun pensait que je porterais le débat. Depuis l'affaire Patrick Henry, et après tant d'articles, d'entretiens à la radio ou à la télévision sur la peine capitale, je savais que non seulement pour les magistrats mais aussi pour les jurés, j'étais devenu une sorte de champion ou de maniaque de l'abolition. Comme me l'avait dit un ami : « Tu n'y peux rien. Tu es devenu maintenant, pour le public, Monsieur Abolition. Et tu le resteras aussi longtemps que la peine de mort existera en France. C'est un privilège d'incarner une cause. C'est aussi un handicap. » Je le mesurai à la lecture de mon courrier où j'étais sommé de m'expliquer sur la coupable passion que je mettais à faire « acquitter » (*sic*) des assassins. Je recevais aussi des lettres d'encouragement (plus rares, il est vrai) et parfois, dans la rue, des passants m'abordaient pour me dire leur soutien. J'étais gêné mais aussi heureux de ces marques de sympathie. Entre la guillotine et moi, c'était devenu un match au finish.

À la recherche d'une stratégie

Dès lors, le piège était évident. Chacun s'attendait à ce qu'en toute occasion je refasse le procès de la peine de mort. Magistrats, jurés, journalistes, public, tous pensaient que je m'efforcerais, comme dans l'affaire Patrick Henry, de substituer au procès de l'accusé celui de la peine capitale.

Or, rien ne me paraissait plus dangereux que pareille répétition. Si je me lançais de nouveau dans cette voie, magistrats et jurés prêteraient sans doute à mon discours une attention de spectateurs venus assister à une représentation. Mais cet intérêt-là demeurerait d'ordre intellectuel. Je redoutais qu'il leur servît de protection, de cuirasse contre l'émotion, qu'il les immunisât contre la passion qui m'envahissait alors. À supposer même que je l'emporte encore une fois en recourant à la même stratégie que pour Patrick Henry, elle apparaîtrait comme un procédé, une habileté d'avocat. Inévitablement, l'échec s'ensuivrait aux procès ultérieurs. Or, ce n'était point un mais trois accusés dont j'avais à sauver la tête, à quelques semaines d'intervalle, même s'il s'agissait d'affaires dont les circonstances étaient très différentes.

De ces réflexions je dégageai quelques règles de conduite pour les audiences à venir.

En premier lieu, refuser de transformer le procès en débat sur la peine de mort. L'accusation se porterait sans doute sur ce terrain pour réfuter par avance l'argumentation qu'elle me prêterait. Je décidai de ne pas l'y suivre, sauf à relever incidemment une erreur ou un propos outrancier qui pourrait, par son excès même, servir la défense. Je ne citerais à la barre aucun témoin dont la déposition ne serait pas liée aux faits ou à la personnalité de l'accusé. Plus de criminologue, d'autorité religieuse ou scientifique pour dénoncer la peine de mort.

Ensuite, je devais trouver dans chacune des affaires les éléments permettant aux jurés de se donner à eux-mêmes la justification nécessaire pour refuser la peine de mort *dans ce cas-là*, sans que leur décision leur apparaisse comme un refus de principe de la peine de mort en toutes circonstances.

Une fois démontré(e) la faiblesse ou l'excès de l'accusation, j'irais à l'essentiel : faire ressentir aux magistrats et aux jurés que, dans cette affaire, ils étaient utilisés, instrumentalisés par les partisans de la peine de mort, les croisés de la guillotine. Je les placerais devant leur responsabilité personnelle s'ils votaient la mort. Je rappellerais, à cet égard, la pratique indéchiffrable du droit de grâce par le président de la République, en me référant aux exécutions par lui déjà décidées. Je leur expliquerais que le Président, s'il laissait la justice suivre son cours, comme on disait, ne ferait que satisfaire leur *votum mortis*, leur désir de mort. À la lumière de l'audience, ce serait bien cette mort-là que je leur montrerais afin qu'ils s'en détournent.

Dans ces procès, j'avais aussi pour règle de demander à l'avocat qui avait plaidé devant la première cour d'assises d'assurer avec moi la défense de l'accusé devant ses nouveaux juges. La fréquentation, souvent longue, de l'accusé, les entretiens au parloir de la prison pouvaient donner aux interventions du premier avocat une densité humaine incomparable. Je souhaitais aussi sa présence parce que, dans ces procès, mon premier handicap c'était moi-même.

Non qu'à cette époque je redoutasse de manquer d'expérience. J'avais cinquante ans, près de trente années d'une vie professionnelle ardente. J'avais connu toutes les épreuves judiciaires, les pires échecs comme les grandes victoires. Je ne craignais ni l'affrontement ni l'incident à l'audience. Les pièges, les ruses, je les décelais et pouvais les désarmer. J'étais prêt pour tous les grands combats de la vie judiciaire.

Mais je savais aussi combien pesait à mon encontre, dans ces villes de province où j'allais défendre des accusés, la prévention contre l'avocat parisien, trop souvent cité à propos de la peine de mort. La difficulté première était là. Pour convaincre ces juges qui m'écoutaient, il me fallait d'abord faire tomber cette barrière invisible, mais que je percevais si bien, de défiance, parfois d'hostilité à mon encontre. François Binet, mon compagnon de toutes les audiences, se moquait de moi et évoquait une paranoïa naissante. Mais j'étais sans illusion : le rapport de l'avocat aux jurés est un rapport passionnel. Je percevais que ceux que je voulais atteindre, convaincre, emporter avec moi, m'écoutaient avec méfiance. Et comme rien n'était possible si je ne parvenais pas à percer cette armure de froideur, ce rempart de soupçon, je me défiais de tout ce qui pouvait paraître procéder de l'habileté ou du métier de l'avocat. Je ne voulais être, devant eux, que cet homme qui parle à d'autres hommes pour leur dire sa vérité. C'était un visage nu que je tournais vers eux. Ma parole n'empruntait plus rien à l'éloquence. Elle se dépouillait jusqu'à l'extrême, n'était plus que l'instrument de la passion qui m'habitait.

Pendant que mes confrères plaidaient, je m'écartais d'eux, je m'appliquais à rentrer en moi-même, aussi profondément que possible, à m'ouvrir à ces voix secrètes auxquelles il fallait frayer passage. L'angoisse qui m'envahissait, en ces instants terribles, n'avait rien à voir avec le trac. Le public n'existait plus, il n'y avait, dans la salle des assises, que ces visages, ces regards des magistrats et des jurés, tournés vers moi tandis que je me levais pour plaider.

Mais était-ce plaider, ces phrases hachées que je m'entendais prononcer d'une voix sourde, à peine reconnaissable ? Devant ces juges, j'étais debout, comme un pénitent. Ce visage d'où le sang avait reflué, ces traits crispés n'étaient plus les miens. Il fallait que ceux qui m'écoutaient, qui me regardaient perçoivent que cette voix, ces mots n'étaient pas ceux d'un avocat, qu'ils n'étaient plus que parole d'homme disant, criant sa vérité pour qu'elle devienne la leur. Et, tant que je ne sentais pas au fond de moi-même, avec une certitude absolue, que la barrière qui nous séparait avait cédé, que la glace de leur défiance avait disparu, je cherchais leur regard, leur écoute, afin qu'ils se fixent, s'accrochent, se rivent à moi. Alors seulement je commençais véritablement ma plaidoirie. Jusque-là, je n'avais été qu'un frère quêteur dans sa robe noire, mendiant une ouverture vers les cœurs. Aussi m'arrivait-il de bafouiller, d'enchaîner les phrases les unes aux autres sans les achever, moi, cet universitaire si soucieux, à l'ordinaire, de l'exactitude des termes et de la clarté de l'expression. Un autre, en ces instants, m'habitait tout entier. Cette voix, ces mots, de quelle angoisse refoulée dans la vie ordinaire jaillissaient-ils ?

J'en ai découvert la source bien plus tard, inopinément, longtemps après l'abolition. Mais, en ces moments, ce que je percevais pendant le réquisitoire de l'avocat général qui demandait la tête de celui dont, derrière moi, dans le box, j'entendais le souffle, c'était bien la mort elle-même, présente dans le prétoire et qui me fixait d'un œil rouge, comme dans les légendes du Moyen Âge.

Mohamed Yahiaoui

Des trois procès capitaux qui se succédèrent ainsi de décembre 1978 à mars 1979, j'ai conservé des impressions, des souvenirs singuliers. L'affaire qui me paraissait la plus redoutable était le meurtre du couple de boulangers par leur employé, Yahiaoui. Par les statistiques, je savais que le nombre de Maghrébins condamnés à mort était proportionnellement plus élevé que celui des Français « de souche ». Le racisme s'ins-crivait dans ces chiffres, comme aux États-Unis dans le nombre des Noirs exécutés. Mohamed Yahiaoui était un immigré tunisien sans famille ni attaches en France. Selon ses dires, il avait égorgé son patron et sa femme parce qu'ils refusaient de lui régler ses heures supplé-mentaires. L'accusation soulignait que Yahiaoui avait dérobé quinze mille francs dans l'appartement au-dessus de la boutique, et voyait dans ce vol le mobile du crime. Ce que déniait absolument Yahiaoui. Telle qu'elle se présentait, en tout cas, l'affaire revêtait un caractère atroce et sordide à la fois. Quarante minutes avaient suffi aux juges du premier procès pour condamner à mort.

La présidente de la cour d'assises de Versailles, Mme Cochard, magistrat scrupuleux, pénétrée de l'im-portance de sa mission sans en tirer vanité, conduisait les débats avec une ferme sérénité. Elle veillait à ce que rien ne fût laissé dans l'ombre qui pût aider juges et jurés à former leur conviction. Le rapport de l'expert psychiatrique apparaissait des plus sommaire. Il datait de 1973. Quatre années s'étaient écoulées. Il s'avérait nécessaire d'en savoir plus sur l'état mental de Yahiaoui. La présidente ordonna une nouvelle expertise psychiatrique, confiée à deux médecins, dont le profes-seur Roumajon.

Pendant l'audience, celui-ci souligna les carences de la première expertise. Dans son enfance et son adoles-cence, Yahiaoui avait connu des malaises et des évanouissements auxquels il était encore sujet. L'origine de ces troubles était d'ordre neurologique. Le professeur Roumajon avait retrouvé dans le dossier médical de la maison d'arrêt la mention d'une crise nerveuse présen-tant, selon les médecins, les caractères d'une crise d'épilepsie. Il aurait fallu procéder aussitôt à un électro-encéphalogramme, requis en vain par le médecin de la prison. Pour le professeur Roumajon, Yahiaoui était épileptique, sujet à des crises entraînant une perte de conscience. La violente dispute avec son employeur, les injures dont il avait été gratifié avaient provoqué, chez cet homme habituellement doux, un état émotionnel intense, déclenchant une crise d'épilepsie meurtrière. Le professeur Roumajon évoquait l'« amok » malais, cette explosion de violence incontrôlable. Je lui posai des questions dont le seul but était de souligner que la condamnation à mort de Yahiaoui avait été prononcée alors que les premiers juges ignoraient tout de ces données médicales, notamment de la crise survenue en prison.

À la reprise de l'audience, à ma surprise, le ministère public demanda à la Cour d'ordonner une nouvelle expertise psychiatrique confiée à d'autres spécialistes et de renvoyer l'affaire à la session suivante. C'était reconnaître implicitement qu'il ne pouvait requérir la peine de mort en l'état des constatations faites.

Je m'engouffrai dans cette brèche inattendue pour m'opposer avec force à cette demande. J'évoquai les cinq années écoulées depuis l'arrestation de Yahiaoui, les six mois qu'il avait passés dans la cellule des condamnés à mort avant que la cassation n'intervînt. Je soulignai l'autorité scientifique du professeur Roumajon. Je rappelai à l'avocat général qu'il avait eu toute latitude pour interroger celui-ci au cours de sa déposition. Je demandai à la présidente de faire revenir l'expert à la barre des témoins si l'accusation souhaitait obtenir d'autres précisions. Je lassai tout le monde par cette trop longue intervention. J'en étais conscient, mais n'en démordais pas. À cet instant se jouait le sort de Yahiaoui. Que la Cour refuse la contre-expertise, le renvoi de l'affaire, et l'avocat général ne pourrait plus soutenir que la responsabilité de Yahiaoui était entière.

La Cour se retira pour délibérer. Une demi-heure plus tard, elle rendait sa décision : la demande de l'avocat général était rejetée. Les débats se poursuivirent. Mais chacun savait que l'issue du procès était jouée. Il n'y avait plus, pour la défense, qu'à fournir aux juges et aux jurés une version convaincante de ce qui était advenu ou, à tout le moins, de ce qui avait pu advenir. Après un bref délibéré, l'annonce par Mme Cochard, de sa voix douce, que la cour d'assises avait reconnu à Yahiaoui des circonstances atténuantes ne suscita aucune réaction. Yahiaoui avait sauvé sa tête ou, plus précisément, le professeur Roumajon lui avait sauvé la vie.

Michel Rousseau

L'affaire Rousseau qui suivit, en janvier 1978, l'affaire Yahiaoui se déroula à l'inverse de celle-ci. Lorsque j'avais étudié le dossier, le cas me paraissait le moins désespéré. Certes, le crime était horrible : il avait assommé une fillette de sept ans et lui avait fracassé le crâne en la précipitant contre un mur. Mais le motif était inexplicable. La fillette, une petite voisine qui connaissait bien Rousseau, faisait ses courses depuis que sa concubine, lasse de son ivrognerie et de sa brutalité, l'avait quitté avec ses enfants. Jamais Rousseau n'avait témoigné à l'égard de cette fillette – ni d'aucune autre – de penchants sexuels. L'autopsie de la victime n'avait d'ailleurs révélé aucune trace de violences sexuelles.

Rousseau avait été arrêté, hébété, dans la rue, quelques heures après son crime. Il avait plus de trois grammes d'alcool dans le sang. Il ne se souvenait de rien. Dans sa cuisine, bien en vue, étaient posés sur un meuble les vêtements de la petite fille. Il y avait du sang sur le mur. Le crime était à l'évidence celui d'un alcoolique en pleine crise.

Des quatre experts psychiatriques qui avaient examiné Rousseau, trois avaient conclu à une responsabilité atténuée. Le quatrième le décrivait comme un « *être normal, pas débile, accablé et soucieux, dont aucun élément de sa personnalité ne fait un malade mental* ». Lui seul avait été entendu par la cour d'assises lors du premier procès. Je fis citer à l'audience un des autres psychiatres qui avaient examiné Rousseau. Il rappela l'imprégnation alcoolique de ce dernier dont l'origine remontait à 1957, lors de la guerre d'Algérie. Il évoqua les incendies qu'il avait allumés sans pouvoir en expliquer les mobiles, et pour lesquels il avait été condamné. Il conclut : « *Rousseau n'est pas en état de démence, ce qui ne signifie pas qu'il est normal. Il souffre de graves troubles de la personnalité.* » La concubine de Rousseau, entendue à son tour, après avoir déclaré qu'il était « *charmant* », murmura d'une voix à peine audible : « *Il était pire qu'une bête quand il avait bu.* » Depuis son incarcération et son sevrage forcé, la personnalité de Rousseau avait sombré. Lorsque je lui avais rendu visite à la maison d'arrêt, j'avais été frappé par sa prostration. Il était incapable de se souvenir, de raisonner, de fournir une réponse cohérente. Assis dans le box, il donnait l'impression d'être ailleurs, comme si tout ce qui se passait là ne le concernait pas, comme s'il ne s'agissait pas de son sort, de sa vie même.

Cependant, au fil de l'audience, l'atmosphère qui régnait dans la vaste salle à hautes colonnes de la cour d'assises d'Amiens devenait oppressante. J'avais le sentiment d'une sorte de grisaille, d'un brouillard qui, peu à peu, s'abattait sur ce procès. Les témoignages se succédaient dans une étrange indifférence, comme si le sort de Rousseau était déjà scellé. Le rite judiciaire se déroulait sans heurts, sans éclats, inexorablement, comme une marche funèbre.

L'après-midi de janvier était déjà avancé lorsque l'avocat général prononça ses réquisitions. Il était doué d'un véritable talent oratoire, les périodes classiques s'enchaînaient dans sa bouche avec élégance. Visiblement, juges et jurés, conquis, s'abandonnaient au fil de la démonstration. À mesure que le réquisitoire avançait, je sentais avec une intensité croissante la présence de la mort qui attendait, tapie, que Rousseau lui soit jeté en pâture. Dans le box, l'œil rivé à ses ongles démesurés, un rictus plaqué sur ses lèvres, Rousseau écoutait l'avocat général le mener à l'échafaud, et ne comprenait rien. La voix calme de l'accusateur poursuivait son débit, inexorable. Jamais, depuis le procès de Troyes, je n'avais éprouvé pareille angoisse à l'audience.

Quand je me levai pour plaider, je laissai tout d'abord un long silence s'installer. De ce que j'ai dit en commençant je n'ai guère de souvenirs autres que cette sensation que mes paroles ne portaient pas, que mes phrases et mes mots se perdaient dans cette mer d'indifférence qui entourait les juges et les jurés. Je persévérai : il fallait qu'ils s'ouvrent à moi, qu'ils entendent ce que j'avais à leur dire. Je leur parlai sans ordre logique, m'égarant dans un discours brisé. Enfin, je perçus chez eux comme un frémissement d'attention, comme un fil ténu les reliant soudain à moi. Alors j'entrepris doucement de leur faire quitter la rive glaciale d'où ils me regardaient de si loin. Cela dura longtemps, bien plus qu'à l'accoutumée. J'avais quitté le banc de la défense pour qu'ils me voient et m'entendent de plus près. Dans ma fatigue, je prenais appui sur la barre des témoins, face à eux. Ni notes ni documents. Leur regard ne me quittait plus. Peut-être me prenaient-ils pour un possédé. C'était vrai. Mais je prenais possession de leur âme. Puis je sentis qu'ils avaient compris, qu'ils refusaient, eux aussi, la peine de mort pour Rousseau, ce demi-dément échoué là, dans ce box. Je m'arrêtai abruptement.

L'audience fut levée. Je regagnai le banc de la défense, l'écume au coin des lèvres. Je n'en pouvais plus. Jean-Yves Dupeux qui, ce jour-là, remplaçait à mes côtés François Binet, murmura : « C'était terrible. » Je ne répondis pas.

« Seule la mort... » Je l'avais revue en face.

Jean Portais

Mon troisième rendez-vous de cet hiver-là était fixé à Dijon. Il n'est guère de plus bel édifice de justice que le Parlement de Bourgogne. La cour d'assises siégeait dans la salle lambrissée de la Grande Chambre. Sur le mur, face au banc de la défense, une vieille horloge à balancier égrenait les secondes. Rien de plus apaisant.

Rarement m'a-t-il été donné de défendre accusé aussi antipathique. Il avait tout pour déplaire, Portais. Vieux truand jamais repenti, déjà condamné à deux reprises à de lourdes peines de réclusion criminelle, il était aussi à l'aise dans le box des accusés qu'un sociétaire de la Comédie-Française dans une pièce du répertoire. Il connaissait son dossier par cœur. Et, comme pour montrer qu'il savait être un acteur de composition, il s'était fabriqué une tête incroyable : une longue barbe, une superbe chevelure d'un blanc neigeux lui conféraient un air vénérable. Mais, derrière les lunettes, le regard fort peu évangélique pétillait de ruse. Et sa rage de disputer de tout, de chicaner sur chaque détail ôtait à son personnage la dignité qu'il s'évertuait à lui prêter. Tel qu'il se présentait, il étonnait même les habitués des assises. Un chroniqueur de la presse judiciaire s'exclama en le regardant : « C'est l'ayatollah Crimini ! »

Portais était difficile à défendre. Deux victimes : une jeune femme, un brigadier de gendarmerie. Deux meurtres odieux qui suscitaient émotion et colère. Rien, dans le passé de Portais, qui pût susciter la sympathie. La première condamnation à mort s'expliquait aisément. Où trouver, hors du refus de principe de la peine capitale, le levier qui le sauverait ? Seul son âge plaidait pour lui. C'était d'ailleurs pour cela que Portais s'était composé ce visage de noble vieillard. Pouvait-on envoyer à la guillotine ce septuagénaire, incarnation d'un grand-père bonhomme et bénin ? Mais cet argument-là, je ne voulais pas l'utiliser. Si Portais était de nouveau condamné à mort, ce serait un motif à invoquer devant le président de la République. Il serait toujours temps de le faire.

Plaider le doute, s'agissant des deux meurtres que Portais niait avoir commis, était nécessaire. Comment s'y dérober, puisque tel était son système de défense ? Professionnel éprouvé, l'avocat qui l'avait déjà défendu lors du premier procès accepta de soutenir la thèse de

Portais. C'était une mission désespérée. Il l'assuma avec dignité. Mais au-delà ?

Ce fut l'avocat général qui facilita la tâche de la défense. À l'évidence, il voulait arracher la condamnation à mort de Portais. Mais, au lieu de s'en tenir aux faits – qui étaient terribles – et à la personnalité de l'accusé – si déplaisante –, il entreprit de réhabiliter la peine de mort. Il s'en prit aux « *romantiques de salon* » qui croyaient que la société s'honorerait en la supprimant, alors qu'« *elle ne s'honorera pas en oubliant les victimes* ». Il affirma que seule la menace de la mort pouvait faire reculer les malfaiteurs. (Elle n'avait pourtant pas désarmé Portais, pensai-je.) Il conclut : « *Je sais que l'on va me traiter de nazi. Mais la différence entre les nazis et moi, c'est que moi, je ne vous demande pas un génocide, mais je vous demande d'extorquer de notre société un fruit pourri*[1]. »

Je n'en attendais pas tant ! En évoquant les régimes totalitaires pratiquant la peine de mort, l'avocat général avait lié, dans la sensibilité des jurés, la représentation de la guillotine à celle des dictatures sanglantes. Il s'était placé sur le terrain de l'élimination physique du criminel, dont il disait vouloir purifier notre société. Et il avait riposté par avance à la plaidoirie contre la peine de mort que je n'entendais pas prononcer.

Je décidai donc de faire porter tout mon effort de défense sur Portais lui-même. Je voulais lui rendre cette part d'humanité souffrante que le criminel même le plus endurci porte en lui. Tout homme est d'abord l'enfant

---

1. *Le Monde*, 1er mars 1979.

qu'il fut. Je rappelai l'enfance misérable de Portais à Nantes, pendant la guerre de 1914, et sa dure adolescence aux chantiers navals de Saint-Nazaire. Nul ne lui avait enseigné, hors l'école primaire qu'il fuyait, le respect de la dignité et de la vie humaines. Un autre Portais prenait corps, dans cette salle silencieuse, qui faisait oublier le truand retors. À un moment donné, je me retournai vers le box : je surpris son regard étonné. Peut-être l'avais-je rendu à lui-même, aux temps oubliés de son enfance. Je déroulai la trame de cette vie où tout apparaissait, de prison en centrale, misérable et non plus redoutable. Enfin, je montrai aux jurés ce qui attendait Portais : il ne quitterait plus la prison, si ce n'était pour l'hôpital où il irait mourir.

La conclusion venait d'elle-même : fallait-il, pour ses juges, mettre un terme immédiat à cette vie déjà presque achevée ? De la société des hommes libres, il était déjà exclu pour le bref laps de temps qui lui restait. Pourquoi le jeter dans la cellule des condamnés à mort alors que l'ombre le recouvrait déjà ? Pourquoi un pareil acharnement, sinon pour prouver l'attachement irréductible de notre société à la peine capitale ? Et qu'au nom du peuple français on pouvait condamner à mort, en 1979, même un vieillard.

Deux heures et demie s'écoulèrent avant que la Cour ne revînt. À toutes les questions sur la culpabilité, la réponse était *oui* à la majorité des voix. Et *oui* aussi pour les circonstances atténuantes. C'était la perpétuité. Je me retournai vers Portais et j'entendis alors ces mots stupéfiants : « Eh bien, je vais faire un pourvoi en cassation ! – Je ne vous le conseille pas », lui dis-je sèchement, mon regard rivé au sien. Il esquissa un demi-sourire et repartit entre ses gardes.

François Binet, qui avait entendu le propos, me dit :
« Je le verrai demain. » Nous sortîmes tous deux de la
salle d'audience déjà vide. Binet, souriant, me
murmura : « Eh bien, le tiercé est gagné ! » Je hochai la
tête : « Cette fois-ci, mais la prochaine ? »

CHAPITRE V

Le débat escamoté

Une conjoncture favorable

Dans le train qui me ramenait de Dijon, j'étais un avocat heureux. Il n'y avait plus de condamnés à mort dans les prisons françaises. En quatre ans, depuis l'élection de Valéry Giscard d'Estaing en mai 1974, la peine capitale avait été prononcée onze fois[1]. Le Président avait gracié quatre condamnés. La Cour de cassation avait cassé quatre condamnations : Bodin, Yahiaoui, Rousseau et Portais. Jugés à nouveau, tous avaient sauvé leur tête. Mais trois condamnés avaient été guillotinés entre juillet 1976 et septembre 1977 : Carrein, Djandoubi et Ranucci, sur la culpabilité duquel planait plus que l'ombre d'un doute. Si l'abolition avait été votée au début du septennat, pour l'honneur de notre pays[2], les prisons

---

1. En dix ans, de 1968 à 1978, les cours d'assises avaient prononcé trente-huit condamnations à mort. *Le Monde*, 15 janvier 1979 ; *Le Figaro*, 26 janvier 1979.
2. *Cf.* Alain Peyrefitte, le 22 mars 1978, sur France-Inter : « *La société française s'honorera quand elle pourra se débarrasser de la peine de mort.* » *Le Monde*, 24 mars 1979.

203

françaises auraient seulement compté trois condamnés à perpétuité de plus. Et Ranucci, du fond de sa prison, aurait pu lutter lui-même pour obtenir la révision de son procès.

Les grandes instances morales, religieuses ou laïques se prononçaient hautement en faveur de l'abolition. Après les évêques, le grand rabbin de France, Joseph Kaplan, personnalité respectée bien au-delà de la communauté juive, condamnait la peine de mort[1]. La Fédération protestante de France souhaitait l'abolition. Toutes les organisations de défense des droits de l'homme – la Ligue des droits de l'homme, Amnesty International en tête – menaient campagne. Le Syndicat des avocats de France, le Syndicat de la magistrature votaient en congrès des motions en faveur de l'abolition. Les ouvrages sur la question se succédaient en librairie[2]. Entretiens et articles se multipliaient dans les médias[3]. Au Conseil de l'Europe, une commission spéciale présidée par Karl Libdom, ancien ministre suédois de la Justice, était à l'œuvre et prônait l'adoption d'une résolution pour l'abolition dans tous les États membres. Jamais le mouvement abolitionniste n'était apparu plus fort en Europe. Je pensai au vœu de Camus en 1947 : « *Il faudrait que le premier article du Code pénal européen soit un article qui consacre la suppres-*

---

1. *Le Monde*, 27 octobre 1978.

2. *Cf.* notamment Jean-Marie Aubert, *Chrétiens et peine de mort*, Desclée de Brouwer, 1978 ; *Contre ou pour la peine de mort*, ouvrage collectif sous la direction de Jacques Léauté, Librairie philosophique Jean Vrin, 1979 ; Roger Ikor, *Sans haine et sans colère*, Albin Michel, 1979.

3. *Cf.* notamment « Peine de mort, que faire ? », débat entre Michèle-Laure Rassat et Georges Kiejman, *L'Express*, 23-29 juin 1979.

sion de la peine de mort. » À défaut de Code pénal, une convention européenne y pourvoirait[1]. Mais comment concevoir pareille convention sans la France, si prompte à se proclamer patrie des droits de l'homme ?

De surcroît, la position de la France, seul pays en Europe occidentale à maintenir en usage la peine de mort, aboutissait paradoxalement à entraver le cours de la justice. En effet, les États abolitionnistes se refusaient de plus en plus souvent à livrer aux autorités françaises les criminels de sang qui encouraient la peine capitale. Certains États se déclaraient disposés à extrader la personne poursuivie à condition que les autorités françaises s'engagent à ce que la condamnation à mort ne soit pas prononcée ou ne soit pas exécutée. Ces exigences, incompatibles avec l'indépendance des juridictions et l'exercice du droit de grâce présidentiel, étaient impossibles à satisfaire.

Par ailleurs, face au développement de la grande criminalité, il apparaissait nécessaire de moderniser les instruments juridiques internationaux. Nombre de conventions d'extradition, notamment en Europe, avaient été conclues au XIXᵉ siècle ou au début du XXᵉ. Elles ne satisfaisaient plus aux exigences contemporaines de la lutte contre le crime. Or, la France ne pouvait plus conclure de nouvelle convention d'extradition avec les pays abolitionnistes, notamment en

---

1. Tel est l'objet du VIᵉ protocole à la Convention européenne de sauvegarde des droits et libertés fondamentales, conclu le 28 avril 1984 et ratifiée par la France le 17 février 1986. Il interdit le recours à la peine de mort en temps de paix dans les États adhérents à la Convention. Au 1ᵉʳ mars 2000, 37 États européens avaient ratifié cette Convention.

205

Europe. Ainsi la guillotine, loin de menacer certains criminels français, les protégeait en fait dès lors qu'ils avaient pu gagner un État abolitionniste.

Du côté de l'Assemblée nationale

Toutes les considérations morales ou juridiques, toutes les motions, pétitions ou résolutions pesaient cependant bien peu au regard de cette donnée politique majeure : l'opinion publique demeurait majoritairement attachée au maintien de la peine de mort[1]. Dans les sondages, à droite les partisans étaient plus nombreux encore qu'à gauche[2]. Les leaders politiques se souvenaient qu'en 1974 Valéry Giscard d'Estaing l'avait emporté de quelques centaines de milliers de voix seulement sur François Mitterrand. La leçon avait porté. Toute voix compterait dans l'élection décisive à venir, l'élection présidentielle de 1981. Il était certain que le Président en place se représenterait. Et l'abolition de la peine de mort n'apparaîtrait pas, aux yeux des électeurs de droite, comme une des conquêtes de cette « société libérale avancée » dont il se voulait le chantre.

Le 30 janvier 1979, au cours d'une émission de télévision consacrée à la Justice, Alain Peyrefitte fit savoir qu'il y aurait, lors de la session de printemps du Parlement, un débat sur la peine de mort, mais qu'il

---

1. Selon un sondage Sofres réalisé en juin 1978, 58 % des Français étaient partisans de la peine de mort ; en janvier 1979, 56 % ; en juin 1979, 55 %.

2. Selon un sondage Sofres réalisé en juin 1979, 68 % d'électeurs proches du RPR, 60 % de l'UDF, 54 % du PC, 48 % des socialistes étaient partisans de la peine de mort. *Le Figaro*, 25 juin 1979.

s'agirait d'un simple débat d'orientation[1]. Pierre Bas s'indigna, déclara que le blocage venait du président de la République[2] et qu'il refuserait que la discussion tournât court. Mais le gouvernement n'avait rien à redouter de ce côté-là.

Des élections cantonales se déroulèrent les 18 et 25 mars 1979. Elles furent marquées par de nouveaux progrès de la gauche[3]. Au Conseil des ministres du 21 mars, le calendrier de la session parlementaire de printemps fut arrêté. La peine de mort ne figurait pas parmi les grands débats annoncés. Interrogé à ce sujet à la sortie d'un entretien avec le président de la République, le garde des Sceaux évoqua l'urgence des textes programmés en début de session, puis la campagne des élections européennes du 15 mai au 10 juin : « *Pour la période du 10 au 30 juin, on peut très bien évoquer un débat de ce genre[4].* » En attendant, la Commission des lois de l'Assemblée était invitée à préparer un rapport sur l'abolition, comme si le sujet n'avait pas été jusque-là suffisamment étudié !

Ces atermoiements et ces ruses furent dénoncés par Pierre Bas et ses alliés à droite. Le 3 avril, Pierre Bas et Bernard Stasi étaient reçus, à leur demande, par le garde des Sceaux. À leur sortie du ministère, ils déclarèrent : « *M. Peyrefitte, rappelant sa position de principe favorable à l'abolition, a indiqué que, sous réserve de l'ac-*

---

1. *Ibid.*
2. *Le Matin*, 1er février 1979.
3. Le taux d'abstention, qui avait été de 46,6 % aux cantonales de 1973, tomba à 34,7 %. Le PS obtint 26,36 % des voix, le PC 22,4 %.
4. *Le Monde*, 27 mars 1979.

cord du Conseil des ministres, il prendrait l'initiative
d'un débat non académique dans le courant du mois de
juin[1]*... »*

Le jour même, j'apprenais qu'Ali Bhutto avait été
pendu, à l'aube, dans sa prison pakistanaise. Je songeai
à Benazir Bhutto. Je demeurais convaincu qu'elle venge-
rait son père ou y laisserait sa vie.

Au regard de cette tragédie, la palinodie parlementaire
qui se préparait à Paris revêtait un aspect dérisoire. Le
débat « non académique » sur la peine de mort avait été
fixé au mardi 26 juin, au terme de la session. À cette
date, le nombre de députés présents en séance ne pouvait
être que très réduit, s'agissant d'un débat sans vote sur
un thème si connu. L'intitulé était révélateur des intentions du gouvernement : il s'agissait d'un simple « débat
de réflexion et d'orientation sur l'échelle des peines
criminelles ». Les mots « peine de mort » et « abolition »
n'étaient même pas mentionnés[2]. Il était clair qu'au
débat de fond sur l'abolition le gouvernement entendait
substituer une discussion sur la peine de remplacement.
Pierre Bas, mesurant le piège, avait déposé une nouvelle
proposition de loi prévoyant l'instauration d'une peine
de réclusion perpétuelle assortie d'une période incompressible de sûreté de vingt ans, en remplacement de la
peine de mort. Ainsi, les deux questions pourraient être

---

1. *Le Monde*, 4 avril 1978.

2. Le 28 mai, le garde des Sceaux déclarait, à Amiens : « *Il faut faire*
progresser les idées, le public étant hostile à l'abolition de la peine de mort. Il
faut faire une toilette des textes et limiter la peine de mort à des cas très précis,
mais prévoir une peine de substitution. »

évoquées conjointement. J'étais personnellement hostile à pareille confusion. L'abolition, à mes yeux, était une question de principe qu'aucun marchandage sur des périodes de sûreté ne devait polluer.

C'est alors que survint un événement imprévisible, comme il en advient parfois dans les travaux parlementaires les mieux balisés. Tandis que le Comité d'études parlementaires présidé par Pierre Bas procédait à des auditions, la Commission des lois de l'Assemblée entreprit d'examiner les propositions de loi d'abolition. Le rapporteur désigné était Philippe Séguin. Il conclut à l'abolition de la peine de mort et à l'instauration d'une peine incompressible d'au moins vingt ans de réclusion criminelle, sans possibilité de remise de peine ni de libération conditionnelle. Il écarta la proposition du député RPR Michel Aurillac visant à créer une peine de détention perpétuelle dans un établissement pénitentiaire situé dans les terres antarctiques inhabitées, c'est-à-dire à ressusciter le bagne et la transportation.

À la surprise générale, la Commission des lois, réunie le 14 juin, se prononça pour la solution la plus radicale : l'abolition immédiate, en renvoyant à plus tard l'examen d'une peine éventuelle de substitution. En fait, il s'agissait là d'une simple péripétie. Le président de la Commission des lois, Jean Foyer, partisan résolu de la peine de mort, était absent ce jour-là. Mais les observateurs politiques spéculaient de nouveau sur l'existence d'une « majorité d'idées » à l'Assemblée en faveur de l'abolition.

Les abolitionnistes se mobilisèrent aussitôt. Les commissions sociales de l'épiscopat et de la Fédération protestante de France publièrent une déclaration commune pour soutenir les propositions de la Commission des lois : « ... *La peine de mort ne constitue pas une sanction appropriée. Une peine de substitution de très longue durée, et sans réduction possible, poserait d'autres questions. Supprimer l'espoir au cœur de l'homme, c'est une autre façon de le tuer. C'est le livrer à la désespérance, à la violence et à la haine*[1]... » En des termes différents, Hubert Bonaldi, secrétaire général du syndicat FO des personnels pénitentiaires, largement majoritaire parmi eux, avait exprimé la même inquiétude à l'égard des peines « incompressibles ». Il évoquait le risque d'« *aggraver très sensiblement les conditions de sécurité des personnels face au désespoir des détenus qui peuvent, dans certains cas, devenir de véritables fauves*[2]... ».

Face à la position prise par la Commission des lois, le garde des Sceaux réagit : « *Ce ne sont pas treize commissaires qui peuvent prendre sur eux une décision aussi importante. Celle-ci n'appartient qu'au Parlement tout entier...* » Il précisa de nouveau : « *Il n'y aura pas de suppression possible de la peine de mort tant qu'une peine de dissuasion réelle, exemplaire et protectrice pour les populations ne sera pas mise en place*[3]. »

---

1. *Le Monde*, 21 juin 1979. *Cf.*, en sens opposé, l'article intitulé : « Un droit inconditionnel à la vie », par Bertrand de Marquère, de la Compagnie de Jésus : « *La peine de mort est une action violente en vue de la légitime défense de la société comme telle, tout spécialement de ses membres faibles : les femmes et les enfants...* », *Le Monde*, 26 juin 1979.

2. *Le Monde*, 23 juin 1979.

3. *Le Monde*, 17 juin 1979.

Les présidents des groupes RPR et UDF à l'Assemblée nationale s'empressèrent de serrer les écrous. La Conférence des présidents refusa d'inscrire à l'ordre du jour l'examen du rapport de Philippe Séguin et les propositions de loi d'abolition[1]. Pierre Bas s'indigna en séance publique : « *Le vote des deux présidents des groupes de la majorité utilisant un mandat politique pour faire prévaloir leurs options personnelles de conscience sur celles des autres est une erreur politique et une faute mortelle*[2]. » Le sort du débat était scellé. On discuterait de l'abolition, de la peine de substitution, mais on ne voterait pas.

« *Il faut approfondir la réflexion sur la peine de mort*, avait déclaré Alain Peyrefitte le 15 juin, *affiner les arguments, et voir ainsi le fond du problème*[3]. » Qu'avait-on fait d'autre depuis deux siècles en France ?

Le débat

Tout se déroula comme prévu. La veille du débat parlementaire, un sondage fut rendu public, selon lequel 55 % des personnes interrogées étaient favorables au maintien de la peine de mort, et 37 % à son abolition[4].

---

1. Une proposition de loi déposée par un parlementaire ne peut être débattue par l'Assemblée nationale en séance publique que si elle a été inscrite à l'ordre du jour par un organe de l'Assemblée, la Conférence des présidents. Au sein de cette instance, les représentants de la majorité parlementaire détiennent le pouvoir de décision.
2. Séance du 20 juin 1979 à l'Assemblée nationale.
3. *Le Monde*, 17 juin 1979.
4. *Le Figaro*, 25 juin 1979.

Le 26 juin dans l'après-midi, le débat s'ouvrit devant un auditoire clairsemé. Les orateurs se succédèrent jusque tard dans la nuit. Devant le groupe RPR, Michel Debré avait dénoncé cet exercice : « *On atteint l'apogée d'un régime avec un gouvernement qui n'a pas d'avis et qui demande aux parlementaires de ne pas en avoir*[1]. » Dans son intervention finale, le garde des Sceaux cita les sondages et déclara qu'un homme politique responsable ne pouvait négliger pareille donnée sociologique. Il évoqua avec prudence les intentions du gouvernement : supprimer la peine de mort dans les cas où elle n'était jamais prononcée, par exemple en matière de piraterie ou d'incendie volontaire ; la maintenir dans les cas où « *commettre un crime présenterait trop d'avantages* (sic) *par rapport aux risques encourus par le criminel* ». Enfin, pour les autres incriminations, la peine de mort serait suspendue pendant cinq ans, à l'issue desquels le Parlement se prononcerait de nouveau. Une telle suspension serait assortie de la création d'une peine de remplacement, immédiate celle-là. Encore le ministre se gardait-il de fixer un calendrier pour la mise en œuvre de ces intentions. Ne convenait-il pas que le Sénat, à son tour, connût un débat d'orientation ? Lorsque toutes ces étapes auraient été franchies, alors le gouvernement « *se tournerait vers sa majorité et s'efforcerait d'élaborer un projet de loi*[2] ». Je pensai à la formule du Code pénal soviétique : « *La peine de mort est maintenue de façon exceptionnelle en attendant son abolition définitive.* »

---

1. *Le Monde*, 28 juin 1979.
2. *Le Monde*, 24 juin 1979.

Tandis que se déroulait à l'Assemblée nationale ces médiocres péripéties, le 14 juin, la cour d'assises du Tarn condamnait à mort Norbert Garceau, meurtrier d'une jeune femme qui se refusait à lui. Pour des faits presque identiques, il avait été condamné à perpétuité en 1950 et libéré pour bonne conduite après vingt ans de réclusion. Garceau avait formé un pourvoi en cassation. Je reçus une lettre de lui me demandant de le défendre.

Un été de polémiques

À défaut de vote, le débat parlementaire avait suscité dans les médias une floraison de commentaires et de lettres de lecteurs. La peine de mort continuait de passionner l'opinion. Le garde des Sceaux décida de répondre aux critiques qui dénonçaient la dérobade du gouvernement. Je goûtais déjà les douceurs des vacances familiales en Bretagne lorsque je découvris, dans *Le Monde* du 17 juillet, une longue interview d'Alain Peyrefitte, sous le titre : « Les véritables adversaires de l'abolition de la peine de mort sont ses partisans frénétiques. » Il annonçait pour l'automne, au Sénat, un débat d'orientation analogue à celui qui avait eu lieu à l'Assemblée. « *Rien ne permet de penser*, écrivait le ministre, *que le Sénat voterait l'abolition. Or un texte pareil doit être adopté en termes identiques par les deux assemblées.* » Le propos était singulier sous la plume d'un disciple du général de Gaulle, grand contempteur du Sénat. Quant au toilettage du Code pénal, aucune date n'était évoquée pour le dépôt d'un projet de loi.

213

Tout cela m'aurait sans doute laissé indifférent s'il n'y avait eu l'accusation visant les partisans « frénétiques » de l'abolition (parmi lesquels je me rangeais). En refusant l'instauration d'une peine de remplacement « *très lourde, dissuasive à l'égard des criminels et protectrice à l'égard de la société* », les abolitionnistes provoquaient, « *par la brutalité de cette position irréaliste, des réactions de blocage[1]* ». Je suffoquai d'indignation à la lecture de ces lignes. Rien n'empêchait le gouvernement de soumettre à l'Assemblée le rapport de Philippe Séguin proposant concomitamment l'abolition et l'instauration d'une peine de sûreté incompressible. Rien ne l'empêchait non plus d'inscrire à l'ordre du jour la proposition de loi de Pierre Bas liant abolition et peine de sûreté de vingt ans. C'était le gouvernement et les présidents des deux groupes de la majorité qui s'y étaient opposés. Alors, que venait-on nous chanter là ?

J'attendis la fin des vacances et publiai dans *Le Monde* un article[2] qui répondait, sans aménité particulière, aux arguments d'Alain Peyrefitte. Piqué au vif, celui-ci répliqua à son tour[3]. Je répondis à nouveau dans les colonnes même du journal[4]. Infortunés lecteurs ! La rédaction nous invita à en rester là.

Un automne sans surprise

À la rentrée parlementaire, le débat annoncé au Sénat se déroula sans surprise, le 16 octobre. Socialistes et

---

1. *Le Monde*, 17 juillet 1979.
2. « Qu'aucune sentence ne soit irréversible », *Le Monde*, 21 août 1979.
3. « Contre le tout ou rien », *Le Monde*, 19 septembre 1979.
4. « La réponse de Me Badinter », *ibid.*

communistes se déclarèrent pour l'abolition. Étienne Dailly, orateur réputé de la majorité de droite, souhaita « *de tout [son] cœur, de toute [sa] volonté, de toutes [ses] forces que la peine de mort soit maintenue[1]* ». À l'évidence, son vœu était partagé par la majorité sénatoriale. Le garde des Sceaux en tira la conclusion qu'« *abolir serait un geste noble. Mais il faut en peser les conséquences, et le Sénat m'a paru fort réaliste sur ce point* ». Sur cette ultime remarque s'acheva sans vote, dans l'indifférence générale, le « grand » débat parlementaire sur la peine de mort.

Bientôt, une nouvelle tempête judiciaire se leva. Le 30 octobre, on retrouvait le corps du ministre du Travail, Robert Boulin, noyé dans un étang en forêt de Rambouillet. Personnalité politique importante, Robert Boulin était considéré comme un éventuel successeur de Raymond Barre au poste de Premier ministre. Il s'était donné la mort en se jetant à l'eau après avoir avalé des barbituriques. Il faisait l'objet d'une campagne de presse à propos de l'achat d'un terrain à Ramatuelle, effectué pour son compte par un de ses amis. À l'annonce de cette mort, la presse fut vivement attaquée par certains leaders politiques. Le lendemain, on apprit que, dans une lettre adressée à l'agence France-Presse et postée juste avant son suicide, Robert Boulin accusait l'intermédiaire, mais mettait aussi en cause le juge d'instruction, certains de ses amis politiques et le ministre de la Justice. L'émotion fut considérable. Robert Boulin avait occupé de nombreux postes ministériels. L'estime et la

---

1. *Le Monde*, 18 octobre 1979.

sympathie qu'il avait suscitées dépassaient le cadre de sa formation politique. Lors des obsèques, Monseigneur Poupard, qui officiait, déclara dans son oraison : « *Il est des morts d'hommes qui sonnent le glas d'une société.* »

Dans cette atmosphère troublée, le débat sur les crédits de la Justice fut l'occasion d'un nouvel effort des députés abolitionnistes. Des amendements furent déposés par les socialistes, les communistes et aussi Pierre Bas et Philippe Séguin, demandant derechef la suppression des crédits du bourreau. C'était la reprise du scénario de l'année précédente. Alain Peyrefitte s'y opposa, annonçant que le gouvernement se préparait à déposer un projet relatif à l'échelle des peines, qui serait examiné au printemps. Il précisait : « *Vous aurez alors l'occasion de débattre au fond et de vous exprimer par un vote*[1]. » La majorité serra les rangs autour du gouvernement qui vivait des temps difficiles. Quinze députés seulement, à droite, suivirent Pierre Bas et Philippe Séguin. Il n'existait décidément pas de « majorité d'idées » en faveur de l'abolition à l'Assemblée nationale.

Au même moment sortait sur les écrans un film, *Le Pull-over rouge*, réalisé par Michel Drach à partir du livre de Gilles Perrault consacré à l'affaire Ranucci. La famille de la victime demanda la saisie du film avant sa projection publique. Le président du tribunal de Paris la refusa au nom de la liberté de création et d'expression. La Cour de Paris ordonna la coupure de quatre scènes du film. Certains maires, notamment dans des villes du

---

1. *Le Monde*, 18 novembre 1979.

midi de la France, interdirent la projection du film, allé-
guant un risque de trouble de l'ordre public. Le trouble
né de l'affaire Ranucci existait en effet, non pas dans la
rue, mais dans les consciences.

Pas dans toutes, tant s'en fallait. Le 15 novembre
1979, *Le Dauphiné libéré* publiait les résultats d'un
« référendum régional » ouvert auprès de ses lecteurs.
Un élu du Sud-Est s'empressa de poser au ministre de
la Justice une question écrite lui demandant « *quelles
réflexions lui suggéraient les résultats de cette consultation* [qui] *pourrait conduire à penser que le pourcentage
des lecteurs de ce grand quotidien régional du sud-est de
la France favorables au maintien de la peine de mort
atteindrait presque 75 %...* ». Dans sa réponse, le garde
des Sceaux déclara que ces informations, comme celles
« *recueillies tant auprès des parlementaires que de la
nation, le confirmaient dans l'opinion qu'il avait eu l'occasion d'exprimer à de nombreuses reprises : l'abolition
ne saurait être totale et immédiate. La solution retenue
doit s'attacher à respecter la sensibilité nationale*[1] ».

Certains s'y employaient à leur manière. En décembre
1979 était créée en Bourgogne une association « pour le
maintien et l'application de la peine de mort ». Ses
fondateurs, qui entendaient donner une ampleur nationale à leur mouvement, exposaient sans détours leur
programme : « *Un membre gangrené est incurable. Il
faut l'amputer. Or, un homme qui a tué n'est plus un
homme. C'est une chose malsaine dont il faut se débar-*

---

1. Assemblée nationale, *Questions et réponses*, Question n° 23006, *JO*,
11 février 1980.

rasser. » Pour mieux faire appliquer la loi, ils proposaient de supprimer le droit de grâce présidentiel, mais ils souhaitaient que la guillotine fût remplacée par « *d'autres moyens physiques ou scientifiques peut-être plus humains...* ». Ils se flattaient que leur initiative eût suscité des échos dans toute la France et recueilli en quelques jours des centaines de lettres de sympathie « *d'agriculteurs, de petits commerçants, mais aussi de médecins, d'un président de faculté de droit, et même d'avocats*[1]*...* ».

L'année 1979 s'achevait lorsque l'arrêt de la cour d'assises du Tarn condamnant à mort Norbert Garceau fut cassé par la Chambre criminelle. Il devait comparaître devant la cour d'assises de Toulouse en mars 1980. La peine de mort, pour moi, c'était le rocher de Sisyphe.

---

1. *Le Matin*, 11 décembre 1979 ; *Le Monde*, 21 décembre 1979.

CHAPITRE VI

Le procès Garceau

Une difficile affaire

J'ai toujours aimé Toulouse. Mais ce jour-là, la place ombragée devant le palais de justice n'était que tension, hostilité. Des groupes attendaient, devant les grilles, l'heure de pénétrer dans l'ancien bâtiment du parlement de Toulouse où Garceau allait être jugé. En ce mois de mars 1980, je retrouvais là les visages fermés, les regards hostiles que j'avais connus à Troyes devant les grilles du palais de justice. René Catala, l'avocat toulousain, et le bâtonnier d'Albi, Me Mathieu, qui défendaient avec moi Garceau, m'avaient prévenu : « Ce ne sera pas facile après ce qui s'est passé dans la région. »

Une audience criminelle, ce ne sont pas seulement des faits qu'on examine, un accusé que l'on juge. D'autres composantes subtiles interviennent pour créer cette alchimie mystérieuse : l'atmosphère d'une cour d'assises. Celle-ci, pour Garceau, était presque insoutenable.

Lors de son premier procès, à Albi, un crime atroce venait d'être commis près de Béziers. Au cours d'un hold-up dans un supermarché, l'un des agresseurs avait

219

fait s'allonger par terre, sous la menace de son arme, trois employées. Au moment de s'enfuir, il les avait froidement exécutées, l'une après l'autre, d'une balle dans la tête. Le désespoir des familles était immense. La région avait été bouleversée par cette tuerie. Une formation politique d'extrême droite avait aussitôt entrepris d'exploiter cette tragédie et le malheur des victimes. Garceau n'avait rien à voir avec le crime de Béziers. Mais l'occasion était propice pour arracher une condamnation à mort. À Albi, des pétitions avaient circulé dans la ville pour réclamer la peine capitale. Des signataires emplissaient la cour d'assises. Leurs applaudissements avaient salué le verdict. À présent, ils étaient venus nombreux à Toulouse assister au second procès de Garceau. C'étaient eux qui attendaient l'ouverture des portes. Lorsque, après avoir salué le président et les magistrats, j'entrai dans la salle, je vis qu'ils étaient massés sur les bancs du public, bloc sombre dont je percevais l'hostilité. Au premier rang, la famille de la victime, son mari, ses parents, son frère nous fixaient ou, plus précisément, ils fixaient Garceau, assis dans le box derrière nous. Toute la douleur humaine, mais aussi la haine se lisaient dans ces regards.

Rien dans les traits incertains de Garceau, dans sa silhouette frêle, un peu voûtée, de quinquagénaire n'évoquait la violence sexuelle, la pulsion mortelle. Et pourtant, les faits étaient là, terribles, inscrits dans le dossier que le président feuilletait rapidement à chaque question, comme s'il espérait y trouver une réponse. Garceau était un récidiviste. Il était l'illustration du cas d'école qu'évoquaient volontiers les partisans de la peine de mort. En 1952, à vingt-sept ans, bon ouvrier, bon époux, bon père d'une petite fille de deux ans, il avait étranglé une adolescente dans un bois. Le crime était aussi simple qu'inexpliqué. Il avait rencontré la jeune fille, ils s'étaient promenés. Il avait essayé de l'embrasser, de la caresser, elle s'était débattue. Elle avait crié, il l'avait étranglée. Lors du procès, les psychiatres avaient évoqué des troubles de la personnalité liés, pensaient-ils, à certaines épreuves qu'avait connues Garceau pendant la guerre d'Indochine. Il s'était en effet engagé comme marin en 1944 et avait participé aux campagnes du Tonkin. Dans la marine, obéissant, discipliné, serviable, il était bien noté. Condamné aux travaux forcés à perpétuité, Garceau avait été un détenu modèle, un de ceux qui ne posent aucun problème à l'administration pénitentiaire. Au bout de vingt ans, il avait bénéficié d'une libération conditionnelle. Pendant ses vingt années de détention en centrale, nul ne s'était soucié de lui, puisqu'il ne donnait de souci à personne. Ce qui était enfoui en Garceau, cette violence mortelle inscrite dans les profondeurs de son être, la source en demeurait inconnue.

Tel était Garceau avant son crime, tel il redevint après sa libération. Il retrouva du travail comme électricien. Sa première épouse avait divorcé. Il se maria à nouveau, avec une femme de son âge. Il parlait peu, n'évoquait jamais son passé. Ses employeurs l'appréciaient. Pour ses compagnons comme pour le voisinage, c'était un homme tranquille comme tant d'autres. La déléguée à la probation en charge de son dossier l'attestait. Il venait souvent la voir. C'était un exemple de réinsertion réussie. Aucun problème à son sujet.

Lui en avait pourtant un, obsessionnel. Garceau avait rencontré à l'usine une jeune femme de vingt-sept ans. Elle le ramenait chez lui de temps à autre, dans sa voiture, après le travail. Il s'était épris d'elle. Il la désirait intensément. Une fin d'après-midi, au retour de l'usine, il l'avait convaincue d'arrêter la voiture le long de la route, dans un petit sentier. La scène avait recommencé : il avait voulu l'embrasser, elle avait refusé, il avait insisté, elle l'avait repoussé avec mépris, lui disant que, si elle prenait un amant, ce ne serait pas un « vieux type moche ». Ivre de désir et de rage, il s'était jeté sur elle. Elle avait crié, il avait pris dans sa sacoche un chiffon, un vieux bas, avait voulu étouffer ses cris, puis, comme elle hurlait, il l'avait étranglée. Il avait roulé vers un bois proche, puis avait traîné le corps jusqu'à une grotte et l'avait laissé là, sous quelques branchages. On l'avait retrouvé quelques semaines plus tard. Pas de traces de violences sexuelles. Un sillon profond sur la gorge marquait l'étranglement. Des témoins avaient vu la jeune femme avec un homme dans sa voiture. La police retrouva vite Garceau. Il avoua, puis revint sur ses déclarations, puis avoua de nouveau. Il ne s'expliquait pas son geste. Aux assises d'Albi, m'avaient dit ses avocats, il était comme absent, déjà résigné à son sort.

Le crime était atroce et Garceau récidiviste. L'accusation retenait même contre lui la préméditation. Comment expliquer la présence de ce morceau de bas dans sa sacoche, sinon parce qu'il avait décidé de tuer sa victime après l'avoir violée ? Je ne croyais pas à cette version. Les relations de Garceau avec la victime étaient connues à l'usine, son passé judiciaire le vouait immédiatement aux soupçons, à l'arrestation. Il ne s'était préparé aucun alibi et avait laissé ce bas déchiré, dont il se servait comme d'un chiffon, dans la voiture de la jeune femme.

Mais il n'était nul besoin de retenir la préméditation pour qu'il fût condamné à mort. Garceau avait déjà tué une jeune fille dans des circonstances presque identiques. Remis en liberté, il avait recommencé vingt-cinq ans plus tard. Je connaissais trop bien le raisonnement : si on avait condamné à mort et exécuté Garceau pour le meurtre de l'adolescente en 1952, la jeune femme, sa deuxième victime, vivrait encore. Alors pourquoi, une seconde fois, lui laisserait-on la vie ? L'accusation, à Albi, était allée plus loin encore : « *Dans vingt ans, Garceau, détenu toujours modèle, sera à nouveau libéré. Il aura soixante-quatorze ans. Qui nous dit qu'il ne recommencera pas ?* » La défense aurait beau citer des chiffres, montrer que la récidive des criminels de sang mis en libération conditionnelle était rarissime, elle ne sauverait pas Garceau par des statistiques ni par des raisonnements. La question que posait avec intensité l'affaire Garceau était simple : doit-on tuer un criminel de sang parce qu'il a récidivé ? Pour que juges et jurés hésitent et reculent, il fallait rendre à Garceau cette part d'humanité que l'horreur du crime et la hantise de la récidive lui retiraient.

Dès la cassation intervenue, j'étais allé à Toulouse m'entretenir avec Garceau à la maison d'arrêt. Il parlait peu, répondait évasivement ou se perdait dans d'infimes détails sur des points secondaires. Par une sorte de réflexe, il se protégeait contre tous, y compris son défenseur. Dans cette cellule qui servait de parloir, dans cet espace silencieux, il demeurait obstinément fermé sur lui-même. Il en fut ainsi jusqu'au moment où je revins sur son passé, son premier crime. Je lui demandai :

« Vous ne lui vouliez aucun mal, à cette jeune fille ?

— Bien sûr que non, elle était gentille et je la connaissais.

– Mais alors, pourquoi ? insistai-je.

– Parce que, quand je l'ai attrapée par le bras, que j'ai voulu l'embrasser de force, elle a commencé à hurler de toutes ses forces. »

Il s'arrêta. Je lui dis :

« Vous avez eu peur qu'on vienne, qu'on vous trouve ensemble ? »

Et il répondit alors :

« Non. Je ne pouvais pas supporter d'entendre crier comme ça. C'était comme là-bas, sur le Mékong... »

Pendant la guerre d'Indochine, Garceau avait participé à des opérations de « nettoyage » de villages. Toute une nuit, il avait entendu, de l'autre côté d'une rizière, hurler une femme. À l'aube, son unité avait traversé le fleuve. Là, une jeune femme était empalée, morte. J'écoutai Garceau me raconter cela d'une voix sourde. Il répétait : « C'était terrible, je ne pouvais pas supporter ces cris. » Vingt-cinq ans plus tard, l'autre victime, la jeune femme d'Albi, avait crié elle aussi, et hurlé quand il avait voulu la faire taire.

Je posai à Garceau d'autres questions sur divers points du dossier sans grande importance. Mais, à l'audience, c'était à cette nuit-là, enfouie dans sa mémoire secrète, qu'il faudrait revenir. Alors peut-être ses juges comprendraient comment avait pu exploser la pulsion de mort qui avait emporté Garceau.

Le procès

Dès le début de l'audience, je commis une erreur. Tout procès criminel commence par la lecture d'un texte, l'arrêt de la Chambre d'accusation qui expose les charges retenues. Cette lecture a – ou devrait avoir – une grande importance pour les jurés. Car c'est l'exposé des faits qu'ils entendent pour la première fois et sur lesquels ils vont être appelés à se prononcer. Or, en examinant le dossier, j'avais relevé que l'arrêt de la Chambre d'accusation n'était que la reproduction photocopiée du réquisitoire écrit du procureur de la République. La conséquence de ce montage photographique était saisissante : ce que l'on faisait entendre aux jurés, c'était la voix du ministère public, sa version de l'accusation, mais présentée comme le fruit de la réflexion de magistrats du siège, de juges impartiaux. Le procédé, dû sans doute à la paresse plus qu'à la déloyauté, m'indigna. Où était le respect des droits de la défense, le principe d'égalité des chances entre accusation et défense que j'enseignais à mes étudiants ? Je déposai des conclusions dénonçant cette mascarade juridique. Mais – était-ce la tension due à l'enjeu du procès ? – je soutins avec un emportement excessif les moyens de droit que j'invoquais. À la rigueur tranquille du juriste je substituai la passion de l'avocat. C'était ma première intervention, mon premier contact avec les jurés. Ils voyaient devant eux s'agiter et vociférer cet homme en noir, usant d'un vocabulaire hermétique et s'enflammant pour des sujets qui leur paraissaient sans intérêt. L'impression produite fut désastreuse. Mauvais début, pensai-je en écoutant l'arrêt qui rejetait mes conclusions.

Ce qui advint ensuite fut pire encore. L'interrogatoire de Garceau tourna au désastre. Non que le président témoignât à son égard de la moindre prévention. Mais, à ses questions précises, Garceau répondait d'un ton monocorde par des propos évasifs ou contradictoires. Le président attendait sans impatience et passait à la question suivante qui suscitait une réponse tout aussi vague. De la salle, de temps à autre, s'élevait un murmure d'indignation. Alors, en fin d'interrogatoire, comme Garceau perdait pied et que l'impression que son récit produisait était d'instant en instant plus détestable, je décidai d'intervenir. Je ramenai donc Garceau à sa jeunesse, à son engagement dans la marine à dix-huit ans, à sa guerre d'Indochine. Pensant que je voulais tirer parti de ses actes de courage, le président me laissa poursuivre. J'en arrivai enfin à ces bords du Mékong, au village viet pris d'assaut. Garceau nous livra d'une voix blanche l'horreur de cette nuit et les cris de la femme qu'on empalait. Je lui demandai :

« *La petite, il y a vingt ans, elle a crié très fort, quand vous l'avez empoignée pour l'embrasser ?* »

Il répondit d'une voix étranglée :

« *Je ne pouvais pas supporter qu'elle crie.*

– Et Mme X ?

– C'était pire encore, elle s'est mise à hurler, à hurler. Je ne savais plus ce que je faisais. Elle était forte, elle luttait, alors j'ai pris le bas, je voulais qu'elle se taise ! »

Il ne pouvait en dire plus. Mais il avait dit tout ce qu'il pouvait. Je m'arrêtai là.

Avions-nous pour autant fait comprendre à ceux qui le jugeaient que le cri de la nuit indochinoise résonnait encore en Garceau et appelait la mort ? J'avais l'impression que la voie que j'avais empruntée pour faire enfin parler Garceau, pour qu'il redevienne un être humain aux angoisses secrètes et cesse d'être cette marionnette cireuse dans son box, que ce moyen-là avait déplu. Le regard absent, les mains toujours croisées pour en maîtriser le tremblement, tout en lui exprimait la résignation. Il avait tenté de se suicider, pendant l'instruction, en avalant des barbituriques. Il était resté plusieurs jours dans le coma. « *Au point où j'en étais, je pensais que ça valait mieux ainsi* », avait-il dit au président. Je frémissais en pensant à la traduction que les jurés pouvaient faire de cette phrase.

Les psychiatres entendus à l'audience faisaient état d'une « *impossibilité pour lui de refréner une excitation sexuelle qui se tranformait en excitation agressive* ». Autant dire que le jour est le jour ! Mais, des ténèbres en Garceau, que percevions-nous, hormis ce qui était advenu dans la nuit indochinoise ?

Le procureur avait fait citer son épouse. Elle était, comme lui, effacée, résignée. « *Il était doux, attentionné, il ne fumait pas, il ne buvait pas.* » Elle parlait de Garceau à l'imparfait, comme d'un mort.

Le commissaire de police fit un exposé précis et objectif de l'enquête. Le médecin légiste, des constatations médicales : pas de violences sexuelles.

Garceau écoutait les dépositions, répondait à des questions sur des points de détail, parfois contredisait ses dépositions. « *À quoi bon*, insistait le procureur, *mettre un bas dans votre sacoche si vous n'aviez pas décidé de l'étrangler ? Vous saviez bien qu'elle était plus grande, plus forte, plus jeune que vous.* » Garceau persistait : le morceau de bas était là parce qu'il l'avait pris un jour pour essuyer la vitre de son véhicule, et il l'avait laissé dans la sacoche.

Avec une inlassable énergie, René Catala se battait sur tous les points, décelait les moindres omissions, les plus petites divergences entre les témoignages ou les dépositions successives. Ce n'étaient pas les défenseurs qui faisaient défaut à Garceau, c'étaient les moyens de défense ! Hormis un, essentiel et pourtant insaisissable :

cette inadéquation entre l'acte et l'homme, cette irréductibilité entre le Garceau quotidien et le petit homme qui avait assailli et étranglé cette jeune femme souriante sur la photo qui passait de main en main parmi les jurés.

L'audition des témoins se poursuivit pendant tout l'après-midi. Le président laissait chacun s'exprimer à loisir, veillait à ne laisser aucun détail dans l'ombre et ne manquait jamais d'inviter Garceau à prendre la parole, s'il le désirait. C'était un bon magistrat. Tout comme l'avocat général.

Pendant les suspensions, les parents des malheureuses caissières abattues à Béziers montraient à leurs voisins les photos des corps. Rarement journée d'audience avait pesé d'un poids plus lourd.

Nous regagnâmes enfin l'hôtel en silence. Cette nuit-là, je cherchai désespérément un angle nouveau, un argument de défense qui m'aurait échappé, et ne trouvai rien. L'aube me surprit plus angoissé que la veille.

Au matin du deuxième jour, le réquisitoire du ministère public fut tel que je le redoutais : précis, scrupuleux, impitoyable. Pour l'avocat général, Garceau avait prémédité son crime. Peu importaient les quelques réserves des psychiatres et le fait que plusieurs de ses ascendants eussent été internés. Son comportement, avant et après le crime, témoignait d'une parfaite maîtrise de soi. Le bas qu'il transportait était le moyen choisi pour tuer sa victime si elle lui résistait. Le mobile du meurtre était la crainte qu'elle révèle l'agression à son mari, et dénonce son agresseur à la gendarmerie. Garceau était toujours en période de probation ; son geste suffisait à faire révoquer la libération conditionnelle et à le renvoyer en centrale. L'avocat général évoqua les deux meurtres, presque identiques, commis à vingt-cinq ans d'intervalle. Il reprit à sa manière l'incident d'Indochine. Si les cris d'une femme pouvaient déclencher chez Garceau une pulsion de violence irrépressible, pourquoi s'était-il placé dans une situation identique à celle qu'il avait connue en 1952, qui l'avait amené à tuer une jeune fille ? Pour l'avocat général, Garceau était dangereux et n'était pas réadaptable. Il eut pour conclure des paroles terribles : « *En trente-cinq ans de carrière, j'ai eu à requérir dans de nombreuses affaires criminelles. C'est la deuxième fois que je requiers la peine de mort. Le cas de Norbert Garceau est un de ces rares cas où il est impossible de l'éviter. Je ne suis pourtant pas partisan de la peine de mort. Mais, dans ce cas-là, elle s'impose*[1]. »

Le réquisitoire s'acheva sur ces mots. Ce n'était pas l'éclat du talent oratoire, comme à Amiens lors de l'affaire Rousseau ; c'était plus redoutable encore : l'expression d'une conviction absolue et d'une conscience sereine. L'avocat général avait demandé la peine de mort presque à regret, comme s'il lui paraissait impossible, dans ce cas extrême, de faire autrement.

Tandis que j'écoutais ces paroles, impitoyables derrière la sobriété du ton, j'en mesurais l'effet sur les visages des jurés, en face de moi. Je m'étais appliqué à demeurer impassible pendant ces longues heures dévolues à l'accusation. À peine avais-je jeté, de temps à autre, un mot, une note sur un papier posé devant moi. Mais, sous la robe noire, je ruisselais d'une sueur d'angoisse.

---

1. *Le Progrès*, 12 mars 1980.

La matinée s'acheva sur ces réquisitions. L'hôtel était proche. J'y retournai en hâte. Je m'allongeai, rassemblai en moi toute la force de conviction dont je me sentais capable. Puis nous repartîmes, Binet et moi, en silence vers le palais.

En pénétrant dans la salle d'audience, je demeurai stupéfait. Une ambiance extravagante y régnait, évoquant davantage l'entracte d'une pièce à succès que la tension d'une cour d'assises. Autour des familles des victimes et derrière elles, il y avait toujours ce bloc compact d'amis et de partisans de la guillotine. Mais le reste de la salle était envahi par un public jeune, des étudiants, des femmes élégantes. Un chanteur célèbre, abolitionniste convaincu, était là aussi. Il assistait depuis la veille aux débats, silencieux, un peu en retrait, à côté d'un journaliste de télévision qui voulait l'interviewer. Sans qu'il en fût le moins du monde responsable, sa présence, à cet instant, achevait de conférer à ce qui se déroulait dans cette cour d'assises les apparences d'un spectacle. Tout autour de la salle, debout à côté du box de l'accusé ou assis sur les marches de l'estrade où siégeait la Cour, une foule de jeunes avocats se pressaient, en robe noire, comme une sorte de chœur antique. J'avais connu bien des atmosphères dramatiques à l'audience. Jamais d'aussi détestables.

Binet et moi nous frayâmes un chemin jusqu'à notre banc. La sonnette retentit. La Cour et les jurés entrèrent. Chacun s'assit. L'heure de la défense était venue.

Nous avions arrêté entre nous l'ordre des plaidoiries. Le bâtonnier Mathieu évoquerait l'homme. Catala, les faits. Et moi ? Chacun s'attendait évidemment à ce que je plaide contre la peine de mort. Mais je savais à présent, le dos au mur, qu'il faudrait aller au-delà de ce que j'avais prévu et préparé. Quarante-cinq minutes, je le savais par expérience, c'était là le temps d'attention dont je pouvais réellement disposer en cette fin d'après-midi, après deux plaidoiries. Quarante-cinq minutes, pensai-je tandis que j'écoutais ces deux avocats de qualité dire tout ce qui convenait pour la défense de Garceau. Mais il ne s'agissait plus de défendre Garceau. Il fallait sauver Garceau. Sa vie, à cet instant, était devenue la mienne. Et, tandis que Catala concluait, je sentais battre mon cœur et l'angoisse de mort s'emparer de moi.

De cette plaidoirie-là pas plus que des autres je n'ai gardé la mémoire exacte. Seulement des souvenirs désarticulés, des impressions, des images qui jaillissent. De cette heure-là, dans cette salle surchauffée, si silencieuse que, parfois, je parlais presque à voix basse, en confidence, aux jurés, je me souviens comme d'une transe. Je savais que la Cour et les jurés se défiaient de moi, de l'avocat parisien trop connu, du partisan acharné de l'abolition. Pourtant, il me fallait atteindre leurs cœurs, leurs âmes[1]. Et je ne pouvais le faire à cet instant, à Toulouse, qu'en faisant passer en eux toute mon angoisse, tout mon refus, ma conviction que

---

1. Une femme juré accepta de livrer ses impressions d'audience à un hebdomadaire peu favorable à la cause de l'abolition : « *Ma première réaction avait été de me demander ce que cet avocat venait faire là. J'estimais qu'on n'avait pas besoin de lui à Toulouse. Mais on finit par se laisser prendre au jeu. Il a l'art de jouer avec vos nerfs, de crier et de chuchoter. On a l'impression qu'il va vous attraper et vous secouer. À la fin, j'ai cru qu'il allait mourir sur place tellement il était livide* », VSD, mars 1980.

condamner à mort Garceau, envoyer à la guillotine ce misérable pour ce crime qui avait jailli d'abîmes en lui qui lui faisaient horreur était une aberration judiciaire, une décision affreuse dont ils porteraient à tout jamais le fardeau. Ils m'étaient devenus si proches, ces femmes et ces hommes auxquels le réquisitoire demandait de tuer Garceau ! Je leur parlai comme on parle à des êtres chers, à des amis, sans me soucier de rien d'autre que de les faire s'écarter d'un gouffre, d'un abîme vers lequel on les conduisait.

Je leur parlai de Garceau, de celui qu'ils voyaient là, devant eux, pareil à chacun d'entre eux. Et de l'autre, celui de la nuit indochinoise, et des jeunes femmes que l'on désire intensément et qui vous repoussent, qui hurlent, et de ces cris qu'il faut arrêter à tout prix. Je leur parlai aussi de la grâce présidentielle invoquée pour leur arracher la condamnation à mort de Garceau : « *La grâce, c'est pour le Président. Mais la condamnation à mort, c'est pour vous.* » Et là, comme si je me libérais, je me souviens que je leur parlai de Bontems et de son exécution. Pas pour leur en raconter l'horreur, comme pour faire peur, la nuit, à des enfants. Non. Je leur racontai ce qu'étaient devenus nos visages, celui du procureur, du juge, et celui des avocats, celui de tous, hormis l'abbé Clavier. Et comment nous nous étions enfuis dans la nuit, sans dire un mot, parce que nous avions mesuré ce que nous avions fait ou laissé faire. Nous et personne d'autre.

J'avais quitté ma place. J'étais debout devant les jurés. Je leur ai dit simplement : « *Moi, je ne peux plus rien pour Garceau. Je vous le confie à présent. Il est à vous.* »

Ils me fixaient intensément. Un silence total régnait. À cet instant précis, le pire se produisit. Des applaudissements éclatèrent. J'eus un geste d'indignation. Ils s'arrêtèrent. « Trop tard, pensai-je, le mal est fait. » Là où j'avais été à l'extrême, où je m'étais livré à nu, ces imbéciles saluaient la performance, comme à l'Opéra. Du côté de la famille de la victime, des protestations, des cris fusèrent. Je tournai vers la Cour un visage désespéré. Le président déjà se levait. La Cour et les jurés se retiraient pour délibérer.

J'avais regagné le banc de la défense lorsque Binet murmura : « Attention, c'est le frère. » Un homme jeune déboulait vers nous, visiblement hors de lui. Debout devant moi, il hurlait sa rage et sa souffrance. Dans ma plaidoirie, j'avais rendu, parce que j'y tenais, un ultime hommage à la jeune femme que Garceau avait tuée. Mes paroles avaient été ressenties par la famille comme un outrage, un sacrilège. Je regardai cet homme jeune si proche de moi, plein d'une douleur et d'une haine qu'il transférait à présent sur moi puisque les gendarmes avaient fait sortir Garceau du box. Je lui dis quelques paroles de compréhension. Il me fixa, égaré. Des amis venaient vers lui, l'entourèrent, le ramenèrent à sa place, près des parents. François Binet murmura : « J'ai eu chaud. » Nous quittâmes la salle. Il n'y avait plus qu'à attendre.

La Cour revint plus vite que je ne l'avais prévu. La sonnette retentit. Dans la bousculade, nous regagnâmes nos places. Le président lut rapidement l'arrêt. La préméditation était retenue. Garceau était perdu, pensai-je. Les circonstances atténuantes étaient accordées : Garceau était sauvé. Des cris éclatèrent. Le frère de la victime hurla à l'adresse de Garceau : « *Salaud, je te crèverai ! Vous êtes tous des salauds ! Badinter, tu es une ordure*[1] *!* » Le père de la jeune femme s'évanouit. Au milieu d'un cercle d'amis, le mari d'une des caissières assassinées à Béziers brandissait une photo et hurlait : « *Moi, ne croyez pas que je supporterai de voir cela. Vous êtes tous des pourris ! Je souhaite qu'on massacre vos femmes*[2]. » Je regardai du côté d'Élisabeth. Le capitaine de gendarmerie s'approcha. Mieux valait sortir par-derrière, par la porte menant au bureau du président. Je le suivis.

Je pris congé du président, des assesseurs, de l'avocat général. Nous échangeâmes quelques propos courtois, sans référence à l'affaire. Dehors, la place bruissait de monde et de rumeurs. Les gens se taisaient sur notre passage. J'étais épuisé. Je décidai de rentrer à Paris dans la nuit. J'avais le sentiment étrange de m'enfuir, comme après chacun de ces procès.

Dans le train de nuit qui nous ramenait à Paris, Binet, Dany Cohen, un autre de mes collaborateurs venu nous rejoindre et moi échangeâmes nos impressions sur ce qui était advenu. François Binet me dit, pensif : « C'est de plus en plus difficile. Ils se méfient tellement de vous. J'ai bien cru que, cette fois-ci, vous ne passeriez pas la barre. Et la prochaine fois... » Il n'acheva pas sa phrase. J'éprouvais le même sentiment. Il fallait toujours aller plus loin, plus haut. Je sentais bien que, tôt ou tard, ils refuseraient de se laisser convaincre, que la condamnation à mort tomberait et que je devrais reprendre le

---

1. *Le Matin*, 13 mars 1990.
2. *Ibid.*

chemin de la cellule des condamnés à mort, à la Santé ou ailleurs.

Était-ce la fatigue ? Jamais je n'avais été aussi pessimiste qu'après l'affaire Garceau. Pourtant, à nouveau, il n'y avait plus de condamné à mort dans les prisons françaises.

CHAPITRE VII

Le retour de la peine de mort

« Sécurité et Liberté »

La valse hésitation du gouvernement se poursuivait. Quelques jours après le verdict de Toulouse, le garde des Sceaux fit savoir que le projet de loi d'abolition partielle, évoqué le 16 novembre 1979 à l'Assemblée nationale, ne serait pas déposé au cours de la session de printemps. *« Le gouvernement considère que de récents crimes en série, qui ont profondément ému l'esprit public, rendent inopportun, dans l'immédiat, le dépôt de ce texte*[1]. » Selon le garde des Sceaux, *« pour que la discussion se déroule dans la sérénité souhaitable, le choix du moment est essentiel »*. Je pensais que, si le gouvernement attendait, pour atteindre la sérénité espérée, qu'il n'y ait plus de crimes atroces commis en France, l'abolition était ajournée *sine die*.

La réaction la plus vigoureuse à cette annonce vint des rangs de la majorité. Philippe Séguin déclara : « *Une*

---

1. *Le Monde*, 19 mars 1980.

237

fois de plus, s'agissant de la peine de mort, le garde des Sceaux ne tient pas un engagement qu'il avait pris solennellement devant l'Assemblée nationale. Ce faisant, Monsieur Peyrefitte montre le mépris dans lequel il tient le Parlement dont il est pourtant issu[1]. »

À propos de l'affaire Garceau, le garde des Sceaux déclara : « *Il y a contradiction entre les sentiments du peuple qui, depuis 1970, se prononce par sondages* (sic) *pour le maintien de la peine capitale, et les décisions prises, cas par cas, par les jurés qui sont pourtant le reflet de ce même peuple. Le gouvernement doit tenir compte non de l'opinion, mais du sentiment public*[2]. » La distinction paraissait obscure, mais l'intention était claire. Peu importaient les verdicts, seuls comptaient les sondages.

Quelques semaines plus tard, comme une réponse aux propos du gouvernement français, l'Assemblée parlementaire du Conseil de l'Europe marqua à nouveau son hostilité à la peine de mort. Elle adopta à une très forte majorité une résolution recommandant aux États dont la législation prévoyait encore la peine capitale en temps de paix, de l'abolir. Il était évident que cette résolution visait d'abord la France. Sept seulement des États membres du Conseil de l'Europe conservaient dans leur arsenal judiciaire la peine de mort. Mais un seul l'appliquait encore : la France. Le rapporteur de la recommandation, le Suédois Karl Libdom, s'exprimant en français, déclara à l'intention de nos représentants : « *Nous, députés de nombreux pays européens qui*

---

1. *Ibid.*
2. *La Croix, id.*

sommes profondément attachés à la France et qui aime-
rions voir la France constamment en première ligne dans
la lutte pour les droits de l'homme, nous sommes stupé-
faits et navrés de voir la France se déshonorer par ce
triste record[1]. »

Qu'importait ce constat, cet appel à un Président et à un gouvernement qui se proclamaient si profondément européens ? Ce n'était pas que la France fût, plus que les nations voisines, ravagée par le crime. Le garde des Sceaux rappelait volontiers que le nombre d'homicides en France demeurait sensiblement le même depuis des décennies et qu'il était sans rapport avec la criminalité sanglante qui sévissait en d'autres pays, notamment aux États-Unis. La France, si elle n'était pas épargnée par le terrorisme, n'avait pas connu des vagues d'assassinats comme ceux commis par les Brigades rouges en Italie et la Fraction Armée rouge en RFA. La violence qui sévissait en Corse n'était pas d'une ampleur comparable à celle des attentats de l'ETA en Espagne ou de l'IRA en Irlande du Nord. Aucun de ces États, pourtant, n'avait rétabli la peine de mort. Mais, en France, l'abolition était devenue un problème politique : il ne fallait pas risquer de heurter l'opinion alors que, déjà, s'amorçait la campagne présidentielle.

Pour reprendre l'initiative et regagner la confiance des électeurs de sa majorité, le président de la République et le gouvernement avaient, au printemps 1980, choisi le terrain de la lutte contre l'insécurité. Le thème était porteur. La délinquance, surtout la petite délinquance

---

1. *Le Monde*, 24 avril 1980.

urbaine – vols de voitures, cambriolages, violences et dégradations –, s'accroissait, notamment chez les jeunes confrontés à un chômage grandissant. Ces questions avaient été analysées en 1976 dans le rapport du Comité d'études sur la violence que présidait Alain Peyrefitte. Mais la lutte contre les causes sociales de la délinquance est de longue haleine, ses résultats difficiles à mesurer, son coût financier élevé. En revanche, face à une opinion publique excédée par la violence quotidienne, proclamer sa ferme volonté de faire respecter l'ordre et la loi est toujours bien accueilli. Le ministre de l'Intérieur, Michel Poniatowski, avait organisé des opérations de police à grand spectacle, dites « coup de poing », dont l'efficacité laissait sceptiques les responsables policiers. Le garde des Sceaux avait fait préparer un projet de loi intitulé « Sécurité et Liberté ». Comme il avait du talent et que la majorité de droite se voulait « libérale » face à la gauche « socialo-communiste », il s'attachait à répéter dans tous les médias que « *la sécurité est la première des libertés* ». Ce slogan, qui aurait laissé pantois les auteurs de la Déclaration des droits de l'homme, était appelé à connaître une grande fortune politique dans les années ultérieures.

Mais, à cette époque, la gauche ne l'entendait pas ainsi. L'esprit de Mai 1968, l'influence de Michel Foucault faisaient que le pouvoir se confondait, pour beaucoup, avec la répression, et que la répression était le mal. Certes, les responsables politiques de gauche savaient que la délinquance urbaine grandissait et que le public était exaspéré par ce qu'il considérait comme la faiblesse de la police et le laxisme de la justice. Mais, dans les cercles intellectuels, très influents à l'époque, tout durcissement des lois et de l'appareil répressif était dénoncé comme une dérive totalitaire et une atteinte aux libertés. Aussi, dès que le garde des Sceaux eut dévoilé son projet, la mobilisation fut générale pour combattre le texte. On s'insurgea contre sa démagogie sécuritaire. On dénonça l'hypocrisie de son intitulé. Le député socialiste François Massot souligna qu'on lisait quatre-vingt-quinze fois le mot « sécurité » dans le projet, et cinq fois seulement le mot « liberté » : « *reflet du contenu du texte*[1] ». Jacques Chirac se montra plus radical encore dans sa condamnation : « *Je suis tout à fait convaincu,* déclara-t-il, *que ce texte est inacceptable, et je dirai très sincèrement : indigne*[2]. »

Dès l'instant où la bataille politique et parlementaire s'engageait sur le projet « Sécurité et Liberté », il était évident que toute perspective d'abolition de la peine de mort avant la fin du septennat avait définitivement disparu. Les abolitionnistes, y compris à droite, avaient beau s'en indigner ; désormais, la majorité faisait bloc autour du gouvernement. Lors de l'examen du projet « Sécurité et Liberté », la Commission des lois, celle-là même qui s'était prononcée pour l'abolition un an plus tôt, rejeta un amendement portant suppression de la peine de mort, déposé par un député communiste et soutenu par les socialistes et Philippe Séguin. Devant l'Assemblée nationale, Raymond Forni, au nom du groupe socialiste, demanda, en posant la question préalable, que l'on ne discutât pas d'un projet qui modifiait certaines dispositions du Code pénal sans avoir d'abord

---

1. *La Croix*, 14 juin 1980.
2. Assemblée nationale, 12 juin 1980, *JO* Débats, p. 1784.

débattu de l'abolition[1]. Pierre Bas déposa un amendement de suppression de la peine de mort en rappelant que, depuis 1972, seule en Europe la France la pratiquait encore. Et il s'écria à l'adresse du garde des Sceaux : « *Vous voulez, par tous les moyens, empêcher le vote de l'abolition. Vous êtes le dernier ministre de la Justice du monde libre à parler en faveur de la peine de mort*[2]. »

Le 26 juin 1980, cependant, par une voie indirecte, l'Assemblée nationale votait, sans en avoir conscience, une abolition partielle de la peine de mort : avec un retard humiliant pour la France, le Parlement autorisait le gouvernement à adhérer au pacte des Nations unies relatif aux droits civils et politiques de 1966. C'était l'un des pactes mettant en œuvre la Déclaration universelle des droits de l'homme de 1948. Il avait fallu au gouvernement français quatorze années de réflexion pour se décider à adhérer à cet instrument essentiel de défense des droits de l'homme ! L'article 6 du texte stipulait l'interdiction de condamner à mort les auteurs de crimes commis avant l'âge de dix-huit ans. C'était interdire, pour l'avenir, la condamnation à mort d'un autre Bruno T. La nouvelle passa inaperçue. Ce n'en était pas moins un pas – tardif – dans la bonne direction. En cette année 1980, nous en avions bien besoin, du côté des abolitionnistes.

Une sourde angoisse

Depuis l'automne 1977, tous les verdicts de condamnation à mort avaient été cassés par la Chambre crimi-

---

1. *Ibid.*
2. *Id.*, p. 1823.

nelle. J'étais convaincu que cette pratique se poursuivrait. Tous les condamnés à mort se verraient ainsi offrir un nouveau procès, une deuxième chance. Sans doute était-il arrivé dans le passé que la seconde cour d'assises condamnât de nouveau à mort. Mais, depuis deux ans, j'avais vécu cinq de ces procès. À chaque fois, l'avocat général avait demandé la peine capitale. À chaque fois, la Cour et le jury l'avaient refusée. Si la fortune judiciaire demeurait favorable, on pouvait raisonnablement espérer qu'il n'y aurait plus d'exécution en France jusqu'aux élections présidentielles de 1981. C'était là tout mon objectif.

Encore fallait-il, pour que la dernière exécution en France demeurât celle de Djandoubi en septembre 1977, que François Mitterrand l'emportât sur Valéry Giscard d'Estaing. À lire les sondages, à écouter les propos des experts, rien n'était moins sûr. En cet été 1980, le Président en place paraissait le mieux placé pour l'emporter. Pour combattre le pessimisme ambiant, ou me convaincre moi-même, je profitai du calme de l'été pour écrire un article montrant que, cette fois-ci, le candidat de la gauche socialiste ne pouvait tout simplement pas perdre les élections. Cette analyse me valut plus d'ironie que d'approbation. L'un de mes amis, directeur d'un grand journal, me reprocha de ne point l'avoir publié dans ses colonnes : « L'été, me dit-il, nos lecteurs ont besoin de divertissement. » Je protestai du bien-fondé de ma démonstration. Mais je savais qu'il y avait aussi, dans mon propos, un désir profond de me convaincre que la victoire était assurée. Dans ma lassitude, après l'affaire Garceau, j'avais dit à ma femme : « Ou Mitterrand sera élu et la peine de mort sera abolie, ou il sera battu et je claquerai du cœur à l'audience. »

Une sorte de pressentiment angoissé m'habitait. Comme François Binet, j'avais senti qu'il m'était de plus en plus difficile de convaincre les jurés et les juges. Je percevais avec toujours plus d'intensité cette invisible barrière de défiance qui s'élevait à mon encontre dans l'enceinte des cours d'assises. Ma seule présence dans une grave affaire criminelle signifiait que l'accusé risquait sa tête. Après l'affaire Garceau, j'avais donc décidé, confiant dans la jurisprudence de la Chambre criminelle, de ne plus défendre d'accusé susceptible d'encourir la peine de mort lorsqu'il comparaîtrait pour la première fois devant une cour d'assises. Je me réserverais pour le second procès, après la cassation, si les premiers juges le condamnaient à mort. Sans doute y avait-il dans ce choix une part de lassitude. Mais, en dehors d'affaires qui, au départ, paraissaient désespérées, comme celle de Patrick Henry, mieux valait ne point faire de la peine de mort la question centrale du débat. Nul n'est irremplaçable au banc de la défense. Et il ne manquait point, en France, d'excellents avocats pour les causes les plus difficiles.

C'est dans cette disposition d'esprit que je reçus, avant l'été, la visite de la mère d'un jeune homme, Philippe Maurice. Les charges qui pesaient contre lui étaient très graves. Dans un parking, à Paris, il avait été surpris, avec un ami, par deux vigiles alors qu'ils dérobaient des postes autoradio. Des coups de feu avaient été échangés. Un vigile avait été tué, l'autre blessé. Quelques jours plus tard, ils avaient été interpellés, rue Monge, par des policiers. Ils avaient tenté de s'enfuir. Une fusillade avait éclaté. Un policier avait été tué, un autre blessé, le compagnon de Philippe Maurice abattu. Philippe Maurice avait été arrêté. Le meurtre d'un policier et d'un vigile, la tragique fusillade de la rue Monge avaient indigné l'opinion. Le président de la République avait lui-même demandé que la procédure judiciaire fût conduite « avec le maximum de diligence ». De fait, l'instruction de l'affaire de la rue Monge avait été achevée en moins de quatre mois. Philippe Maurice devait comparaître aux assises de Paris à l'automne.

Dans mon bureau, j'écoutai sa mère me parler de lui plus que de l'affaire dont je connaissais, par la presse, les grandes lignes. Le père de Philippe était inspecteur de police. Le garçon avait neuf ans quand ses parents avaient divorcé. Elle évoqua son enfance, ses difficultés à l'élever. Je sentais en elle un immense amour pour son fils, et une angoisse infinie. Elle me demanda de le défendre. Il avait déjà pour avocats Philippe Lemaire et Jean-Louis Pelletier. Ils réunissaient expérience, talent, humanité. Je répondis à Mme Maurice que ma présence constituerait un handicap plutôt qu'un renfort, car elle signifierait que Philippe Maurice lui-même considérait que seul un refus de principe de la peine de mort pouvait le sauver. Or il y avait bien d'autres moyens de défense. À supposer, ajoutai-je avec d'infinies précautions, que Philippe Maurice fût condamné à la peine capitale, la Cour de cassation casserait le verdict. Alors, s'il le désirait encore, j'assumerais, aux côtés de ses avocats, sa défense.

L'entretien achevé, je reconduisis Mme Maurice, silencieuse. Je regagnai mon bureau, singulièrement mal à l'aise. Il y avait dans mon refus, je le sentais, autre chose que la conscience d'être inutile voire dangereux pour la défense de Philippe Maurice. Je m'étais dérobé parce que je redoutais, depuis l'affaire Garceau, de ne plus pouvoir convaincre les juges et les jurés, de n'avoir plus accès à leur sensibilité. Je ne pouvais faire prendre à un accusé ce risque-là que s'il ne restait qu'une ultime chance judiciaire à courir. C'était raisonnable. Mais j'avais le sentiment de déserter.

L'explosion

L'été achevé, la tempête judiciaire se leva. En six semaines, à l'automne 1980, quatre condamnations à mort furent prononcées.

À Saint-Omer, le 18 octobre, la cour d'assises du Pas-de-Calais refusa toutes circonstances atténuantes à deux hommes qui avaient tué, lors d'un cambriolage, la femme et la fillette d'un entrepreneur de la région. Le 27 novembre, la cour d'assises des Ardennes condamna à mort un ouvrier agricole de vingt-trois ans qui avait tué, par jalousie, un professeur de gymnastique. Pourtant, dans cette affaire passionnelle, l'avocat général n'avait pas requis la peine capitale contre l'accusé qui avait séjourné à plusieurs reprises dans des hôpitaux psychiatriques. La délibération avait duré une demi-heure. Le 28 octobre, la cour d'assises de Paris, après trois jours d'audience passionnée, condamna à mort Philippe Maurice. Rarement la fortune judiciaire s'était révélée plus contraire à la défense. Le président de la cour d'assises était un partisan notoire de la peine de mort. L'avocat général était le représentant le plus éloquent du ministère public ; ses réquisitions avaient été impitoyables. Et, la veille même du procès, un gendarme avait été grièvement blessé par des malfaiteurs. La défense avait lutté, ému. Elle n'avait pu convaincre. Après trois heures et demie de délibérations, le verdict était tombé. C'était la première condamnation à mort prononcée à Paris depuis dix-sept ans.

J'étais atterré. Le plus âgé des quatre condamnés n'avait pas vingt-cinq ans. Sans doute l'évocation de la mort et de la souffrance des victimes était douloureuse, parfois insoutenable. Mais, dans la jeunesse et la personnalité de ces accusés, n'y avait-il donc rien, aux yeux des magistrats et des jurés, qui pouvait susciter le doute ou la pitié ? Étaient-ils à ce point emportés par la passion répressive, bardés de certitudes, qu'aucune issue, en dehors du vieux talion, ne leur paraissait possible ?

À Saint-Omer, l'avocat général lui-même avait paru hésiter dans ses réquisitions. Il avait évoqué plutôt que demandé la peine de mort : « *Elle est réservée,* avait-il dit, *aux crimes les plus atroces. C'est à vous qu'il appartient de peser le pour et le contre pour dire si, oui ou non, la peine de mort doit être appliquée*[1]. » Vingt-sept minutes de délibérations avaient suffi pour apporter la réponse et décider la mort de deux garçons dont l'un avait dix-neuf ans lors du crime.

À Charleville-Mézières, l'avocat général s'était refusé à requérir la peine capitale contre l'accusé, familier des hôpitaux psychiatriques, auteur d'un meurtre que seul expliquait son déséquilibre. Le jury, là aussi, n'avait pas hésité à dépasser les réquisitions et à prononcer la peine de mort.

Quant à Philippe Maurice, aussi terribles que fussent les faits, juste avant que la fusillade éclatât il avait épargné un policier désarmé qu'il tenait en respect.

---

1. *Le Monde*, 21 octobre 1980.

La presse s'interrogea sur les causes de cette brutale résurgence de la peine de mort. Certains y voyaient la conséquence de la campagne conduite par le gouvernement pour justifier le projet de loi « Sécurité et Liberté ». Pendant des mois, l'accroissement de la délinquance, l'insécurité grandissante avaient fait l'objet de brochures, d'articles et d'émissions. Jamais une modification de la procédure pénale n'avait été accompagnée d'une telle campagne publicitaire. La discussion juridique était escamotée au profit de slogans politiques. Par devoir professionnel, j'exposai sereinement à mes étudiants, dans l'amphithéâtre, les dispositions de la loi nouvelle que je combattais dans les journaux et les réunions publiques. Je percevais çà et là des sourires ironiques. Mais, éthique universitaire oblige, je m'appliquais à bien marquer la différence entre enseignement et militantisme.

Pourtant, le projet « Sécurité et Liberté » visait la délinquance quotidienne, celle qui exaspérait l'opinion publique, et non les crimes de sang. Le garde des Sceaux reconnaissait que leur nombre était demeuré stable au fil des décennies. Mais le sentiment d'insécurité croissait plus vite encore que la délinquance elle-même. Le renforcement de la répression, souhaité par l'opinion, se traduisait par une aggravation des peines prononcées. Les maisons d'arrêt étaient surpeuplées, les centrales regorgeaient. Et les verdicts des cours d'assises devenaient toujours plus sévères.

Un autre facteur, encore mal perçu, contribuait à ce durcissement des verdicts. Jusqu'en 1978, les jurés des cours d'assises faisaient l'objet d'une sélection discrète lors de l'établissement des listes de session par les autorités municipales. Il ne s'agissait pas, comme au XIXᵉ siècle, de composer les jurys de notables soucieux de défendre à tout prix l'ordre et la propriété. Mais les jurés comptaient une forte proportion de membres des professions libérales, de fonctionnaires, de cadres. Dans ces milieux, dont le niveau culturel est supérieur à celui de la moyenne de la population, le nombre de partisans de l'abolition, et plus généralement d'une modération des peines, était le plus élevé. Cette sélection des jurés potentiels faisait l'objet de critiques de la part de ceux qui voulaient que la composition des jurys reflétât celle du peuple français au nom duquel ils jugeaient. Aussi, une loi de 1978, votée à l'unanimité, avait décidé que, dorénavant, les jurés seraient désignés par simple tirage au sort sur les listes électorales. Les principes démocratiques s'en trouvaient mieux respectés. Mais la sévérité accrue des verdicts témoignait de ce que le sentiment populaire n'était nullement porté à la mansuétude envers les criminels, fussent-ils d'origine modeste ou socialement défavorisés. Les sondages indiquaient d'ailleurs que c'était dans les milieux populaires que l'attachement à la peine capitale demeurait le plus vif. Les verdicts de l'automne 1980 reflétaient ce changement dans la composition des jurys et laissaient présager d'autres condamnations à mort.

L'actualité criminelle contribuait à cette soudaine recrudescence. Il suffisait d'un crime atroce dont les détails, longuement rapportés par les médias, bouleversaient l'opinion publique, pour que s'accrût brusquement le nombre des partisans de la peine de mort. Je l'avais constaté lors du drame de Clairvaux, en 1972, ou de l'affaire Patrick Henry en 1976. J'avais pu aussi le mesurer à Toulouse où, à propos de l'affaire Garceau, avait été sans cesse évoquée la tuerie de Béziers.

Ainsi, à l'automne 1980, l'espérance était nulle de voir la peine de mort tomber en désuétude dans la Justice française. Seule la volonté politique mettrait un terme au rituel sanglant dont la France, exception singulière en Europe occidentale, ne pouvait se déprendre.

À l'Assemblée nationale, les députés abolitionnistes entendaient montrer que leur conviction ne mollissait pas dans cette conjoncture judiciaire difficile. Présentant à la Commission des lois son projet de budget pour 1981, le garde des Sceaux s'était refusé à rouvrir le débat sur la peine de mort[1]. Selon lui, la question avait été tranchée lors de la discussion du projet « Sécurité et Liberté », au printemps, lorsque la majorité avait repoussé un amendement communiste proposant l'abolition. Philippe Séguin ayant joint sa voix à celle des socialistes et des communistes, et Michel Aurillac, député RPR de l'Indre, s'étant abstenu, le projet de budget de la Justice ne fut pas approuvé par la Commission des lois. Ce n'était à nouveau qu'un incident de parcours. Lors de la discussion en séance, le 5 novembre 1980, Pierre Bas déposa pour la troisième fois un amendement de suppression des crédits prévus au chapitre « Frais des exécutions capitales ». Les députés socialistes et communistes firent de même. Comme l'année

---

1. Selon Jean Foyer, président de la Commission des lois, le ministre de la Justice avait déclaré : « *Ce n'est pas au moment où tous les jours on tire sur les gendarmes et les policiers comme sur des lapins au coin d'un bois, qu'un gouvernement conscient de ses responsabilités propose la suppression de la peine de mort* », Le Monde, 1er novembre 1980.

précédente, le garde des Sceaux déclara : « *Ce n'est pas par le biais misérable d'un amendement budgétaire que l'on se prononce sur un sujet aussi grave*[1]. » La majorité de droite soutint le gouvernement. Les amendements furent rejetés par 252 voix contre 203. Philippe Séguin refusa de voter les crédits du ministère de la Justice « *par acte de protestation, de rappel et de témoignage auprès du ministre de la Justice*[2] ». Le rituel parlementaire avait été respecté.

Ainsi, en cette fin d'année 1980, la situation était claire. L'abolition de la peine de mort, en France, dépendait de l'élection de François Mitterrand.

---

1. *Le Matin,* 7 novembre 1980.
2. *Le Quotidien de Paris, id.*

QUATRIÈME PARTIE

L'abolition

CHAPITRE PREMIER

L'élection de François Mitterrand

Un hiver de campagne

En ces premières semaines de 1981, sondages et augures annonçaient la réélection du Président sortant plutôt que la victoire de François Mitterrand, qualifié par ses adversaires, avec un brin de condescendance, d'« éternel perdant », de « Poulidor de la politique ». Il en souriait, rappelant que Poulidor était le coureur cycliste le plus aimé des Français.

Aimaient-ils autant François Mitterrand ? À le suivre dans les réunions publiques où il soulevait l'enthousiasme, on pouvait le croire. À écouter les propos dans le monde politique, on était conduit à en douter. En revanche, ce qui apparaissait de plus en plus nettement à mesure que la campagne s'avançait, c'était le sentiment de rejet que suscitait Valéry Giscard d'Estaing. Le Président qui aimait tant séduire n'y parvenait plus. Le charme était mort. Comme dans un couple qui se dégrade, son style, ses propos, sa voix même devenaient insupportables à une fraction de plus en plus large du public. Aussi le candidat de la gauche gagnait-il du terrain moins par les vertus de son programme que par l'usure de son adversaire et les divisions de la droite, au pouvoir depuis vingt-trois ans.

Je m'impliquai profondément dans cette campagne électorale. Dans le domaine auquel je me consacrais, celui de la justice et des libertés, la situation appelait, à mes yeux, des changements radicaux, une transformation totale. Ce n'était pas seulement l'exploitation démagogique de l'insécurité qui m'exaspérait. J'étais convaincu que la voie choisie par le gouvernement, celle de la loi « Sécurité et Liberté », ne pouvait mener qu'à une impasse. Nos prisons regorgeaient, elles étaient l'école du crime, le foyer de la récidive. Et voici qu'on renforçait encore le recours à l'incarcération. Seule une politique vigoureuse de prévention pouvait réduire la délinquance en s'attaquant à ses causes. Encore fallait-il prendre en compte sa complexité. Elle n'était pas la même dans telle petite ville de province et dans une métropole régionale. L'action de prévention devait être diversifiée, le diagnostic et le traitement social des causes de la délinquance conduits en fonction des réalités locales. Les premières instances à qui confier cette action de prévention de la délinquance devaient être les municipalités, appuyées par les services de l'État, notamment police et justice[1].

Aussi impérative, à mes yeux, était la nécessité d'en finir avec des institutions ou des lois indignes de notre pays. J'ai toujours considéré que ce qui fait la grandeur

---

1. Ce fut cette conception-là qui inspira la création à l'automne 1981 de la commission présidée par Gilbert Bonnemaison, député-maire d'Épinay, et la naissance des comités locaux de prévention de la délinquance, institutions qui furent adoptées ensuite dans de nombreux États.

de la France, ce n'est pas le souvenir de ses victoires, la force de son économie, ni même l'éclat de sa culture. Si tant de femmes et d'hommes de par le monde vouent à la France un attachement particulier, c'est pour le rôle qu'elle a joué dans l'Histoire au service des libertés et des droits de l'homme. Or, en 1981, nous étions affligés d'institutions qui se révélaient incompatibles avec les libertés dont nous nous proclamons si volontiers les champions. Il existait une Cour de sûreté de l'État créée en 1962, au temps troublé de la lutte contre l'OAS. Cette juridiction d'exception, composée de magistrats et d'officiers supérieurs, jugeait des accusés civils pour atteinte à la sûreté intérieure de l'État. Pareille cour évoquait plutôt les juntes d'Amérique centrale ou du Sud que la justice des États de droit. Dans notre Code pénal figurait une loi dite « anticasseurs », votée en 1971 dans la hantise de Mai 68, qui rendait pénalement et civilement responsables, devant les tribunaux correctionnels, les participants à une manifestation pour des actes de violence commis, non par eux-mêmes, mais par des provocateurs ou des casseurs infiltrés dans leurs rangs. Héritage d'un lointain passé, les tribunaux militaires jugeaient en temps de paix des appelés du contingent. Ces juridictions militaires avaient laissé dans l'histoire judiciaire de bien mauvais souvenirs. L'heure était venue d'y mettre un terme.

Surtout, il fallait ouvrir enfin aux justiciables français l'accès à la Cour européenne des droits de l'homme siégeant à Strasbourg, qui leur était encore interdit. La France avait été l'un des pays inspirateurs de la Convention européenne de sauvegarde des droits de l'homme et des libertés fondamentales, ainsi que de la création de la Commission et de la Cour européennes des droits de l'homme. Les épreuves de la décolonisation, les excès de la guerre d'Algérie avaient amené les gouvernements français successifs à différer la ratification de la Convention. Lorsque, en 1974, après l'élection du président Giscard d'Estaing, la Convention avait enfin été ratifiée, des réserves avaient été formulées par le gouvernement, interdisant aux citoyens français d'exercer à titre individuel un recours devant la Commission et la Cour européenne des droits de l'homme lorsqu'ils considéraient que leurs libertés et droits fondamentaux avaient été violés par les autorités françaises. Rien, sauf la frilosité des administrations et la pesanteur du dogme de la souveraineté nationale, n'expliquait pareille carence. De la part d'un président de la République et d'un gouvernement qui se proclamaient libéraux et européens, cette dérobade était injustifiable. Pour ma part, j'étais convaincu que le contrôle exercé par la Cour européenne des droits de l'homme contraindrait la France à modifier sa législation et ses pratiques judiciaires ou administratives. De ce levier international nous avions besoin pour faire progresser plus vite notre justice dans la voie d'un État de droit moderne, plus respectueux des libertés fondamentales.

À mes yeux, il s'agissait là d'une avancée presque aussi importante que l'abolition de la peine de mort. Les deux mesures se rejoignaient dans une même perspective européenne. La France, seule parmi les grands États membres du Conseil de l'Europe, interdisait à ses citoyens de saisir la Cour européenne des droits de l'homme de Strasbourg. La France, seule au sein de l'Europe occidentale, conservait la peine de mort. Sur proposition de Roger-Gérard Schwarzenberg, la Commission juridique du Parlement européen venait de déposer un projet de résolution demandant à tous les États de la Communauté européenne – c'est-à-dire, en fait, à la France – d'abolir la peine de mort. Il était certain que cette résolution, approuvée par la Commission politique, serait votée par le Parlement européen composé dans sa très grande majorité d'abolitionnistes.

Le déferlement

Tandis que je rêvais à l'avenir, l'actualité judiciaire ne cessait de s'assombrir. Le 25 janvier 1981, aux assises de Saône-et-Loire, deux hommes, Rivière et Chara, étaient condamnés à mort pour l'agression et le meurtre d'un pompiste. Un seul, un récidiviste, avait tiré. L'autre était poursuivi comme complice. L'avocat général avait requis pour lui la réclusion criminelle à perpétuité. Comme à Troyes pour Buffet et Bontems, le jury n'avait pas fait de différence entre les deux accusés.

Le 25 février, la cour d'assises de Créteil condamnait à mort Yves Maupetit, auteur d'une série de crimes commis en janvier 1978 dans la région parisienne. Sa compagne et complice avait reconnu avoir elle-même abattu une des victimes. Déclarée coupable, elle obtint le bénéfice des circonstances atténuantes. Seul son sexe pouvait expliquer la distinction faite par la cour d'assises. Cette décision signifiait *de facto* l'abolition de la peine de mort pour les femmes. La dernière exécution d'une femme remontait à 1949. Depuis lors, les condamnées à mort avaient toutes été graciées. La seule réponse à pareille discrimination était l'abolition d'une peine de mort réservée aux hommes.

Depuis trois ans, la Chambre criminelle avait cassé tous les verdicts prononçant la peine capitale. Le 7 mars 1981, elle annulait encore l'arrêt du 18 octobre 1980 de la cour d'assises du Pas-de-Calais condamnant à mort Rivière et Chara. Cependant, à l'audience de la Chambre criminelle, une mise en garde de l'avocat général m'avait inquiété : « *Le hasard*, disait-il dans ses réquisitions, *a voulu que, dans les dernières affaires de cette nature, les moyens invoqués étaient fondés, et vous avez ainsi dû casser plusieurs arrêts de condamnation... Les partisans de l'abolition de la peine de mort en ont profité pour affirmer que la Chambre criminelle était hostile à cette peine, et qu'elle cassait systématiquement les arrêts de condamnation à mort... Je voudrais qu'il soit mis fin à cette véritable campagne d'intoxication... J'affirme solennellement ici que, tant que la peine de mort subsistera, les arrêts de condamnation prononçant cette peine ne seront pas cassés si aucune irrégularité n'est relevée et constatée dans la procédure*[1]. »

Que l'avocat général eût tenu à formuler ces propos, alors même qu'il concluait à la cassation, témoignait à mes yeux d'un nouvel état d'esprit au sein de la haute juridiction. À l'évidence, certains de ses membres s'irritaient qu'on pût penser que la Cour de cassation était, par principe, hostile à la peine de mort. Et pourtant, les faits étaient là : le nombre des cassations, s'agissant de condamnations à mort, était très supérieur à la moyenne

---

1. *Le Monde*, 8-9 mars 1981.

des cassations des autres arrêts de cours d'assises. On avait du mal à croire que les présidents et les greffiers, dans ces procès, étaient moins expérimentés ou moins attentifs que dans les autres affaires criminelles... Ces déclarations, en tout cas, ne paraissaient pas de bon augure.

Douze jours plus tard, le 19 mars 1981, la Cour de cassation, suivant les réquisitions d'un autre avocat général, rejetait le pourvoi de Philippe Maurice. C'était la première fois, depuis plus de trois ans, qu'un verdict de mort n'était pas cassé. Seule demeurait entre la guillotine et Philippe Maurice la grâce présidentielle.

La nouvelle m'atterra. Après sa condamnation, j'avais pris un permis de communiquer avec lui. Je lui avais rendu visite à la prison de Fresnes, au quartier des condamnés à mort. Philippe Maurice m'était apparu intelligent, épris de lecture, étonnamment maître de lui en de telles circonstances. Il n'avait que vingt-quatre ans. Je l'écoutais plus que je ne lui parlais. Lorsque je le faisais, c'était pour lui dire ma confiance dans l'issue du procès à venir. Car j'étais convaincu que la Cour de cassation annulerait l'arrêt. En revenant de Fresnes dans ma voiture, je réfléchissais déjà à la stratégie à adopter, au partage des rôles entre les avocats. Je pensais aussi à sa mère, à la visite qu'elle m'avait rendue avant le procès. C'était le seul procès de cette nature dont je souhaitais la venue rapide, si grand était mon désir, à présent, de le défendre et d'effacer ce que je considérais, en mon for intérieur, comme une dérobade.

Sans doute mes vues optimistes n'avaient-elles pas convaincu Philippe Maurice. Il résolut de tenter l'impossible, c'est-à-dire l'évasion. Pour y parvenir, il lui fallait une arme. Une jeune avocate se laissa convaincre de lui procurer un pistolet. C'est l'horreur de la guillotine qui attendait, pensait-elle, Philippe Maurice et le refus absolu de le laisser exécuter qui amenèrent la jeune femme à commettre cet acte insensé. Quelques jours après la décision de la Cour de cassation, Philippe Maurice mit à exécution son projet. Sa tentative échoua. Un gardien fut grièvement blessé. La jeune avocate fut arrêtée, radiée et sévèrement condamnée. Le désastre était total. Par cette folle entreprise, Philippe Maurice paraissait avoir ruiné ses chances de grâce. Après le rejet de son pourvoi en cassation, seule, pensais-je, l'élection de François Mitterrand pourrait encore le sauver.

La déclaration de Mitterrand

Au début de l'année 1981, un hebdomadaire avait annoncé, en première page et en gros caractères, comme s'il s'agissait d'une révélation : « *Les Français favorables à la peine de mort (63 %)* ». « *Jamais*, écrivait l'éditorialiste, *aucun sondage n'a dégagé pareille majorité en faveur de la peine de mort*[1]. » On était revenu à l'étiage de novembre 1972, au moment de l'exécution de Buffet et Bontems. Sept ans s'étaient écoulés. À six reprises, dans des cours d'assises, j'avais vu le jury refuser de prononcer la mort. Mais, au regard de l'opinion publique, la campagne des abolitionnistes – tant d'articles, de livres, de conférences et d'émissions –

---

1. *Le Journal du Dimanche*, 4 janvier 1981. 31 % des personnes interrogées se déclaraient contre la peine de mort, 6 %, sans opinion.

paraissait vaine. Le résultat était d'autant plus significatif qu'une majorité relative (41 %) admettait que la
criminalité était demeurée « sans changement » dans les
États où la peine de mort avait été abolie. Peu importaient donc tous les arguments religieux, philosophiques,
moraux, judiciaires contre la peine de mort, ce châtiment
« inutile, cruel, dégradant », comme le disait Amnesty
International ? Le vieil homme était toujours présent au
fond de la caverne judiciaire et réclamait son dû. La loi
du talion devait demeurer celle de notre justice.

Nous étions en pleine campagne présidentielle. Tous
les candidats étaient interrogés par les journalistes sur
leur position au sujet de la peine de mort. Qu'Arlette
Laguiller la dénonçât ou que Jean-Marie Le Pen en
prônat l'application sans merci n'intéressait guère.
Seules importaient les déclarations des candidats des
quatre grands partis.

Jacques Chirac se prononça en faveur de l'organisation d'un référendum sur l'abolition : *« Il s'agit d'un
problème de conscience collective d'une nation, sur
lequel il est légitime qu'elle se prononce directement...
Un grand débat national est indispensable*[1]. » Il eût
fallu d'abord modifier la Constitution. Jacques Chirac
proposait de le faire par un premier référendum fondé
sur l'article XI de la Constitution. Depuis le référendum
de 1969 qui avait entraîné le départ du général de
Gaulle, les présidents de la République ne paraissaient
guère enclins à recourir à cette procédure. Interrogé sur
sa position personnelle, Jacques Chirac répondait : *« J'ai*

---

1. *Le Figaro*, 9 mars 1981.

mon avis, bien entendu, mais je ne l'exprimerai pas maintenant. Ce qui est important, c'est le sentiment collectif de la nation. » Le 24 mars, cependant, devant un auditoire de responsables de mouvements de jeunesse, Jacques Chirac déclarait : « *Moi, je voterais contre la peine de mort pour les mêmes raisons qui m'ont conduit à voter contre la reconduction de la loi sur l'interruption volontaire de grossesse.* » Mais il ajoutait : « *Je ne ferai rien pour influencer l'opinion, de quelque façon que ce soit, lors du référendum que je propose d'organiser... Je me rallierai dans ce domaine à l'opinion de la personne France*[1]. »

Georges Marchais rappela, le 11 mars, devant la presse parlementaire, la position du parti communiste : « *Il faut abolir la peine de mort et mettre hors d'état de nuire les criminels les plus dangereux.* » Il réaffirmait son hostilité personnelle à la peine de mort. Il restait cependant plus évasif sur les modalités de l'abolition : « *Dans un délai raisonnable et dans un climat un peu plus digne que celui que nous connaissons aujourd'hui, ce problème devrait être discuté à l'Assemblée nationale*[2]. »

L'essentiel demeurait les positions que prendraient les deux candidats entre lesquels se jouait réellement l'élection. À la télévision, lors de la grande émission politique « Cartes sur table » animée par Alain Duhamel et Jean-Pierre Elkabbach, le 10 mars, le président Giscard

---

1. *Le Monde*, 26 mars 1981. La loi Veil de 1974 sur l'interruption volontaire de grossesse n'avait été votée que pour une période de cinq années. Elle fut reconduite sans limitation de durée en 1979.

2. *Ibid.*

d'Estaing déclara : « *La peine de mort a été appliquée du temps de ma présidence et je considère qu'à l'heure actuelle le gouvernement ne doit pas proposer au Parlement l'abolition de la peine de mort. J'estime qu'un tel changement ne peut intervenir que dans une société apaisée... et, aussi longtemps que cet apaisement ne sera pas ressenti par le corps social français, ce serait aller contre la sensibilité profonde du peuple français, et j'estime qu'on n'a pas le droit d'aller contre la sensibilité profonde d'un peuple qu'on représente et qu'on gouverne*[1]. » Dans le climat d'insécurité régnant, l'abolition serait donc renvoyée *sine die* si Valéry Giscard d'Estaing était réélu.

François Mitterrand devait intervenir dans le cadre de la même émission, la semaine suivante. J'étais convaincu que les deux journalistes, dont je connaissais les sentiments abolitionnistes, l'interrogeraient à son tour sur la peine de mort. Je le lui dis sans qu'il parût y attacher de l'importance. Dévoré d'inquiétude, le matin de l'émission, je l'appelai tôt, chez lui. J'énonçai en hâte quelques arguments qu'il connaissait déjà. Je sentis une pointe d'agacement dans sa voix. Il était pressé. Je lui dis que je lui ferais porter, le matin même, une brève note sur l'état de la question en France et en Europe. « Si vous voulez », répondit-il avec sa courtoisie habituelle. En langage mitterrandien, cela signifiait : « C'est inutile. » Je n'en rédigeai pas moins un court rappel des déclarations des Églises, des organisations de défense des droits de l'homme, du Parlement

---

1. *Le Figaro*, 20 mars 1981.

européen, du Conseil de l'Europe. Je citai les grands abolitionnistes : Hugo, Jaurès, Camus. À midi, je déposai la note rue de Bièvre. Il y régnait une ambiance fébrile. D'ordinaire, j'accompagnais François Mitterrand au studio avec d'autres proches. Je décidai de regarder ce soir-là sa prestation chez moi.

Lorsque la question sur la peine de mort lui fut posée, je le vis ciller presque imperceptiblement, pendant une brève fraction de seconde. Je frémis. Mais déjà il se lançait. Il se déclara sans détours ni précautions oratoires pour l'abolition : « *Dans ma conscience, dans la foi de ma conscience, je suis contre la peine de mort.* » Puis il ajouta : « *Et je n'ai pas besoin de lire les sondages qui disent le contraire : une opinion majoritaire est pour la peine de mort. Eh bien moi, je suis candidat à la présidence de la République... Je dis ce que je pense, ce à quoi je crois, ce à quoi se rattachent mes adhésions spirituelles, ma croyance, mon souci de la civilisation. Je ne suis pas favorable à la peine de mort*[1]*...* »

J'exultai. Tout était dit. Tout était clair. Si François Mitterrand était élu, l'abolition était certaine. Certes, il faudrait une loi, donc une majorité parlementaire prête à voter l'abolition. Mais j'étais convaincu que la dissolution de l'Assemblée nationale suivrait l'élection de Mitterrand. Et la nouvelle Assemblée, élue quelques semaines après l'élection présidentielle, ne pourrait avoir qu'une majorité de gauche, peut-être faible, pensais-je, mais suffisante pour en finir avec la peine capitale.

---

1. *Ibid. Cf.* François Mitterrand, *Politique 2, 1977-1981*, Fayard, 1981, p. 255.

Comme ami, je ressentais une vive satisfaction. Depuis longtemps j'entendais dire que François Mitterrand était le plus rusé, le plus calculateur, le plus machiavélique des hommes politiques. Eh bien, s'agissant d'un choix moral essentiel, il avait pris le parti le plus courageux, la position la moins électoraliste : il avait proclamé, haut et clair, le choix de sa conscience contre son intérêt immédiat. Certains analystes virent dans cette fière déclaration de François Mitterrand l'occasion, pour lui, d'affirmer sa qualité d'homme de conviction et de dissiper ainsi la défiance que sa personnalité complexe suscitait. Pour ma part, j'étais convaincu qu'à cet instant il avait arraché sa cotte de mailles politique, faite de virtuosité tactique et de maîtrise du langage. Il avait dit sa vérité, et advienne que pourra ! Loin de lui nuire, sa franchise le servit dans l'opinion. Elle scellait le destin de la peine de mort si Mitterrand l'emportait.

La question de la grâce

Dès le rejet par la Cour de cassation du pourvoi de Philippe Maurice, le 19 mars 1981, supputations et inquiétudes s'étaient fait jour : le président de la République pouvait-il décider, en pleine campagne électorale, alors qu'il était lui-même candidat à sa succession, de la grâce ou de l'exécution d'un condamné à mort ? Avant la décision de la Cour de cassation, il avait tenu un propos énigmatique. Au sujet du droit de grâce, il avait déclaré le 10 mars : « *Je remplirai mon mandat jusqu'au bout. Et si j'ai des décisions à prendre, elles seront prises.* » Sitôt l'arrêt de la Cour de cassation rendu, l'Association contre la peine de mort avait lancé, à l'initiative de Georgie Vienney, une pétition demandant au président de la République de « *suspendre toute décision envers les condamnés à mort des prisons de France jusqu'au lendemain des élections* ». De nombreuses personnalités avaient signé cette pétition[1]. Déjà, lors du sondage de janvier sur la peine de mort, une légère majorité de Français (47 % contre 45 %) considérait qu'aucune exécution ne devrait intervenir avant que le Parlement ne se fût « *très prochainement prononcé sur la peine capitale[2]* ».

J'étais convaincu que le président de la République s'abstiendrait jusqu'à l'élection. Pour des raisons morales : il n'était pas concevable de faire exécuter un homme à quelques semaines d'un scrutin qui pouvait décider indirectement de son sort. Pour des raisons politiques : une exécution ou une grâce serait apparue comme un geste inspiré par des considérations électorales. Pour des raisons pratiques : le recours en grâce suivait un long parcours administratif ; il était soumis pour avis à diverses instances au sein du ministère de la Justice, au garde des Sceaux puis au Conseil supérieur de la magistrature ; enfin le Président devait étudier le dossier, recevoir les avocats avant de se prononcer. Il était impossible que dans l'agitation d'une campagne électorale le Président-candidat ait le temps d'arrêter sa décision.

Le 25 mars, pour mettre un terme aux rumeurs, Valéry Giscard d'Estaing fit savoir qu'aucun condamné

---

1. *Le Monde*, 19 mars 1981.
2. *Le Monde*, 6 janvier 1981.

à mort ne serait exécuté pendant la campagne électorale. Le sort de Philippe Maurice était ainsi suspendu jusqu'à l'élection. Jamais détenu ne suivit avec plus d'intensité une campagne électorale. À chacune de mes visites, il m'interrogeait. Je n'avais aucune peine à lui exprimer ma conviction : « Mitterrand sera élu et vous serez gracié. » J'ajoutai même un jour : « Même si Giscard d'Estaing l'emporte vous serez gracié, parce que telle est la tradition pour le nouveau Président élu, s'agissant des condamnés à mort. » Il accueillit cette phrase avec un demi-sourire. Je ne me hasardai pas plus avant.

Les derniers jours

En ces ultimes semaines de campagne, je m'étais mis en congé professionnel. À peine passais-je à mon cabinet quelques brefs moments pour répondre à des lettres et m'entretenir avec mes associés. Tôt le matin, je traversais le jardin du Luxembourg et gagnais l'appartement de Laurent Fabius. Autour de la table du petit déjeuner, je retrouvais quelques amis, une toute petite équipe de fidèles qui préparaient les prestations télévisuelles du candidat Mitterrand. Il y avait là des écrivains, Paul Guimard et Régis Debray, le metteur en scène Serge Moati qui réalisait les émissions de télévision, Charles Salzmann, spécialiste des sondages. Jacques Attali, très affairé, faisait des apparitions. Laurent Fabius, qui dirigeait le cabinet de François Mitterrand, faisait, sans concession à l'optimisme, le point sur la campagne. Françoise Castro, son épouse, proposait des thèmes nouveaux et des présentations inédites ; son imagination était inépuisable, comme sa gaieté. Nous nous mettions au

travail, chacun préparant dans son coin notes ou interventions pour le candidat. Tel qu'il était, nous savions
que de ces textes préparés il ne subsisterait rien ou bien
peu, dans l'improvisation à laquelle, comme de
coutume, il s'abandonnerait. Nous n'en étions pas moins
attentifs et laborieux, ciselant avec soin des phrases qui
ne seraient jamais prononcées. Nous remettions les feuillets à Marie-Claire, l'inamovible secrétaire de François
Mitterrand, à son intention. Comme nous ne conservions
pas de doubles, autant en a emporté le vent...

Vers la fin de la matinée, nous nous séparions.
Chacun vaquait à sa tâche. Délégué du candidat auprès
de la commission de contrôle de la campagne audiovi-
suelle, je courais du Palais-Royal, où elle siégeait, à la
Maison de la Radio et aux studios d'enregistrement. Des
litiges naissaient sur les temps de parole dans les émissions, sur l'utilisation du journal télévisé par le gouvernement. Je retrouvais là les disputes que j'avais connues
en 1974. Rien de cela n'était grave ni important. Mais
la tension régnait dans les états-majors des candidats, si
grand était l'enjeu et incertain le résultat.

De ces jours fiévreux demeure un sentiment très vif :
celui de l'amitié qui régnait au sein de la petite équipe
réunie autour de Mitterrand. Comme j'avais reçu délé-
gation de pouvoir pour autoriser la diffusion des enre-
gistrements, je l'accompagnais à toutes les émissions. Je
veillais à arriver en avance chez lui, sachant que je le
trouverais encore en train de corriger un texte déjà dix
fois relu et raturé. Il lisait une phrase, en me regardant
par-dessus ses lunettes. Je suggérais une modification
qu'il retenait pour, ensuite, lui en substituer une autre.
L'inquiétude me prenait à mesure que le temps s'écou-
lait. Le studio officiel était réservé, pour chaque

candidat, à une heure précise. Aucun changement, aucun retard n'était possible. À mes rappels, à mes objurgations il répondait à peine, continuant à raturer son texte. Enfin il s'arrachait à son fauteuil, nous dévalions l'escalier étroit, c'était une ruée vers la voiture, une conduite folle à travers les rues encombrées. J'enrageais, mais n'en laissais rien paraître. Je lui rapportais quelque anecdote de la campagne. Tout propos sérieux était banni. Enfin nous arrivions. Officiels et techniciens attendaient dans un visible état d'énervement. Il disparaissait avec eux tandis que je gagnais le studio d'enregistrement. Nous repartions ensuite. Jamais il ne commentait l'émission. Sa pensée était déjà tendue vers l'étape suivante. Parfois il se faisait déposer à l'angle d'une rue, sur la rive gauche. Parfois nous allions déjeuner et d'autres amis nous retrouvaient. Ces moments-là étaient joyeux. Chacun, à son exemple, s'appliquait à ne rien laisser paraître de la tension qui croissait à mesure que les jours s'écoulaient. Une seule ombre : le fidèle Georges Dayan était mort en 1979, et son humour nous manquait en ces heures-là. Mais si je devais, au jeu des couleurs, marquer cette campagne, je dirais : rose, comme l'aurore et le symbole du candidat, pour traduire la gaieté qui régnait alors parmi nous.

La victoire

Tout était dit. Le face-à-face entre les deux candidats du deuxième tour avait eu lieu le vendredi qui suivait le premier. Ses règles avaient été plus difficiles encore à arrêter qu'en 1974, tant la méfiance régnait. Match nul, pensai-je en quittant Mitterrand après l'émission. Et c'était bien ainsi, puisque mille signes et quelques sondages officieux laissaient présager la victoire.

Le dimanche du second tour, il avait été convenu que notre petite équipe se retrouverait chez nous à l'heure des résultats. Vers dix-neuf heures, j'étais dans la cuisine, avec Régis Debray, occupé à peler des pommes de terre pour une grande salade composée. Notre application silencieuse ne témoignait pas seulement de nos vertus domestiques. Nous attendions, comme des étudiants le résultat d'un examen, les dernières estimations que l'on devait me téléphoner depuis un institut de sondage. La sonnerie résonna. C'était la voix de Charles Salzmann. Il donna les chiffres d'une voix triomphante. La marge était trop grande entre les deux candidats pour laisser place au doute. François Mitterrand était élu. Régis et moi nous embrassâmes. Nous étions si heureux ! Déjà Élisabeth accourait, les amis arrivaient, tous exultaient. Je descendis chercher les bouteilles de champagne que, par superstition, j'avais laissées à la cave.

Le téléviseur était ouvert, les résultats officiels tombaient, ils ne nous apprenaient rien, mais, à entendre ainsi répéter la nouvelle, notre joie croissait encore. François Mitterrand avait promis de passer à son retour de Château-Chinon. Un ami l'excusa. C'était normal. Il avait bien autre chose à faire, le nouveau Président ! Certains d'entre nous décidèrent de se rendre au siège du PS, rue de Solférino, où il était attendu dans la nuit. Je préférai aller danser à la Bastille avec ma fille Judith. Il y avait là une foule immense, des ovations, de la musique. Mitterrand était président de la République, la gauche l'emportait. C'était la fête !

Le lendemain matin, je me levai de bonne heure. J'allai à Fresnes, à la maison d'arrêt, au quartier des condamnés à mort. Le gardien me félicita comme si c'était moi qui avais remporté l'élection. Je demandai à voir Philippe Maurice.

Je lui parlai longuement. Je lui dis que sa vie était sauvée, qu'il serait gracié, que c'était la fin de la peine de mort. De ce fait, il symboliserait l'abolition. Il était jeune, intelligent et avide de connaissances. Même en prison, l'esprit trouve encore des espaces de liberté. Il ne tenait qu'à lui, à présent, de gagner ces domaines-là. C'était une voie très difficile, mais la seule qui le ramènerait un jour dans la société des hommes libres. Je lui répétai qu'il n'y avait pas d'autre chemin. Je lui rappelai sa désastreuse tentative d'évasion, le gardien qu'il avait blessé. S'il se laissait aller à recommencer, non seulement il échouerait à coup sûr mais il perdrait à tout jamais l'espoir d'être libéré. Et, parce qu'il incarnait l'abolition, il la discréditerait dans l'esprit du public. Il pouvait prendre le long chemin qui s'ouvrait à lui, celui des études, recouvrer ainsi la fierté et, un jour, la liberté. Tout dépendait de lui. À ce stade, il était encore maître, dans sa prison, de son destin.

Il m'écouta avec une attention intense. Quand j'eus terminé, il me remercia, m'assura que je pouvais lui faire confiance. Je me levai et lui souhaitai bonne chance et bon courage. Nous nous serrâmes la main, je le regardai quitter le parloir au côté du gardien. Je regagnai Paris, pensif. J'avais vu l'abolition[1].

---

1. Philippe Maurice reprit le cours de ses études. Ayant surmonté bien des obstacles, il est aujourd'hui docteur ès lettres, auteur d'une thèse remarquable. Il a bénéficié en décembre 1999 d'une mesure de libération conditionnelle.

Rue de Bièvre

Un singulier interrègne s'établit pour quelques jours. Valéry Giscard d'Estaing ne paraissait pas pressé de quitter l'Élysée, ni François Mitterrand d'y entrer. Ma vie professionnelle avait repris son cours. L'élection avait eu sur elle une incidence immédiate : sans attendre, j'avais renvoyé leurs dossiers à plusieurs accusés. Je n'avais accepté de les défendre que parce que la guillotine les menaçait. Ce risque avait désormais disparu. Et tous avaient d'autres avocats que moi. La longue marche s'achevait. Il ne restait plus qu'une étape : l'abolition elle-même.

Quelques jours s'étaient écoulés lorsque ma secrétaire me passa un appel téléphonique : « C'est le président de la République », murmura-t-elle, tout émue. C'était bien la voix familière aux intonations modulées, volontiers ironiques. « Alors, que devenez-vous, vous ne donnez plus de vos nouvelles ? » Je lui donnai du « Monsieur le Président de la République » où perçait, sous la déférence protocolaire, l'amitié du vieux compagnon. Nous échangeâmes quelques propos sans importance. J'avançai le projet d'une soirée au théâtre. Il acquiesça, puis ajouta en changeant de ton : « Je souhaiterais vous voir. Je vous attends jeudi à déjeuner, rue de Bièvre, si cela vous convient. » La formule était courtoise. Il n'était évidemment pas question de se dérober à l'invitation.

Le téléphone raccroché, je demeurai songeur. Lorsque les journalistes jouaient à composer le prochain gouvernement, mon nom était parfois évoqué. Mais jamais, au long des années, même au cours des derniers mois, François Mitterrand n'avait fait la moindre allusion à ce sujet. Quand on m'interrogeait, j'éludais la question avec d'autant plus d'aisance que je n'avais pas la réponse. Entrer au gouvernement, quelle perspective et quelle tentation pour le fils du fourreur juif immigré, pour le collaborateur d'Henry Torrès qui, toute sa vie, avait caressé cette ambition, si forte chez les avocats au temps de la République parlementaire ! Mais j'aimais passionnément mon métier, il m'avait à tous égards comblé. Et enseigner le droit à un auditoire d'étudiants m'était un plaisir toujours renouvelé. Devenir ministre me paraissait lourd d'incertitudes, d'épreuves. Je n'avais aucune expérience du Parlement, de la vie publique, et peu de dispositions pour le jeu politique. Surtout, j'avais trop connu de ces anciens ministres que la fortune politique avait quittés et qui traînaient, comme une frustration permanente, le regret du pouvoir évanoui. Ainsi balançais-je entre la tentation ministérielle et la continuité professionnelle, sans m'y attarder, car je pensais que le choix ne me serait jamais offert. Or voilà qu'il allait sans doute m'être proposé et qu'il faudrait me décider sans attendre.

Pour me rendre rue de Bièvre ce jour-là, je garai ma voiture sous le parvis de Notre-Dame et marchai un moment le long des quais. Peut-être François Mitterrand voulait-il me parler d'un autre sujet, d'un problème constitutionnel ?

Rue de Bièvre, des barrières interdisaient l'accès de chaque côté de l'immeuble. Un petit groupe de sympathisants et de touristes s'était rassemblé. Je me frayai un chemin, déclinai mon identité aux policiers et gagnai la petite cour plantée d'arbustes. À l'intérieur de la demeure, Danielle Mitterrand et quelques amis, dont Jean Daniel et Michel Crépeau, étaient réunis. Mitterrand arriva. Il paraissait détendu. Après le déjeuner, qui fut animé, le Président élu me demanda de l'attendre : il voulait s'entretenir avec Crépeau. Je gagnai la cour et m'assis au soleil. C'était un bel après-midi de printemps, à Paris. Au bout d'un moment, Michel Crépeau sortit de la maison, l'air préoccupé. Je pensai qu'il n'avait sans doute pas obtenu les satisfactions espérées. Mitterrand parut à son tour et Crépeau prit congé.

Nous étions seuls, assis côte à côte. Il y eut un moment de silence. Il me posa la question attendue : « Est-ce que vous voulez entrer au gouvernement ? » Je lui répondis : « Vous savez bien, Monsieur le Président, que je ne m'intéresse qu'à la justice. » La réplique jaillit, immédiate : « J'ai déjà choisi Maurice Faure comme garde des Sceaux. » Je le félicitai de ce choix et lui dis : « Alors, n'en parlons plus. » Nous échangeâmes encore quelques propos. Il partit promptement. La foule l'applaudit. Je m'en fus de mon côté.

J'étais à la fois frustré et soulagé. Par discrétion, jamais je n'ai demandé à François Mitterrand quel portefeuille ministériel il me destinait. La Jeunesse et les Sports, peut-être... Il se moquait toujours de mes passions sportives.

Les élections législatives

J'avais rencontré à plusieurs reprises Maurice Faure. Ami de longue date de François Mitterrand, sa réputation d'orateur était grande. Européen convaincu, il avait été, sous la IVe République, le négociateur habile du traité de Rome. Homme de culture, de plaisir aussi, il incarnait à merveille les charmes et les défauts plaisants que l'on prête à la gauche radicale du Sud-Ouest. À cette aurore d'une alternance qui suscitait autant d'inquiétudes que d'espérances, sa nomination au ministère de la Justice paraissait un choix excellent, car sa présence à ce poste sensible ne pouvait que rassurer les esprits.

Mais, dans le domaine de la justice, précisément, l'heure était aux affrontements, non à l'apaisement. Ce ministère, jadis havre paisible pour grands politiques en quête de repos, était devenu, depuis une dizaine d'années, le champ clos des passions. Les heurts étaient vifs, au sein de la magistrature, entre le Syndicat de la magistrature, fortement ancré à gauche, l'Union syndicale des magistrats, qui se déclarait apolitique, et les tenants d'une politique judiciaire résolument conservatrice. À l'intérieur du monde judiciaire, les passions soulevées par la loi « Sécurité et Liberté » n'étaient pas apaisées. Jamais, dans les médias, les problèmes de justice n'avaient suscité autant de débats et d'intérêt. La droite dénonçait le « laxisme » de la gauche, qui en retour flétrissait l'idéologie « sécuritaire » de la droite. La Chancellerie était devenue un foyer de hautes tensions.

S'ajoutait à ces tumultes la question de l'abolition. On pouvait penser que l'élection du nouveau Président, adversaire déclaré de la peine de mort, allait influencer les verdicts. Ce fut le contraire qui se produisit. Le 21 mai, le jour même où François Mitterrand entrait à l'Élysée, la cour d'assises d'Aix-en-Provence prononça une condamnation à mort. Le lendemain, deux autres furent rendues, l'une par la cour d'assises du Pas-de-Calais, l'autre par celle des Ardennes. Cela faisait huit condamnés à mort dans les prisons françaises.

Dans cette avalanche de condamnations certains voyaient l'affirmation, par les jurys populaires, de leur attachement à la peine de mort. J'y décelais une autre cause : les jurés savaient que tout condamné à mort serait gracié par le président Mitterrand. Leur verdict n'avait plus qu'une portée symbolique, comme en Belgique où la peine de mort demeurait dans la loi mais où les condamnés étaient toujours graciés. Plutôt que de condamner à perpétuité des criminels odieux, juges et jurés préféraient prononcer la sanction suprême – devenue théorique – de l'arsenal pénal : la peine capitale. Ainsi, paradoxalement, l'abolition de fait ne pouvait que multiplier les condamnations à mort.

Pour affirmer sa détermination, François Mitterrand agit aussitôt. Le 25 mai, il recevait les avocats de Philippe Maurice. Une demi-heure après l'entretien, un communiqué de l'Élysée annonçait sa grâce. L'engagement avait été tenu. Mais sept nouveaux condamnés attendaient dans leur cellule que la Cour de cassation se prononçât sur leurs pourvois. Et combien de condamnations à la peine capitale surviendraient encore dans les mois à venir ? L'abolition, seule, mettrait un terme à cette situation absurde où sentences de mort et grâces présidentielles se succéderaient.

Le 26 mai 1981, Maurice Faure déclara : « *Le Président ne peut pas être une machine à gracier*[1]. » Le 18 juin, l'Assemblée européenne vota, à une large majorité (143 voix contre 30 et 3 abstentions) une résolution

---

1. *Le Figaro*, 27 mai 1981.

demandant que la peine de mort fût abolie dans l'ensemble de la Communauté. Parmi les députés français à l'Assemblée européenne, outre les représentants des partis de gauche, certains membres de l'ancienne majorité de droite avaient voté la résolution. Celle-ci ne s'adressait en fait qu'à la France, seul pays de la Communauté à appliquer encore la peine de mort. Le rapporteur du projet, Marie-Claude Vayssade, avait précisé : « *La peine de mort n'est pas une pratique qui doit disparaître uniquement par désuétude. Il faut qu'elle disparaisse en droit*[1]. »

Le président de la République avait dissous l'Assemblée nationale le 23 mai. On était en pleine campagne électorale. Après la victoire de François Mitterrand à l'élection présidentielle, on attendait un succès de la gauche aux législatives. On assista à l'effondrement de la droite et à un triomphe des socialistes. Le 21 juin, au soir du deuxième tour, ils détenaient à eux seuls la majorité absolue à l'Assemblée nationale. C'était la grande « marée rose ». Pour la première fois depuis l'avènement de la Ve République en 1958, l'alternance avait pleinement joué. Et, grâce aux institutions qu'il avait si durement critiquées, François Mitterrand détenait la maîtrise du pouvoir.

La voie était désormais ouverte à l'abolition. Comme il est d'usage après chaque élection législative, le Premier ministre, Pierre Mauroy, remit au lendemain du scrutin la démission du gouvernement. Il fut aussitôt

---

1. *Le Monde*, 19 et 20 juin 1981.

reconduit dans ses fonctions. Restait à former le nouveau gouvernement.

L'annonce

Outre l'entrée des communistes au sein du gouvernement, d'autres changements étaient annoncés. Louis Mermaz et Pierre Joxe allaient quitter leurs ministères pour assumer, l'un, la présidence de l'Assemblée nationale, l'autre, celle du groupe socialiste, dorénavant majoritaire. À la Chancellerie, Maurice Faure avait promptement découvert qu'il y avait à attendre, dans ce ministère, plus d'épreuves que de satisfactions. Il aimait trop les plaisirs de la vie pour les sacrifier à un portefeuille ministériel. Il avait donc fait savoir au Président qu'il souhaitait reprendre sa liberté après les élections législatives.

Le deuxième tour eut lieu le dimanche 21 juin. Le mardi suivant, Paul Guimard, qui avait, comme Charles Salzmann et Régis Debray, rejoint l'Élysée comme conseiller du Président, m'appela pour me demander si j'étais prêt à entrer au gouvernement « comme ministre de la Justice », précisa-t-il avec une certaine gaieté dans la voix. Il était hors de question de reculer. « Rien n'est encore décidé, me dit-il, je te rappellerai. » Je vécus les heures qui suivirent dans l'anxiété. Au fond de moi, je redoutais autant de devenir ministre que de ne pas l'être. En fin d'après-midi, la standardiste m'appela : « L'Élysée vous demande, monsieur ! » Je touchai du bois, sans d'ailleurs bien savoir quel était le mauvais sort que je voulais conjurer. Cette fois-ci, c'était Charles Salzmann : « C'est fait, me dit-il, Bérégovoy l'annoncera tout à l'heure. » Il était pressé. Il raccrocha très vite. J'appelai Élisabeth. La ligne était occupée. Je décidai de rentrer aussitôt chez moi. Je quittai mon cabinet sans savoir que c'était pour toujours.

Ce jour-là était l'anniversaire de notre fils aîné, Simon. Nous avions décidé de le célébrer en dînant en famille au restaurant. L'un de mes associés, Bernard Jouanneau, vint m'annoncer la nouvelle de ma nomination, qui venait d'être rendue publique. Il exultait. Le directeur du cabinet de Maurice Faure avait appelé au bureau pour que je le joigne au plus vite. Je lui téléphonai aussitôt. Il me félicita et me dit que le plus simple serait que j'assiste au Conseil des ministres du lendemain matin. Nous nous retrouverions dans l'après-midi à la Chancellerie pour la passation des pouvoirs. J'acquiesçai.

Nous rentrâmes à la maison. Les enfants étaient énervés. Moins que moi, à dire vrai. Vers 23 heures, Mitterrand m'appela. La voix était affectueuse : « Alors, Monsieur le garde des Sceaux, vous êtes satisfait ? Élisabeth est contente ? » Je le remerciai chaleureusement. J'étais ému. Il était président de la République et moi, grâce à lui, ministre de la Justice. Il n'y avait plus qu'à abolir la peine de mort.

CHAPITRE II

La loi

À l'Élysée

Cette nuit-là, je dormis mal. Tout était allé si vite ! Hier, tout m'était familier : mon métier d'avocat, ma fonction de professeur. Et voilà qu'à cinquante-trois ans je me retrouvais garde des Sceaux, sans aucune expérience de la vie publique, dans un gouvernement dont on attendait qu'il « changeât la vie ». J'ignorais tout du métier de ministre. Je n'avais jamais, de près ou de loin, participé à un cabinet ministériel. La vie parlementaire, je ne l'avais vue que des tribunes du public, au Palais-Bourbon, en de rares occasions. Je n'avais même jamais exercé de mandat municipal. Ce fut un conscrit qui, ce matin-là, se rendit à son premier Conseil des ministres.

La passation des pouvoirs n'ayant pas eu lieu, je partis au volant de ma voiture vers l'Élysée. Dans l'incertitude où j'étais, je préférai garer mon véhicule dans la cour de l'immeuble où se trouvait notre cabinet, rue du Faubourg-Saint-Honoré. Je gagnai à pied le Palais de l'Élysée, tenant à la main ma serviette de cuir dans laquelle j'avais glissé quelques feuilles de papier blanc. Cette vieille sacoche, don de ma mère, que je traînais partout avec moi depuis dix ans, m'était aussi précieuse, en cet instant, que son objet fétiche pour un enfant. Elle établissait un lien secret, une continuité apaisante entre ma vie d'hier et cette existence nouvelle. C'était bien le même homme qui franchissait la grille de l'Élysée ce matin-là, à 9 heures, la serviette en faisait foi. Seul le cadre avait changé. Hier le Palais de Justice, aujourd'hui le Palais présidentiel.

C'est donc à grandes enjambées que je traversai la cour de l'Élysée pour gagner le perron. Comme je l'avais vu à la télévision, lors des changements ministériels, une nuée de photographes et de journalistes étaient agglutinés de chaque côté du perron. Je compris aussitôt qu'ils n'étaient pas là pour fixer mon arrivée, car je n'étais pas parvenu au haut des marches que tous les objectifs se détournaient pour mitrailler les véritables héros du jour : les quatre nouveaux ministres communistes qui arrivaient en groupe, tels les Beatles. Symboliquement et politiquement, l'événement était considérable. Depuis plus de trente ans, aucun ministre communiste n'avait franchi le seuil de l'Élysée.

Remis ainsi à ma juste place, je gagnai, sous la houlette d'un huissier, la salle du Conseil des ministres. Elle bruissait de conversations. Nombreux étaient ceux que je connaissais et, parmi eux, quelques-uns étaient des amis de longue date. L'accueil fut chaleureux. Les exigences du protocole m'avaient placé entre Michel Jobert, alors ministre d'État en charge du commerce extérieur, et Charles Hernu, ministre de la Défense. Un grand portefeuille marqué « Garde des Sceaux » était posé à ma place. Je l'ouvris avec curiosité. Il ne contenait que des documents dactylographiés : ordre du jour, rapports, communications, propositions de nominations. Ce n'était pas là que je découvrirais les secrets de l'État. La table ovale, recouverte d'un tapis vert, me parut immense. Deux fauteuils dorés, face à face, marquaient en son milieu les places du président de la République et du Premier ministre. Un peu en retrait, dans un angle, à une table séparée, se trouvaient le secrétaire général de l'Élysée, Pierre Bérégovoy, et celui du gouvernement, Marceau-Long. Jacques Attali, devenu conseiller spécial du président de la République, était assis à leur côté. Nous échangeâmes quelques propos amicaux. En ce lieu chargé de symboles et d'histoire, l'atmosphère me parut singulièrement joyeuse. Il est vrai que la gauche venait de remporter une victoire inconcevable six mois plus tôt. Plus que des ministres de la République j'avais le sentiment de retrouver là des compagnons d'études, sinon de vacances.

L'huissier reparut qui annonça d'une voix forte : « Monsieur le Président de la République ». Le silence se fit. François Mitterrand, suivi du Premier ministre, fit le tour de la table, serrant la main de chacun, presque cérémonieusement. Il avait son visage officiel, courtois mais réservé. Arrivé à ma hauteur, il me dit les propos aimables que les circonstances appelaient. Pierre Mauroy fut plus chaleureux, comme à son ordinaire. Le tour achevé, le Président et le Premier ministre gagnèrent leur place. Le Conseil des ministres commença. Pourquoi ne l'avouerais-je pas ? Je n'en revenais pas de me trouver là, dans le saint des saints de la République. Ce n'était pas un sentiment de bonheur qui m'envahissait, mais d'étonnement. J'eus une pensée fugitive pour mon père, Simon, l'enfant du ghetto russe, l'étudiant pauvre qui rêvait de la Révolution et aimait tant la République française. Mais déjà, François Mitterrand prenait la parole.

J'étais assis presque en face de lui. À cet instant, je voyais, j'entendais pour la première fois le président de la République. Une indéfinissable tonalité dans la voix familière marquait, non la froideur mais la distance. Si l'ombre d'un sourire glissait par instants sur le visage très pâle, une tension intérieure l'habitait. Ses propos étaient amènes. Il salua les nouveaux ministres. Au-delà des paroles de courtoisie, il adressa à tous un message dont le sens politique transparaissait. Nous formions, à nous tous, le gouvernement de la France. Nous étions donc responsables de nos actions devant la nation tout entière. Sans doute étions-nous là pour mettre en œuvre le programme de la gauche que les citoyens avaient, par leurs votes, accepté. Mais, au Conseil des ministres, il ne pouvait être question de politique : seulement de l'intérêt national. À plusieurs reprises, le Président souligna l'importance du devoir de secret, s'agissant des délibérations du Conseil. Aucune confidence, fût-ce à nos proches collaborateurs, ne devait être faite sur les propos tenus ou les décisions arrêtées. Et, pour bien marquer combien ce secret devait être absolu, il précisa que nous ne devions pas prendre de notes. S'il nous arrivait d'en écrire pour mieux suivre la discussion, il fallait les déchirer et laisser les morceaux sur la table. Ces recommandations pratiques, au milieu d'un discours d'État, me surprirent quelque peu. Je devais découvrir bien vite que, si les ministres abandonnaient volontiers, sur leur buvard, des fragments de papier déchiré, il s'agissait moins de notes sur les communications de leurs collègues que de billets échangés entre eux pendant le Conseil, selon une coutume inaltérable. Quant au secret des délibérations du Conseil, je devais constater qu'il était très généreusement partagé avec les journalistes. Il est vrai aussi que, comme s'il ne s'y disait rien d'essentiel, la solennelle mise en garde du président de la République avait moins de portée pratique que de valeur symbolique. François Mitterrand avait à un haut degré le souci de la dignité de l'État. Il tenait, par ses propos liminaires, à nous en rappeler l'exigence.

Le Conseil des ministres prit rapidement fin. Le Président nous convia à gagner le perron, côté jardin, pour la photo traditionnelle. Nous prîmes nos places, dans un certain désordre, autour du président de la République et du Premier ministre. À nouveau, ce fut la ruée des photographes, le crépitement des appareils. La formalité dura fort peu. Le Président attendait la visite de personnalités étrangères. Nous partîmes par petits groupes, selon les affinités électives. Dans la cour, le carrousel des voitures ministérielles battait son plein. Je m'en fus à pied comme j'étais venu. Tandis que je remontais la rue du Faubourg-Saint-Honoré, je croisai un ami journaliste qui se rendait au point de presse de l'Élysée. Il parut étonné de me voir ainsi, marchant seul dans la rue, ma serviette à la main, sans gardes du corps. Il s'enquit de mes impressions. Pénétré des avertissements de Mitterrand, je refusai toute confidence. Pareille réserve le fit sourire. Encore jeune dans le métier, devait-il penser en prenant congé.

À la Chancellerie

L'après-midi n'était guère avancé lorsque je gagnai le ministère de la Justice, place Vendôme. Je n'étais pas un familier des lieux, mais je n'y étais pas inconnu. Les gardes républicains, à l'entrée, témoignèrent d'une certaine surprise en voyant arriver le nouveau ministre seul, au volant de sa voiture que je garai, avec leur accord, dans la cour. Maurice Faure, prévenu, m'accueillit dans le vestibule avec cordialité. Il m'entraîna dans son bureau – « le vôtre », précisa-t-il en souriant. La conversation fut brève. Il m'expliqua les motifs de sa décision. Il n'était pas fait pour ce ministère où tout n'était que revendications et récriminations. Il me laissait volontiers la place : « Vous connaissez tout cela, me dit-il, le droit, les prisons, les syndicats de magistrats, les avocats et le reste. » À l'évidence, le monde judiciaire, avec ses passions et aussi ses mesquineries, ne lui seyait pas. « Et puis, comme cela, c'est vous qui abolirez la peine de mort », conclut-il.

Il voulut me montrer les sceaux de la République. J'étais surpris : le ministre de la Justice gardait donc effectivement les sceaux ? Ils étaient dans le coffre du ministre. Malheureusement, ce jour-là, il se révéla impossible à ouvrir... À défaut, Maurice Faure fit venir tous les membres de son cabinet qu'il me présenta en des termes délicats pour chacun. Je devais conserver, à mes côtés, nombre d'entre eux, à commencer par son directeur de cabinet, le président André Braunsweig, magistrat de grande expérience et abolitionniste convaincu. Puis je raccompagnai Maurice Faure à sa voiture. Je le regardai partir et regagnai seul le bureau du ministre.

Je n'étais jamais entré avant ce jour dans cette pièce immense, très haute, avec ses boiseries peintes à la manière du XVIIIe siècle, blanc et or. C'était à l'évidence une bibliothèque qu'on avait aménagée en bureau. Le long du mur, face aux quatre grandes portes-fenêtres donnant sur le jardin, des volumes anciens s'alignaient sur les rayons protégés par de fins grillages. Il faisait étrangement froid dans cette pièce pour un mois de juin, même pluvieux. Je restai un instant pensif à contempler ce décor, ce décorum, plutôt, où il me faudrait désormais travailler, et dont pas un meuble ni un objet ne m'était familier. On avait raison de dire l'« hôtel du ministre », pensai-je avec ironie. Allons, le moment était venu. Je fis le tour du grand bureau qui avait servi, selon la tradition, à Cambacérès. Je m'assis. Le fauteuil était trop bas par rapport au plateau du bureau. C'était très inconfortable.

Déjà l'on frappait à la porte latérale. M. Braunsweig, porteur d'une pile de dossiers, entra, suivi de Marco Darmon, le directeur-adjoint du cabinet, ami de longue date. Nous nous prîmes à rire tous les trois. Quelle aventure, Seigneur, quelle aventure !

À pied d'œuvre

En arrivant à la Chancellerie, je me souvenais du mot de Pierre Mendès France : « On a cent jours pour agir. » Optimiste, je doublai le délai et pensai que l'état de grâce durerait bien jusqu'au terme de l'année 1981. S'agissant de la Justice, les réformes structurelles devaient donc être réalisées sans délai : abolition de la peine de mort, disparition des juridictions d'exception, ouverture aux citoyens français du recours devant la Cour européenne des droits de l'homme, suppression de la loi anticasseurs et du délit d'homosexualité hérité du gouvernement de Vichy.

Il y avait d'autres domaines où il fallait agir sans tarder. Dans les prisons, toujours surpeuplées et misérables, la création des quartiers de haute sécurité (QHS), dont le régime d'isolement était marqué par des rigueurs excessives, avait entraîné des réactions de désespoir parmi les détenus. Mais le premier problème demeurait la surpopulation des maisons d'arrêt où s'entassaient prévenus et condamnés à de courtes peines. La politique judiciaire avait accru encore, dans les derniers mois, l'inflation carcérale. Or les détenus nourrissaient l'espérance d'un changement radical si la gauche venait au pouvoir. Et elle s'y trouvait, à leurs yeux, depuis l'élection de François Mitterrand, le 10 mai 1981. L'attente avivait la tension au sein des prisons, et l'administration pénitentiaire redoutait une explosion comme celle que l'on avait connue en 1974.

Ainsi, en arrivant à la Chancellerie, je ne trouvais qu'impatiences et inquiétudes. Je brûlais d'agir. La petite équipe de femmes et d'hommes que comptait mon cabinet était animée de la même passion. Pour dissiper toute illusion, lors de notre première réunion, je leur annonçai que nous serions bientôt le ministère le plus impopulaire du gouvernement. Je pensais en effet que l'abolition de la peine de mort, priorité absolue à mes yeux, serait ressentie par l'opinion comme un outrage. Mgr Lustiger, avec qui j'entretenais des rapports d'amitié, m'éclaira à ce sujet : « Ne vous illusionnez pas : lorsqu'un crime atroce sera commis, le désir de vengeance, le vœu du talion se lèveront dans l'opinion. Et comme on ne pourra plus mettre à mort le criminel, cette fureur frustrée se tournera contre vous. » Il me serait donné de mesurer l'exactitude de cette analyse.

Dès les premiers jours de juillet, je soumis au Président les grandes lignes de l'action que je comptais entreprendre, y compris celles qui tendaient au renforcement des droits des victimes et à l'amélioration du fonctionnement de la Justice. Il m'écouta avec attention. À propos de la révision constitutionnelle qu'impliquait la réforme du Conseil supérieur de la magistrature, qui figurait parmi les mesures, il me dit simplement : « La majorité du Sénat n'acceptera jamais une révision constitutionnelle que je présenterai. Ne vous illusionnez pas. La droite me hait et elle nous déteste... » J'appréciai la nuance.

Le 10 juillet, je tins ma première conférence de presse. Elle fut trop longue. J'avais tant à dire. En fait, seule l'annonce que l'abolition serait soumise à l'Assemblée dans les meilleurs délais retint l'attention. Qu'importait à l'opinion la disparition de la Cour de sûreté de l'État, de la loi anticasseurs ou des tribunaux militaires : qu'ils méconnussent les libertés ou les droits des justiciables lui était indifférent. De même pour le délit d'homosexualité et la discrimination qu'il symbolisait. Ce que l'opinion publique souhaitait, c'était une justice d'une fermeté et d'une sévérité accrues contre les délinquants. Sans doute les électeurs étaient-ils favorables à la politique de prévention, à la lutte contre les causes sociales de la délinquance. Cette politique-là leur paraissait bienvenue puisqu'elle s'attaquait à des inégalités évidentes. Mais les autres mesures, si importantes pour les libertés, ne paraissaient servir que la cause des délinquants. À qui bénéficieraient-elles, clamait l'opposition, sinon aux casseurs, aux auteurs d'attentats, aux détenus des QHS, aux homosexuels ? Toutes ces réformes que je présentais avec passion apparaissaient au public dénuées d'intérêt, voire contraires à sa préoccupation dominante : la sécurité. Pour la liberté, on verrait plus tard...

Plus encore que l'annonce de ces réformes, la loi d'amnistie et les grâces présidentielles suscitèrent des réactions négatives. Ces mesures de clémence étaient rendues nécessaires par l'engorgement des prisons et la tension croissante qui y régnait. Elles étaient conformes à l'idéal de générosité qui animait, en cet été 1981, le gouvernement et la majorité de gauche. Elles répondaient aussi au tempérament de François Mitterrand, le moins répressif des hommes politiques que j'aie connu. Mais le débat sur « Sécurité et Liberté » avait porté ses fruits dans le public. La gauche avait combattu le projet au nom des libertés. La droite dénonçait les mesures de la gauche au nom de la sécurité. Et, dans le climat régnant, elle était assurée de l'emporter dans les esprits.

Moi-même, tel que j'étais, je favorisais ce genre de campagne. Aux yeux du public, je demeurais l'avocat de Patrick Henry et des criminels les plus odieux. Nul ne savait, hormis mes proches, que mon activité professionnelle était pour l'essentiel celle d'un civiliste. Pendant les huit années qui s'étaient écoulées depuis l'affaire Bontems, en 1972, je n'avais plaidé qu'une douzaine d'affaires aux assises. Mais, par six fois, la peine de mort avait été en jeu. Le retentissement de ces procès avait recouvert tout le reste de mon activité. Rien n'était plus aisé, dès lors, que de dénoncer en moi l'avocat zélé des criminels, et d'expliquer la politique judiciaire que je conduisais par ma formation, voire par mes intérêts professionnels. L'amnistie, c'était mon œuvre, même si elle avait été décidée avant même mon entrée au gouvernement. Les grâces, j'en étais l'inspirateur. Deux mois ne s'étaient pas écoulés que j'apparaissais à une majorité de Français, y compris à gauche, comme l'incarnation du laxisme et le protecteur du crime. C'est dans ce climat-là que je préparai le projet d'abolition.

Le projet de loi

À la mi-juillet, je demandai au président de la République, à la fin du Conseil des ministres, de m'accorder un nouvel entretien. Il m'invita à le rejoindre à la campagne où il se rendait pour le week-end. Je le retrouvai en fin de matinée dans une propriété proche de Paris. Il faisait beau, ce matin de juillet. Grand marcheur, le Président proposa de nous promener dans le parc. Le moment était propice. Je l'entrepris sur la question de l'abolition. Je lui fis part de mes inquiétudes. Jamais, dans les dernières années, les cours d'assises n'avaient prononcé autant de condamnations à la peine capitale qu'au cours des derniers mois. Depuis son élection, quatre verdicts de mort étaient tombés. Magistrats et jurés savaient que, dorénavant, le président de la République gracierait tous les condamnés à mort. Plutôt que de prononcer une peine de réclusion à perpétuité en reconnaissant des circonstances atténuantes à l'accusé, les jurés préféraient le condamner à mort tout en sachant qu'il ne serait pas exécuté. Pareil psychodrame judiciaire, où l'on ne prononçait la peine capitale que parce qu'elle était virtuelle, pouvait devenir politiquement dangereux. Il ne serait que trop aisé, pour les adversaires de l'abolition, d'invoquer ces multiples condamnations comme l'expression de la volonté des jurys de conserver la peine de mort. Les parlementaires se trouveraient placés dans une situation où le vote de l'abolition serait dénoncé comme une forme de mépris des jurés populaires. Il fallait donc impérativement faire voter l'abolition avant la rentrée des cours d'assises, c'est-à-dire avant le mois d'octobre.

Le Président était demeuré attentif tout au long de mes propos. La décision tomba aussitôt : « Il y aura une session extraordinaire du Parlement en septembre. Je demanderai au Premier ministre d'y inscrire l'abolition. » Il ajouta avec un sourire ironique : « Je pense que vous serez prêt pour cette date ? » Je lui répondis sur le même ton : « J'essaierai, Monsieur le Président. » Et nous évoquâmes d'autres sujets.

Un projet de loi, c'est un parcours imposé. Je rédigeai l'avant-projet avec le nouveau directeur des Affaires criminelles, Michel Jéol, juriste émérite. Je voulais un texte aussi simple et concis que possible. J'écrivis avec bonheur l'article premier en haut d'une feuille blanche : « La peine de mort est abolie. » Tout était dit par ces mots.

Je ne voulais pas de réserves pour le temps de guerre, comme le souhaitaient les militaires. À quoi bon ? Si un conflit éclatait un jour et que le gouvernement jugeait nécessaire de rétablir la peine de mort en un temps où le sacrifice et non plus le respect de la vie devient un devoir civique, il serait aisé de l'inscrire dans la législation de guerre. Je ne voulais pas réduire la force symbolique de l'abolition en la limitant au temps de paix.

De même, je refusais de faire figurer dans le projet des dispositions relatives à ce que l'on appelait communément une « peine de substitution ». La peine de mort était un supplice. On ne remplace pas un supplice par un autre, on le supprime purement et simplement. La peine la plus grave prévue dans le Code après la peine de mort était la réclusion criminelle à perpétuité. Dans tous les articles où figurait la peine de mort, elle serait donc remplacée par la réclusion à perpétuité. C'était aussi simple que cela.

Quant à l'échelle des peines et à la question des périodes de sûreté, elles seraient déterminées dans le nouveau Code pénal que j'avais l'ambition de présenter au Parlement en 1983. D'ici là resteraient en vigueur les dispositions votées en 1978 fixant une période de sûreté. Il n'y avait aucune raison, parce qu'on supprimait la peine de mort, d'aggraver le régime des condamnations à perpétuité. En un mot, ce que je voulais, c'était accomplir le vœu formulé par Victor Hugo en 1848 : « *L'abolition doit être pure, simple et définitive.* »

Si, juridiquement, cela avait été possible, le projet n'aurait donc comporté que l'article premier. Mais, techniquement, il fallait tirer, dans le Code pénal, les conséquences de l'abolition. En particulier, il fallait effacer les dispositions relatives au mode d'exécution, et tout spécialement le trop célèbre article : « Tout condamné à mort aura la tête tranchée. »

Trois articles, aussi concis que possible, complétèrent le projet de loi. Promptement saisi, le Conseil d'État ne suggéra aucune modification au texte de l'avant-projet. Je rédigeai moi-même le bref exposé des motifs. Je communiquai le texte au président de la République. Il ne fit aucune observation. Je l'adressai ensuite au Premier ministre, qui l'approuva.

Le projet était prêt. Il ne restait plus qu'à le soumettre au Conseil des ministres et à préparer le débat à l'Assemblée nationale. Je nourrissais quelque inquiétude à ce sujet. Certes, j'avais souvent argumenté en faveur de l'abolition. Mais j'étais préoccupé par la forme. À lire, jeune avocat, les discours des grands orateurs républicains, je m'étais fait de l'éloquence parlementaire une très haute idée. J'interrogeai donc François Mitterrand, grand orateur lui-même et familier de l'hémicycle. Il parut surpris et se borna à me dire : « Défiez-vous seulement de vous-même. Vous êtes un passionné. Ce n'est pas de mise au Parlement. Et, surtout, rappelez-vous toujours que, dans une Assemblée, les parlementaires sont chez eux. Comme ministre, vous êtes leur invité. Ils peuvent vous brocarder, vous attaquer, vous lancer mille flèches. Même transformé en saint Sébastien, ne vous laissez jamais aller à répondre sur le même ton. Votre meilleure arme, c'est l'ironie. On vous pardonnera tout si vous savez faire rire au détriment de votre adversaire. Mais jamais de colère ni de fureur. » Je devais vérifier, par la suite, la sagesse de cette recommandation, précisément parce que je ne m'y suis pas toujours conformé. J'interrogeai aussi un collègue, vieux routier de la vie parlementaire : « C'est très simple, me dit-il, un discours de ministre, c'est un article du *Monde*, en moins sérieux... »

S'agissant de l'abolition, je ne redoutais pas d'improviser à partir de quelques notes. Voilà que m'échéait, par les hasards de la vie, le privilège de soutenir cette grande cause devant ceux qui allaient en décider. J'exultais à cette pensée et sentais vibrer en moi toutes les passions dont se nourrit l'éloquence.

Mes collaborateurs à la Chancellerie me dissuadèrent de tenter pareille aventure. L'heure n'était plus à convaincre des jurés. Seule importait à présent l'opinion publique. C'était à elle qu'il fallait m'adresser, bien au-delà de ceux qui m'écouteraient dans l'hémicycle. Pour y arriver, le concours des médias était nécessaire. Il fallait que mon discours pût être aussitôt diffusé. La politique primait l'éloquence. Je me rendis à ces raisons. Évidemment, j'écrirais moi-même le discours. Il était hors de question de lire le texte d'un autre, aussi brillant fût-il. À l'heure ultime, les paroles que je prononcerais pour l'abolition ne pouvaient être que miennes.

Paul Guimard et sa femme Benoîte Groult nous avaient offert l'hospitalité dans leur demeure proche de Lorient. Ils étaient partis en Irlande. Nous étions seuls, Élisabeth et moi, dans cette petite maison de douanier en granit, accrochée à la falaise dominant un port. Un jardin de curé prolongeait la terrasse. Il éclatait d'hortensias et de roses en ce mois d'août. Les bateaux de plaisance ou de pêche étaient ancrés en contrebas. Je les voyais glisser, à l'heure de la marée, vers l'océan qui se découvrait à l'extrémité de l'anse. Nous étions merveilleusement au calme. C'est là, sur la terrasse, que j'écrivis mon discours ou, du moins, la première version que je devais retoucher, comme à mon ordinaire, presque obsessionnellement, jusqu'au moment de le prononcer. Ce texte ne me coûta ni effort ni angoisse. Les phrases s'alignaient presque spontanément sous la plume. De temps à autre, je levais les yeux vers la mer. Mon regard s'accrochait à une voile qui tressaillait sur le ciel. Tout respirait la douceur de la Bretagne en été. Je souriais et me remettais à l'ouvrage. Le temps de l'abolition était venu.

Au Conseil des ministres

Je rentrai à Paris le 20 août. Le Président nous avait accordé deux semaines de congé. « *Le gouvernement de la République ne prend pas de vacances* », se plaisait-il à dire. Cet été-là lui donnait raison. La fièvre régnait à la Chancellerie. À la préparation du budget, exercice dont je découvrais la complexité, s'ajoutait celle de bien d'autres projets de loi. Les réunions interministérielles se succédaient. Elles me donnaient l'impression d'avoir une prise, même modeste, sur les événements. Sentiment souvent illusoire, mais qui confère à la fonction ministérielle son attrait.

Au premier Conseil des ministres qui suivit mon retour, je présentai le projet de loi sur l'abolition. Mon propos fut bref. Toute pédagogie était inutile. Chacun, autour de la table du Conseil, savait à quoi s'en tenir. Je me bornai à justifier la concision du projet. Il s'agissait d'abolir la peine de mort, non de procéder à la réforme du Code pénal. Celle-ci viendrait plus tard et, à cette occasion, nous examinerions l'échelle des peines en son entier, y compris la question des périodes de sûreté. Le président de la République rappela qu'il s'était prononcé contre la peine de mort pendant la campagne électorale. Il était souhaitable que cet engagement moral fût tenu sans délai.

À la sortie du Conseil, les journalistes m'entourèrent. Pourquoi aller si vite ? Accepterais-je un débat sur la peine de remplacement ? Pourquoi refuser un référendum ? Combien de députés de droite voteraient l'abolition ? Je répondis brièvement. Seul importait l'événement : la peine de mort allait être abolie en France. Comme il est d'usage pour tout ministre qui présente un texte important, je parus le soir même au journal télévisé. Ce fut le même dialogue : oui, il fallait aller vite, par respect pour la justice, car à quoi bon laisser requérir et prononcer une peine de mort vouée à disparaître ? Tout référendum sur la peine de mort était impossible parce que contraire à la Constitution. Non, il n'y aurait pas de peine de « remplacement » : on ne remplace pas un supplice, on le supprime. L'abolition étant affaire de conscience, non de consigne, le scrutin public dirait quels députés, à droite, avaient choisi de la voter. À l'interrogation : pourquoi abolir la peine de mort quand la majorité des Français est pour son maintien ?, il n'y avait qu'une réponse : dans une démocratie, la majorité nouvellement élue doit tenir les engagements qu'elle a pris. À deux reprises, lors de l'élection présidentielle, puis des élections législatives, les candidats de gauche et, en premier lieu, François Mitterrand avaient déclaré qu'en cas de succès la peine de mort serait abolie. Nul ne pouvait leur reprocher de réaliser ce qu'ils avaient si clairement annoncé. Je tenais ces propos avec une conviction que la répétition n'altérait pas.

À la Commission des lois

Raymond Forni, député de Belfort, avait été élu en juillet 1981 président de la Commission des lois. Avocat de talent, il avait compté, dans la précédente Assemblée, parmi les partisans les plus actifs de l'abolition. Il était donc légitime qu'il fût le rapporteur du projet de loi.

Le 10 septembre 1981, la Commission des lois se réunit. Elle comptait en son sein une forte majorité d'abolitionnistes. Aux députés de gauche, militants de l'abolition, tels Gilbert Bonnemaison, Gisèle Halimi, Jean-Pierre Michel, ou le communiste Guy Ducoloné, s'ajoutaient des membres de l'opposition, tels Pierre Bas, Philippe Séguin et Bernard Stasi. Bien que se déclarant prêt à voter l'abolition, Philippe Séguin présenta un amendement visant à instituer, en même temps que serait votée l'abolition, une peine de réclusion à vie. L'amendement fut repoussé. Il était essentiel que le projet de loi fût adopté dans sa concision, tel qu'il avait été présenté. Toute adjonction, à ce stade, aurait réduit sa force symbolique et ouvert la voie à une discussion avec la majorité sénatoriale, que je souhaitais éviter. La Commission adopta donc le projet du gouvernement sans proposer aucune modification.

Je remerciai Raymond Forni, mais nous savions que la discussion reprendrait lors du débat. Pierre Bas et quatre autres députés abolitionnistes de droite avaient en effet déposé deux propositions de loi dès le 2 juillet 1981, l'une pour supprimer la peine de mort, l'autre pour créer une peine d'« internement incompressible » interdisant aux condamnés, pendant vingt années, toute réduction de peine. C'était proposer de porter à vingt ans la période de sûreté de dix-huit ans déjà instaurée à l'initiative d'Alain Peyrefitte.

Celui-ci avait été battu aux élections législatives de juin à Provins, dans la circonscription où il avait été élu sans discontinuer pendant vingt ans[1]. À dire vrai, je

---

1. Le Conseil constitutionnel devait, au mois de décembre 1981, annuler le scrutin, et Alain Peyrefitte retrouver son siège à l'Assemblée.

regrettais, *in petto*, de ne point avoir à affronter cet homme de talent à l'Assemblée nationale. À coup sûr, nous aurions eu beaucoup de choses à nous dire...

À l'Assemblée nationale

Tout était prêt. Le débat sur l'abolition avait été fixé, à l'Assemblée nationale, aux 17 et 18 septembre. Un calendrier parlementaire serré était prévu pour permettre un vote définitif avant la rentrée judiciaire, en octobre.

Le matin même de l'ouverture du débat fut publié dans *Le Figaro* un ultime sondage réalisé entre le 8 et le 10 septembre[1] : 62 % des personnes interrogées se déclaraient pour la peine de mort, 33 % contre. C'était sensiblement le même résultat qu'en février 1981, avant l'élection présidentielle. Mais, à une nouvelle question : « Faut-il maintenir la peine de mort pour les crimes particulièrement atroces ? », 73 % répondaient : oui. Ce sondage fut largement diffusé dans tous les médias. Je pensai, en prenant connaissance de ces chiffres, à d'autres sondages, toujours défavorables, qui préludaient aux grandes batailles judiciaires. Je me souvenais de cet avocat général qui m'avait accusé dans une cour d'assises, hors de ma présence, d'avoir violé la conscience des jurés à Troyes. À présent, on nous reprochait de violer l'opinion des Français. Dans une démocratie moderne, c'était presque une accusation de forfaiture.

Cet après-midi-là, j'arrivai au Palais-Bourbon avec Élisabeth et François Binet. Il était naturel qu'ils fussent

---

1. *Le Figaro*, 17 septembre 1981.

présents, comme aux procès de jadis. Je pénétrai dans l'hémicycle bruissant. Les travées des députés étaient remplies. Les tribunes du public, bondées. Je gagnai le banc des ministres. André Labarrère, Charles Hernu, Yvette Roudy m'y rejoignirent par sympathie et conviction. La sonnette retentit. Comme aux assises, pensai-je. Un roulement de tambour annonça le président de séance, Christian Nucci. Il gagna le perchoir. Le silence s'établit. Nous pouvions commencer.

L'immense différence entre un débat parlementaire sous la Vᵉ République et un débat judiciaire, c'est qu'à l'Assemblée le résultat est acquis d'avance. Devant la cour d'assises, à l'inverse, le dénouement demeure jusqu'au bout incertain. D'où l'intensité dramatique qui règne dans une salle d'audience. Quand la peine de mort était en jeu, la tension, l'angoisse étaient portées jusqu'à l'incandescence. En revanche, au Parlement, chacun connaît l'issue du débat avant même qu'il ne s'engage. Du temps de la IIIᵉ et de la IVᵉ République, il n'en allait pas toujours ainsi. Un incident de séance, une péripétie politique, un discours en forme de réquisitoire pouvaient faire vaciller la majorité et déclencher la crise. D'où l'importance du talent oratoire et l'éclat de l'éloquence parlementaire. Clemenceau ou Briand en furent d'admirables exemples. Le premier parce qu'il faisait tomber les ministères, le second parce qu'il les sauvait. Rien de tel sous la Vᵉ République. Les gouvernements sont assurés de demeurer en place, et leurs projets de loi votés. Les députés sont comme les grenadiers de Napoléon : ils grognent, mais marchent toujours. Quant au vote de censure, il a disparu de la vie politique depuis 1962. Seule compte, hors les périodes de cohabitation, la confiance du président de la République. Le sort du gouvernement se décide à l'Élysée et non plus au Palais-Bourbon. On comprend dès lors pourquoi l'éloquence a déserté l'hémicycle. Certes, il existe encore au Parlement quelques orateurs de talent, mais ils pratiquent l'art pour l'art. Au mieux, on salue la performance et on applaudit l'interprète.

Ce jour-là, pourtant, il régnait dans l'hémicycle une atmosphère particulière. Était-ce parce que tout ce qui touche à la mort suscite une résonance émotionnelle ? Ou bien parce que s'achevait là une lutte qui avait commencé dès la Constituante, quand Le Peletier de Saint-Fargeau avait, le premier, demandé, en 1791, l'abolition de la peine de mort ? Assis à ma place, devant la tribune de l'Assemblée nationale où Lamartine, Hugo, Jaurès, Briand avaient soutenu la grande cause de l'abolition, j'éprouvais une émotion mêlée d'étonnement. La longue marche s'achevait et jamais, dans mes rêves d'adolescent et de jeune avocat, je n'avais espéré vivre pareil moment.

Raymond Forni avait l'expérience de la tribune. S'exprimant au nom de la Commission des lois, il lui incombait d'être précis, objectif et sans passion apparente. Mais, par moments, sa conviction abolitionniste l'emportait. Le militant perçait sous le calme du rapporteur. Je regardai les tribunes du public. Au premier rang, Élisabeth et François Binet étaient assis côte à côte. Déjà Forni concluait. Il évoquait « *cet acte de foi qui vous est demandé, cet acte de foi en l'homme...* ». Les applaudissements montèrent des bancs de la gauche ; s'y mêlaient ceux de quelques députés de droite.

À l'appel du président je me levai, souris à Forni qui

regagnait sa place, à côté du banc des ministres. Je montai les marches, posai mes feuillets sur le pupitre. Un instant, je parcourus du regard l'hémicycle rempli, la salle immense chargée de colonnes et de marbres. J'avais la gorge sèche. « *J'ai l'honneur, au nom du gouvernement de la République, de demander à l'Assemblée nationale d'abolir la peine de mort en France...* » Tout était dit, pour moi, à cet instant.

De ce discours, à la différence des plaidoiries de jadis, le texte est demeuré, imprimé au *Journal officiel*. Et, parce que le débat était retransmis en direct par une chaîne de télévision, l'enregistrement en est conservé aux Archives. Mais de ce que fut ce moment demeure en moi une impression singulière, sans rapport avec ce que j'éprouvais lorsque je plaidais aux assises pour l'homme, derrière moi, dont l'accusation avait demandé la tête. Ce discours, je n'avais éprouvé aucune peine à l'écrire. Le texte m'était aisé à dire, puisque son rythme, son souffle, sa cadence étaient miens. Mais, parce qu'il s'agissait de la peine de mort, par une mystérieuse alchimie, tandis que je le prononçais, se mêlaient au texte rédigé des fragments improvisés venus d'ailleurs, du temps de la défense. Cette émergence-là, d'une passion qui n'avait pas sa place dans une enceinte parlementaire, donnait à mes paroles une tonalité singulière. Ce n'était pas un discours ministériel, tant s'en faut. Ce n'était pas non plus une plaidoirie, comme beaucoup le dirent qui ne m'avaient jamais entendu plaider. C'était pour moi une sorte d'ultime appel, au-delà de l'hémicycle, à libérer notre Justice de l'emprise de la mort. En vérité, celui qui s'adressait ce jour-là aux députés attentifs n'était ni le ministre ni l'avocat, mais le militant passionné d'une grande cause qui triomphait enfin.

Lorsque j'eus achevé mon propos, les députés de gauche, et certains à droite, se levèrent pour applaudir. Le souvenir me traversa des applaudissements si mal venus qui avaient salué mon ultime plaidoirie contre la mort, à Toulouse, pour Garceau. Comme tout cela était singulier, extraordinaire ! pensai-je en quittant la tribune. Au-dessus de l'hémicycle, le public bruissait.

Le débat qui suivit fut long. La question préalable tendant au rejet immédiat du projet fut soutenue par Pascal Clément, député UDF. Paradoxalement, ce fut Philippe Séguin, autre député de l'opposition, qui combattit sa demande. J'admirai son talent. Ce fut un moment heureux du débat. Il y en eut d'autres. Ainsi conservai-je un vif souvenir de l'intervention de Philippe Marchand, de Gisèle Halimi qui s'exprima, comme féministe, contre la peine de mort, d'Alain Richard qui souligna le lien historique qui réunit totalitarisme et peine de mort. Bien évidemment, les partisans de la peine de mort dénoncèrent notre entreprise comme un signe de mépris de l'opinion des Français, l'expression d'une idéologie pernicieuse et d'une sollicitude perverse pour les assassins, toujours préférés aux victimes. L'un d'entre eux s'exclama à mon intention : « *À chaque fois qu'un criminel récidivera, c'est vous qui aurez permis ce crime.* » Je n'étais pas, à l'époque, habitué aux attaques personnelles. Mon cuir n'était pas encore tanné. Je me souvenais cependant de l'avertissement de Mitterrand. J'étais un invité à l'Assemblée et devais feindre l'indifférence. Mais je bouillais intérieurement de colère. Elle perçait par instants lorsque je répliquais aux intervenants.

Le débat, commencé le jeudi après-midi, poursuivi en séance de nuit, s'acheva en fin d'après-midi, le vendredi 17 septembre. À aucun moment je n'avais accepté d'ouvrir la discussion sur une peine de substitution. J'avais dit et répété que l'abolition commandait la révision de l'échelle des peines et que celle-ci s'intégrerait dans la réforme d'ensemble du Code pénal dont le projet serait achevé en 1983. Je croyais sincèrement pouvoir tenir ce délai. J'ignorais alors la pesanteur des procédures ministérielles et des priorités gouvernementales. L'essentiel, à mes yeux, était ce jour-là que l'abolition fût votée, sans adjonction ni réserve d'aucune sorte. Toute l'abolition, rien que l'abolition : tel était mon but.

Une certaine lassitude perçait lorsque, au deuxième jour des débats, l'article premier du projet, « *La peine de mort est abolie* », fut mis aux voix. Pierre Joxe, président du groupe socialiste, avait demandé à ce qu'il fût procédé à un scrutin public à la tribune. À cet instant décisif, il importait que le vote de chacun fût connu de tous. Le RPR avait formulé la même demande, sans doute pour permettre aux partisans de l'abolition en son sein de faire connaître leur choix. Le scrutin fut long, chaque député se présentant à la tribune à l'appel de son nom. Les couloirs bruissaient de commentaires et de pronostics. Combien de députés de l'opposition se prononceraient en faveur de l'abolition ? Le scrutin clos, le dépouillement achevé, le président annonça le résultat. Sur 487 députés, 482 s'étaient exprimés. L'article premier était adopté par 368 voix contre 113[1]. À

---

1. Tous les communistes avaient voté l'abolition. Du côté des socialistes et radicaux de gauche, une seule voix s'était prononcée contre elle. À droite,

l'énoncé des résultats, toute la gauche et les députés de droite qui avaient voté l'abolition se levèrent et applaudirent longuement. Le résultat du scrutin public dépassait nos espérances. L'abolition n'était pas seulement un article de foi pour la gauche. Elle ralliait aussi nombre de partisans à droite.

Après ce premier scrutin, les autres articles du projet furent rapidement adoptés. Guy Ducoloné pour les communistes, Jean-Pierre Michel au nom des socialistes présentèrent les ultimes explications de vote. Pierre Joxe demanda à nouveau un scrutin public à la tribune. Le déroulement du vote me parut interminable. Enfin la sonnette retentit. Chacun regagna précipitamment sa place. Le président annonça le résultat : « *L'Assemblée a adopté.* » Tous les députés qui avaient voté l'abolition applaudirent à nouveau longuement. Je ne pouvais détacher mes yeux du tableau électronique où s'inscrivaient les chiffres de la victoire : « *Votants : 486. Suffrages exprimés : 480. Pour l'adoption : 363. Contre : 117.* » Six voix de moins que pour l'article premier : c'était le prix de mon refus d'ouvrir le débat sur la peine de substitution.

Aucune importance. La victoire était acquise. Je me tournai vers André Braunsweig, directeur de mon cabinet, grand militant abolitionniste. Il était aussi ému que moi. Nous nous embrassâmes. Une foule de députés s'agglu-

---

16 députés RPR sur 88 avaient voté l'abolition. Parmi eux se trouvaient, aux côtés de Pierre Bas, Philippe Séguin et Florence d'Harcourt, militants de longue date de l'abolition, Jacques Chirac, Michel Noir, Jacques Toubon, Michel Barnier, François Fillon. Au groupe UDF, 21 députés sur 62, soit près du tiers des voix, s'étaient prononcés pour l'abolition. Jacques Barrot, Jacques Blanc, Pierre Méhaignerie, Michel d'Ornano, Jean-Pierre Soisson et Olivier Stirn avaient rejoint Bernard Stasi, un des champions de l'abolition.

tinaient à présent au pied de la tribune. Ils exultaient.
Dans les couloirs de l'Assemblée, je rencontrai Philippe
Séguin. Nous nous serrâmes longuement la main. Élisa-
beth et François Binet me rejoignirent dans le vestibule.
Nous sortîmes par les jardins du Palais-Bourbon. Il faisait
doux. C'était une belle soirée de septembre.

L'abolition

J'avais refusé de recourir à la procédure d'urgence[1].
Il aurait été paradoxal de l'invoquer, s'agissant d'un
débat qui durait depuis deux siècles. Mais, si le Sénat
rejetait le texte ou l'amendait, il faudrait recourir à la
navette et, faute d'accord entre les deux Assemblées,
imposer, en dernière lecture, la volonté de la majorité
des députés. Cette éventualité me déplaisait, car elle
donnerait à l'abolition le caractère d'une loi votée à l'arraché. Dans le climat politique de la rentrée, la droite
paraissait décidée à s'opposer résolument à tous les
projets du gouvernement. La majorité du Sénat était
ancrée à droite. L'abolition était impopulaire dans l'opinion publique. Tous les augures politiques s'accordaient
donc à prédire l'échec du texte au Palais du
Luxembourg[2].

---

1. Selon la procédure d'urgence, que le gouvernement peut imposer, un
projet de loi ne connaît qu'une lecture devant chaque Assemblée, au lieu des
deux lectures prévues par la Constitution.

2. *Le Figaro*, 21 septembre 1981. « *Il est peu probable qu'au Palais du
Luxembourg la tâche de Robert Badinter soit aussi aisée qu'au Palais-Bourbon,
et les sénateurs ne se feront pas faute de lui apporter [au projet de loi] d'importantes retouches.* » *Libération*, 23 septembre 1981 ; *La Croix*, 25 septembre
1981 ; *Le Parisien, id.* ; *Le Monde*, 26 septembre 1981.

Au sein de la docte Commission des lois du Sénat, les affrontements se succédaient. Deux sénateurs influents de droite avaient déposé un amendement qui ne tendait à rien de moins qu'à inscrire dans la Constitution une disposition nouvelle : « *Nul ne peut être condamné à mort.* » Cette volonté proclamée d'élever l'abolition au rang de principe constitutionnel n'était évidemment qu'un leurre. Il ne s'agissait que de prévenir le vote du projet de loi. La Commission des lois adopta cependant l'amendement par 14 voix contre 12. Puis, par un vote contraire à celui qu'elle venait de prendre, la Commission rejeta l'ensemble du projet qu'elle venait ainsi d'amender. Le rapporteur désigné, le socialiste René Tailhades, refusa de poursuivre sa mission. Un nouveau rapporteur, le centriste Paul Girod, fut nommé[1]. Les observateurs prévoyaient que « *l'imbroglio sénatorial serait dénoué par un vote qui n'irait pas dans le sens souhaité par le gouvernement*[2] ».

De son côté, le sénateur centriste Jean Cluzel avait déposé, avec onze autres sénateurs, une proposition de révision de la Constitution tendant à soumettre au référendum les questions « de société ». Edgar Faure acceptait d'en être le rapporteur. En bref, à la veille du débat au Sénat, tout n'était que confusion, hormis la conviction générale que le texte serait rejeté. Comment ? Sous quelle forme ? « *À quelle sauce l'abolition de la peine de*

---

1. *Cf.* Rapport au nom de la Commission des lois constitutionnelles... sur le projet de loi adopté par l'Assemblée nationale portant abolition de la peine de mort par M. Paul Girod, Sénat, annexe au procès-verbal de la séance du 28 septembre 1981, n° 395.

2. *Le Monde*, 26 septembre 1981 ; *La Croix*, 25 septembre 1981 : « Impasse au Sénat pour le projet sur la peine de mort ».

mort sera-t-elle mangée au Sénat[1] ? » interrogeait *Libération*.

Je rendis une visite de courtoisie au président Poher. Il me reçut avec bonhomie, mais demeura impénétrable. Le président de la Commission des lois, Léon Jozeau-Marigné, expert en subtilités sénatoriales, me glissa dans l'oreille : « Ayez confiance ! » J'attribuai ce propos à son naturel aimable.

Dans mon incertitude, je considérais que, faute de pouvoir émouvoir mes auditeurs, il me fallait au moins éviter de heurter leurs convictions. Là où les sénateurs attendraient un discours passionné, je leur présenterais un exposé méthodique des raisons d'abolir la peine de mort en France à la fin du XXe siècle. Sachant l'attachement des sénateurs libéraux ou centristes à la construction européenne, je décidai de mettre l'accent sur la dimension européenne de l'abolition. Je revenais de la réunion annuelle des ministres de la Justice des États membres du Conseil de l'Europe. J'avais retrouvé là mon ami Broda, ministre autrichien de la Justice, grand résistant au nazisme et infatigable militant de l'abolition. Il m'avait interrogé sur la situation en France. Je lui avais annoncé que l'abolition serait votée dans les prochaines semaines. Il m'avait demandé d'en faire l'annonce à nos collègues. À leurs applaudissements chaleureux, j'avais mesuré combien notre attachement à la peine de mort paraissait archaïque en Europe, comme la guillotine qui en était le symbole.

---

1. *Libération*, 25 septembre 1981.

Lors de cette conférence à Lausanne, nous avions dressé des plans en vue de l'adoption d'un protocole annexe à la Convention européenne de sauvegarde des droits de l'homme, qui interdirait aux États membres de rétablir la peine de mort en temps de paix. Broda était l'instigateur de ce texte qui ferait de l'Europe un continent d'où la peine de mort serait entièrement bannie[1]. Je partageais sa vision et son enthousiasme.

De surcroît, je devais me rendre, le 2 octobre, à Strasbourg, avec André Chandernagor, ministre délégué aux Affaires européennes, pour y lever solennellement les réserves qui interdisaient aux citoyens français d'introduire des recours individuels devant la Cour européenne des droits de l'homme. Il me paraissait impossible de signer un tel acte et de m'adresser ce jour-là aux parlementaires du Conseil de l'Europe sans que la peine de mort eût été abolie en France.

C'est donc convaincu de la dimension européenne de l'abolition que je rédigeai, à l'intention des sénateurs, mon second discours sur l'abolition.

Comme pour me préserver de tout emportement verbal, l'automne soudain rafraîchi me prit à la gorge. Vingt-quatre heures avant le débat, je pouvais à peine croasser. Un traitement de choc pour chanteur aphone me rendit la voix. Mais la prescription médicale était impérative : surtout, pas d'éclats. C'est donc d'un ton

---

1. Au 1ᵉʳ janvier 2000, 37 États européens avaient ratifié ce VIᵉ protocole annexe à la Convention européenne de sauvegarde des droits et libertés fondamentales de 1984. Seules faisaient défaut, parmi les États membres du Conseil de l'Europe, l'Albanie, la Russie, la Turquie.

très mesuré, qui prévenait toute passion, que je prononçai mon discours. Les membres de la Haute Assemblée m'en surent gré, même si certains souriaient ironiquement de me voir ainsi assagi. Les membres de mon cabinet étaient plus surpris encore. Le directeur des Affaires criminelles tint à me dire qu'il préférait ces propos policés à la passion du débat à l'Assemblée. Je le remerciai en pensant que ce magistrat de qualité n'était pas fait pour les audiences criminelles.

Le rapporteur de la Commission des lois, Paul Girod, qui me succéda à la tribune, rappela l'incapacité de la Commission à définir sa position. Il invita donc les sénateurs à se déterminer en leur âme et conscience. Il rappela en conclusion l'avertissement dispensé traditionnellement aux membres du jury par le président de la Cour : « *La loi ne vous fait que cette seule question qui donne la mesure de vos devoirs : avez-vous une intime conviction ?* » Décidément, même dans l'enceinte du Sénat, je n'échappais pas aux assises !

Vingt-sept orateurs s'étaient inscrits pour la discussion du projet. Ce fut un marathon oratoire coupé çà et là de beaux mouvements d'éloquence. Michel Dreyfus-Schmidt, sénateur socialiste de Belfort, se distingua ce jour-là par la force de son propos. Je faillis applaudir sa péroraison. Léon Jozeau-Marigné, assis près de moi, posa sa main sur mon bras pour retenir un geste si contraire aux usages.

Plus que dans les discours qui se succédaient à la tribune, je percevais, lors des suspensions de séance, une animation singulière dans les couloirs et les salons velours et or du Sénat. De petits groupes animés se formaient, se défaisaient, des conciliabules se tenaient dans les embrasures. La buvette, haut lieu de la tradition républicaine, bruissait de rumeurs. De singulières affinités réunissaient des adversaires politiques qui partageaient les mêmes convictions sur l'abolition. La liberté de vote étant assurée, je voyais renaître en ces heures la République parlementaire de jadis, avec ses jeux et ses délices. Je comprenais la fascination qu'elle avait exercée sur de grands leaders politiques tels Pierre Mendès France, François Mitterrand ou Edgar Faure. Pour que la passion règne au Parlement, encore faut-il que le résultat soit incertain, et l'enjeu important. Ces deux conditions étaient réunies ce jour-là lors du débat sur l'abolition au Sénat.

Dans cette longue bataille, deux épisodes successifs me donnèrent le sentiment que les partisans de l'abolition étaient en train de gagner la partie. La discussion générale venait de s'achever, le mardi soir, lorsque Max Lejeune, ancien ministre de la Défense socialiste du temps de l'Algérie française, qui siégeait parmi les non-inscrits, posa la question préalable. Il demanda au Sénat de renvoyer le projet de loi, parce qu'il appartenait au peuple français de se prononcer par référendum sur l'abolition. En vérité, au regard de la Constitution, pareil référendum était impossible. Je l'avais répété à l'Assemblée nationale, et rappelé encore une fois dans mon discours au Sénat. Mais, politiquement, chacun savait que l'opinion publique, indifférente aux questions constitutionnelles, était favorable à un tel référendum. René Tailhades, au nom de la gauche, s'opposa donc à la question préalable. Je pris à mon tour la parole pour exposer, avec une fougue soudain retrouvée, qu'il n'y avait, dans cette question préalable, que ruse politique et artifice juridique pour repousser l'abolition. On passa au vote : la question préalable fut rejetée par 185 voix contre 107. Des applaudissements saluèrent l'annonce du résultat.

Il était plus de minuit. Allait-on poursuivre la séance ? La plupart des sénateurs ne le souhaitaient pas. Je brûlais d'en terminer, mais la prudence commandait de ne pas insister. Je regagnai mon domicile, l'optimisme au cœur.

À la reprise des débats, le mercredi matin, la partie se joua. Edgar Faure, ancien président du Conseil, ancien garde des Sceaux, soutint un amendement tendant à ne conserver la peine de mort que dans les cas de récidive d'assassinat, de meurtre d'un agent de l'ordre public et d'enlèvement de mineur suivi de mort. Dans ma réplique, je rappelai que toutes les victimes appellent également la pitié, que le malheur causé par l'assassinat d'un homme jeune, chargé de famille, est aussi tragique que celui d'un policier célibataire, et qu'une jeune femme violée et égorgée peut susciter autant de compassion qu'un enfant tué par son ravisseur. Je soulignai que l'abolition était un choix moral et que l'on ne pouvait concevoir une abolition partielle, fondée sur des distinctions abstraites entre des catégories de victimes dont nul ne pouvait à l'avance définir l'intensité des souffrances.

Chacun savait que, si l'amendement d'Edgar Faure était rejeté, la voie était ouverte à l'abolition. Le moment était décisif. Le groupe socialiste demanda un scrutin public. L'effervescence régnait dans les couloirs et la salle des pas perdus tandis que le scrutin se déroulait à la tribune. Enfin le président de séance, Robert Laucournet, donna le résultat : l'amendement était rejeté par 172 voix contre 115. Les applaudissements éclatèrent, y compris dans les travées de droite. L'article premier – *La peine de mort est abolie* – fut adopté aussitôt par un scrutin public à la majorité de 160 voix contre 126. Les applaudissements reprirent de plus belle. Dès lors, la partie était jouée. Tous les amendements déposés par les adversaires de l'abolition furent retirés. C'est par un simple vote à main levée que la loi fut définitivement adoptée. Il n'y aurait pas de navette, pas de seconde lecture.

Je regardai l'horloge : il était douze heures et cinquante minutes, ce 30 septembre 1981. Le vœu de Victor Hugo – « *l'abolition pure, simple et définitive de la peine de mort*[1] » – était réalisé. La victoire était complète.

Je me tournai vers le président de la Commission des lois, Léon Jozeau-Marigné, pour le remercier. Selon l'usage, il n'avait pas pris part au vote. Il me dit en souriant : « Vous voyez, Monsieur le Garde des Sceaux, je n'avais pas tort d'être optimiste ! »

L'hémicycle se vidait. Je demandai à l'un de mes collaborateurs d'appeler, à l'Élysée, la secrétaire du président de la République. Je souhaitais qu'il connût aussitôt la nouvelle.

En sortant du Sénat, je découvris que le soleil avait dissipé la brume matinale. Je décidai de ne pas regagner la Chancellerie. Je me rendis au jardin du Luxembourg. Des enfants jouaient autour du bassin sur lequel glissaient de petits bateaux. Je les regardai un moment. Il faisait beau, merveilleusement beau. Je pensai à tout ce qui était advenu. Puis je rentrai chez moi, le long des allées. C'était fini, la peine de mort.

Tillard, 31 décembre 1999

---

1. En 1848, lors du débat sur l'abolition de la peine de mort en matière politique.

Remerciements

Je remercie MM. Bayrou, Hollande, Hue et Séguin qui m'ont donné accès aux archives de leurs formations politiques respectives.

Je remercie M. Martial et Mme Catherine Maynial, directeurs du service de la bibliothèque du Sénat, et leurs collaborateurs, Mme Christine Pétillat, directrice du Centre des archives contemporaines de Fontainebleau, pour leur concours.

Je remercie Mme Dominique Bertinotti, secrétaire générale de l'Institut François Mitterrand, pour son assistance.

Ma reconnaissance est acquise à Mme Martine Denis-Linton, Me François Binet, Mmes Chantal de Casabianca et Isabelle Fichet-Boyle, M. Marc Mossé, grâce auxquels j'ai pu réunir la documentation nécessaire.

J'exprime ma gratitude à Geneviève Fialeix, sans le patient concours de laquelle ce livre n'aurait pu prendre corps.

Index des noms propres

Table des matières

Composé par P.P.C
75017 Paris

Impression réalisée sur CAMERON par
BRODARD ET TAUPIN
La Flèche

pour le compte des Éditions Fayard
en août 2000

Imprimé en France
Dépôt légal : août 2000
N° d'impression : 3607
35-57-0906-01/4
ISBN : 2-213-60706-0